LA CANNELLE ET LE PANDA

DU MÊME AUTEUR

Les Médicaments, coll. « Microcosme », Seuil, 1969 (épuisé).

Évolution et sexualité des plantes, Horizons de France, 2ᵉ éd., 1975 (épuisé).

L'Homme renaturé, Seuil, 1977 (Grand prix des lectrices de *Elle.* Prix européen d'Écologie. Prix de l'académie de Grammont) (réédition 1991).

Les Plantes : amours et civilisations végétales, Fayard, 1980 (nouvelle édition revue et remise à jour, 1986).

La Vie sociale des plantes, Fayard, 1984 (réédition 1985).

La Médecine par les plantes, Fayard, 1981 (nouvelle édition revue et augmentée, 1986).

Drogues et plantes magiques, Fayard, 1983 (nouvelle édition).

La Prodigieuse Aventure des plantes (avec J.-P. Cuny), Fayard, 1981.

Mes Plus Belles Histoires de plantes, Fayard, 1986.

Le Piéton de Metz (avec Christian Legay), Serpenoise, Presses universitaires de Nancy, Dominique Balland, 1988.

Fleurs, Fêtes et Saisons, Fayard, 1988.

Le Tour du monde d'un écologiste, Fayard, 1990.

Au fond de mon jardin (la Bible et l'écologie), Fayard, 1992.

Le Monde des plantes, coll. « Petit Point », Seuil, 1993.

Une Leçon de nature, L'Esprit du temps, diffusion PUF, 1993.

Des Légumes, Fayard, 1993.

Des Fruits, Fayard, 1994.

Dieu de l'univers, science et foi, Fayard, 1995.

Paroles de nature, coll. « Carnets de sagesse », Albin Michel, 1995.

De l'univers à l'être, réflexions sur l'évolution, Fayard, 1996.

Les Langages secrets de la nature, Fayard, 1996.

Plantes en péril, Fayard, 1997.

Le Jardin de l'âme, Fayard, 1998.

Plantes et aliments transgéniques, Fayard, 1998.

La Plus Belle Histoire des plantes (avec M. Mazoyer, T. Monod et J. Girardon), Seuil, 1999.

Jean-Marie Pelt

LA CANNELLE
ET
LE PANDA

Les naturalistes explorateurs
autour du monde

Fayard

Aux savants et chercheurs du Muséum national d'histoire naturelle qui, au long des siècles, ont largement contribué et contribueront encore demain à l'essor des Sciences naturelles.
Aux éminents botanistes qui firent de Montpellier la capitale incontestée de la botanique depuis la Renaissance.

Des hommes hors du commun

Les grands fondateurs de l'histoire naturelle ont parcouru le monde au péril de leur vie. Ils n'ont pas hésité à prendre des risques. Mais les siècles ont passé et beaucoup sont tombés dans l'oubli. Le nom de certains flotte encore vaguement dans les mémoires. Mais qui se souvient de leurs épopées héroïques, de leurs folles audaces, de ces voyages au long cours dont beaucoup ne revinrent pas ? Il leur fallut affronter pirates et épidémies meurtrières, subir les rivalités entre grandes puissances qui retentissaient jusque dans leur activité quotidienne à l'autre bout du monde.

Ils ont inscrit leur nom au frontispice de l'histoire des sciences naturelles. De fait, leur vie fut une longue suite d'aventures souvent rocambolesques, dignes de romans de pure fiction. La quête et la découverte des plantes et des animaux dans les contrées lointaines exigeaient patience et ténacité, curiosité et compétence, le tout vécu dans des environnements toujours inconnus et souvent hostiles. D'où d'extraordinaires morceaux de bravoure rapportés ici en hommage à ceux qui surent enrichir notre patrimoine naturel, nos parcs et nos jardins d'espèces nouvelles, encore jamais vues, voire déroutantes : ainsi la rencontre du premier kangourou

9

remit en cause tout ce que l'on croyait savoir de définitif sur le monde des Mammifères ; de même, la découverte du panda révéla qu'il pouvait encore y avoir des ours inconnus à la fin du XIXᵉ siècle... Les plus gros êtres vivants du monde, les séquoias, furent découverts à la même époque, donc très tardivement, et à peu de distance du plus vieux végétal du monde, le pin à longue vie, qui peut atteindre cinq mille ans.

Chaque naturaliste explorateur possède une destinée singulière. Nous l'évoquerons, non sans tenter de débusquer la personnalité tapie derrière ces épisodes flamboyants qui ponctuent d'anecdotes souvent truculentes les détours de carrières toujours hors du commun ; histoires d'autant plus saisissantes qu'elles se déroulent sur des terres éloignées et dans des conditions souvent époustouflantes... Ainsi verra-t-on se déployer l'immense effort individuel et collectif qui, en l'espace de quelques siècles, nous a révélé la nature telle que nous la connaissons aujourd'hui et telle que les anciens de l'Antiquité n'auraient pas même pu l'imaginer. On comptait alors les plantes à fleurs par centaines ; on en dénombre aujourd'hui pas moins de deux cent soixante-dix mille espèces !

S'enracinant dans le savoir encore fragmentaire des Anciens, toutes ces découvertes s'étalent entre la Renaissance et nos jours. Elles sont le fait d'hommes – rarement de femmes – que la passion de l'aventure tenait au ventre et qui surent tout sacrifier pour apporter leur pierre à la construction de l'immense édifice des sciences naturelles. Ce livre voudrait leur rendre hommage à une époque où l'homme prométhéen croit pouvoir se détourner de la nature et de ses leçons, et s'engager sans états d'âme dans les voies aussi incertaines que brutales de la domination de la vie et du monde.

Jean-Marie Pelt,
1ᵉʳ août 1999.

1

Les sept punaises de Dioscoride et la thériaque de Galien

En ce temps-là, la rentrée universitaire avait lieu en novembre. C'est donc par un jour gris et froid que j'entrai à la faculté de pharmacie de Nancy où j'allais passer vingt années de mon existence. Auparavant, un stage d'un an dans une officine, exigé par le cursus universitaire d'alors, m'avait initié aux secrets les plus intimes de la profession. Une profession qui plonge ses racines dans les traditions héritées des Anciens : ainsi, des remèdes aussi ésotériques que les électuaires et les apozèmes, les liniments et les gommes, les sucs et les élixirs, la thériaque et le laudanum, la résine élémi et le baume opodeldoch, constituaient un étrange inventaire à la Prévert de médicaments aussi surannés que désuets, qui, bientôt, n'eurent plus de secrets pour moi.

L'entrée en faculté renouait avec les programmes de terminale, le stage en officine constituant une sorte de rite initiatique marquant le passage du lycée à la fac. Aussi les disciplines enseignées en première année m'étaient-elles familières : physique, chimie minérale, chimie organique, botanique, zoologie venaient tout naturellement relayer les enseignements reçus au lycée. Mais, dès la deuxième année, le paysage changea radi-

11

calement. Voici qu'apparaissaient des disciplines bizarrement nommées « matière médicale » et « pharmacie galénique ». Que se cachait-il derrière ces désignations absconses ? Nous apprîmes que la première découlait de l'héritage d'un médecin grec du premier siècle, Dioscoride, auteur d'un ouvrage traduit en latin sous le titre *De Materia medica*, en français « matière médicale » ; et que la seconde s'inscrivait dans la tradition d'un médecin romain du deuxième siècle, Claude Galien, considéré comme le père de la pharmacie. En d'autres termes, la matière médicale enseignait les plantes et autres matières premières utilisées dans la fabrication des médicaments ; et la pharmacie galénique instruisait sur la manière de concocter les remèdes en leur conférant une « forme » convenable (parmi ces « formes pharmaceutiques » figurent toujours les dragées et comprimés, granules et granulés, sirops et potions, collyres et suppositoires, teintures et extraits, mais aussi huiles et essences, ampoules buvables ou injectables, pommades, onguents, cérats, etc.).

La minirévolution de Mai 68 allait bousculer ces traditions séculaires, et les antiques disciplines durent s'habiller au goût du jour : la matière médicale devint « pharmacognosie » (la science des substances qui guérissent), et la pharmacie galénique se mua en « pharmacotechnie » (l'art de préparer les médicaments).

C'est peu dire que la matière médicale me passionnait. En fait, elle me transportait ! Et même très loin, dans l'espace et dans le temps... Chaque plante active, de l'herbe la plus modeste au poison le plus violent, provenait d'une région particulière et avait une histoire singulière. De quoi me replonger dans mes domaines d'étude favoris, la géographie et l'histoire, mais revisités à travers une vraie discipline de rêve : l'antique et vénérable « matière médicale ». Elle nous invite à suivre, le cœur palpitant, les périlleuses aventures des chasseurs de plantes, de ces navigateurs audacieux qui, contre vents et marée, réussirent à s'approprier l'« or vert » au péril de leur vie. De l'ample épopée de la guerre des épices aux non moins fameuses guerres de l'opium, des missions les plus secrètes visant à s'emparer de trésors végétaux jalousement gardés aux violents affrontements entre nations, sur toutes les mers du globe, pour s'assurer le monopole de plantes aussi prestigieuses que le quinquina ou le girofle, c'est dans un univers de rêve que nous naviguions, passant en revue les singularités botaniques, géographiques et historiques de chacun des végétaux entrant dans la pharmacopée.

Certes, le vieux fonds nous vient des Grecs, de Dioscoride en particulier. De sa vie on sait peu de chose, sinon qu'il exerça comme médecin militaire des légions romaines sous Néron. À ce titre, il parcourut une bonne partie de l'Europe, herborisant dans le sillage des hommes d'armes. Comme la plupart des médecins exerçant à Rome, Dioscoride était grec, car les Romains, si brillants administrateurs, juristes et architectes, étaient nuls en médecine. Hormis la feuille de chou, panacée prescrite par Caton, il n'y avait à Rome de médecine qu'exercée par les Grecs. Ceux-ci avaient, il est vrai, de qui tenir : quatre siècles avant Dioscoride, Hippocrate, le père fondateur, avait jeté les bases de la médecine scientifique, cherchant aux maladies des explications logiques et non plus seulement magiques. Il avait balayé l'épaisse couche de superstitions qui encombrait le diagnostic et les soins. Ainsi l'épilepsie, par exemple, cessa d'être le fait de puissances surnaturelles et devint un simple dysfonctionnement du cerveau. Dioscoride s'inscrit dans les mêmes perspectives : il voyage, sur les pas de son illustre prédécesseur, en Asie Mineure et, semble-t-il, jusqu'en Arabie où il découvre une étrange résine exsudée par certains arbres et qui, chauffée, dégage un parfum mystérieux et envoûtant : l'encens. Il répertorie ainsi, dans son traité de matière médicale, plus de cinq cents plantes médicinales, dont bon nombre n'apparaissent dans aucun ouvrage plus ancien. Cinquante-quatre d'entre elles figurent toujours parmi la liste des plantes médicinales essentielles établie en 1978 par l'Organisation mondiale de la santé (OMS).

L'œuvre de Dioscoride connut un extraordinaire succès lorsque, après la découverte de l'imprimerie, elle put être mise entre toutes les mains, en particulier celles des étudiants en médecine et en pharmacie. La première édition en grec est publiée en 1499 à Venise et constitue aujourd'hui un incunable devenu fort rare. On y apprend que Dioscoride observait les plantes dans la nature, longuement et patiemment : démarche tout à fait étrangère à l'homme médiéval qui se contentait de conserver et commenter des bribes des savoirs de l'Antiquité ; les héritiers de Dioscoride au Moyen Âge dissertaient longuement sur des plantes que des assistants récoltaient afin de préparer médicaments et remèdes, mais ne mettaient guère les pieds dans la nature.

Que reste-t-il, vingt siècles après, de l'œuvre de Dioscoride ? Sans doute la première approche exhaustive d'un arsenal thérapeutique complexe où figurent plantes, minéraux et animaux. Mais comme tous les anciens, Dioscoride consacre peu de temps et peu de précisions à la description des plantes qu'il emploie, ce qui rend souvent difficile leur identification à des spécimens connus. Ainsi lui arrive-t-il, à propos d'une plante, la ronce par exemple, de se contenter d'indiquer que celle-ci est fort connue, et d'en rester là ! Or il existe plusieurs espèces de ronces dont les mûres ont des formes et des couleurs fort différentes. De laquelle s'agit-il ? Faute de descriptions minutieuses, bon nombre de plantes mentionnées n'ont pu, à ce jour, être identifiées avec précision, d'autant moins que le jeu des synonymies et des traductions vient encore compliquer le problème. En revanche, Dioscoride semble bien connaître les remèdes d'origine minérale, indiquant pour la première fois le rôle du soufre, du sulfate de cuivre, de l'antimoine, de l'acétate de plomb et de l'arsenic en thérapeutique. Il s'intéresse beaucoup aussi aux venins et poisons, ainsi qu'à leurs antidotes. Il parvient même à fabriquer des miels empoisonnés pour lesquels il propose les antidotes correspondants.

Mais Dioscoride a un point faible : sa méconnaissance des animaux, qu'il préconise néanmoins d'utiliser en tout ou partie. On apprend ainsi que sept punaises enveloppées dans la peau d'une fève et avalées guérissent de la fièvre intermittente ; que le foie d'un âne rôti est un remède souverain contre l'épilepsie ; que les cigales cuites sont d'une grande efficacité

14

dans les affections de la vessie... Aucune de ces surprenantes prescriptions n'a résisté à l'expérience, et les substances d'origine animale ont peu à peu cédé la place aux substances végétales dont les effets probants ont fini par s'imposer. Aujourd'hui, la matière médicale – rebaptisée pharmacognosie – recouvre l'enseignement des seules plantes et substances d'origine végétale ; c'est d'elles, en effet, que proviennent bon nombre de médicaments modernes.

Les textes de Dioscoride étaient accompagnés de dessins que des copistes plus ou moins approximatifs reproduisirent tour à tour, au point d'aboutir à des représentations parfaitement méconnaissables. C'est là un trait marquant de l'approche des documents antérieurs à la découverte de l'imprimerie : les corruptions des textes, les déformations des planches et reproductions exigent des exégètes un patient travail d'interprétation et de restitution, *a fortiori* pour l'Antiquité dont aucun texte ne nous est parvenu directement de la plume de son auteur. La somme impressionnante de recherches d'ordre scientifique menées sur la Bible, par exemple, témoigne de ces efforts. On comprend dès lors les jugements souvent sévères réservés par les modernes aux « scientifiques » de l'Antiquité. Dupetit-Thouars, un auteur du siècle dernier, ne se montre pas tendre pour Dioscoride lorsqu'il écrit : « Dans cette énumération de propriétés médicales, il en est certainement qui méritent attention ; mais il en est beaucoup plus de futiles, soit parce qu'elles ne concernent que des indispositions très légères, soit parce que au contraire à des maladies très graves on n'oppose que des remèdes tirés de substances peu énergiques en elles-mêmes, ou appliquées seulement en topiques, ou portées en amulettes. » Comment mieux dire une évidence : à savoir que la médecine a fait en deux mille ans des pas de géant ? Mais Claude Galien, pour sa part, donne au contraire une appréciation bien plus flatteuse de son quasi-contemporain : « Dioscoride a expédié en cinq livres toute la matière utile, non seulement des herbes, mais aussi des arbres, des fruits, des fleurs, des sucs et des liqueurs.

15

En tous les cas, il me semble achever mieux que personne le traité de la substance des remèdes. »

Le nom de Galien est indissociable de celui de Dioscoride dont il fut le plus éminent successeur, tout comme, aujourd'hui encore, la pharmacie galénique est indissociable de la matière médicale. Né en 131 à Pergame, en Asie Mineure, fils d'architecte, il effectue à Alexandrie ses études de philosophie et de médecine. À l'instar de Dioscoride, il voyage pendant une douzaine d'années autour du bassin méditerranéen, recherchant la compagnie et l'enseignement des savants de son temps. De retour à Pergame, il exerce les fonctions de médecin des gladiateurs, ce qui lui permet naturellement de perfectionner ses connaissances en chirurgie. En 164, à l'âge de trente-trois ans, il devient à Rome le médecin de l'empereur Marc Aurèle, puis, par la suite, des empereurs Commode et Septime Sévère. Pour soigner les migraines du premier, il lui prescrivait de prendre chaque jour de l'opium, « gros comme une fève d'Égypte ». Faut-il voir dans l'administration de cette médication la cause de la légendaire résistance de l'empereur à la douleur, qui lui valut une réputation de parfait stoïcien ?

Esprit systématique, nourri des œuvres d'Empédocle et d'Hippocrate, Galien élabora une théorie globale de la médecine. Pour lui, les corps sont formés de quatre éléments : l'eau, la terre, l'air et le feu. À ces quatre éléments correspondent quatre qualités conférant à chacun son individualité : la terre est froide, l'eau est humide, l'air est sec, le feu est chaud. Il distingue ensuite dans le corps quatre humeurs : le sang, la bile, la lymphe (ou phlegme) et l'atrabile (ou bile noire). L'équilibre de ces quatre humeurs est indispensable à la santé. La maladie résulte de la rupture de cet équilibre, et le rôle du médecin est de le rétablir. Il utilise pour cela des médicaments à base de plantes, elles-mêmes qualifiées de chaudes, de froides, de sèches ou d'humides. Et il distingue quatre degrés pour chaque qualité : ainsi, tandis que l'amande amère est échauffante au premier degré, le poivre l'est au quatrième. De ce fait, la plante sera judicieusement choisie en fonction du déséquilibre humoral constaté et de son amplitude : un refroidissement sera traité par une plante plus ou moins « chaude », une forte fièvre par une plante plus ou moins « froide ».

Globalement reprise par Avicenne huit siècles plus tard, la théorie des quatre humeurs a dominé la médecine jusqu'à l'émergence des Temps modernes. Et avec la bénédiction de l'Église.

Car Galien est profondément déiste : il invoque à maintes reprises un Dieu unique, créateur du corps humain. Celui-ci est d'ailleurs doté à ses yeux d'une âme d'essence divine. L'Église naissante trouve en lui un philosophe qu'elle ne peut donc qu'approuver, ce qui explique la permanence de son œuvre et de son influence. Pendant quinze siècles, Galien va ainsi dominer la pratique de la médecine et de la pharmacie. Il a fallu attendre le XVIᵉ siècle pour que Paracelse ose brûler publiquement les écrits de Galien, « afin que tout mal parte en fumée » ! Prenant le contrepied de ce dernier, il fonde la médecine « par les semblables », et non plus « par les contraires ». Au « *contraria contrariis curantur* » (les contraires sont soignés par les contraires) de Galien, il substitue le fameux « *similia similibus curantur* » (les semblables sont soignés par les semblables). Ainsi Galien peut-il être considéré à juste titre comme le père de l'allopathie (médecine par les contraires), et Paracelse comme celui de l'homéopathie (médecine par les semblables). Le premier soigne un refroidissement par une plante qui réchauffe, comme le tilleul ; le second, par une autre qui refroidit – et qui, à forte dose, risque même de vous refroidir à jamais ! – comme l'aconit, excellent médicament homéopathique du coup de froid[1].

Galien préparait lui-même ses médicaments, souvent très complexes. La confection de la *thériaque*, mélange de soixante-quatorze ingrédients, qu'il réalisait en public, est restée célèbre dans sa légende. Ce vénérable médicament à base d'opium a traversé les siècles et figurait encore, au début du nôtre, dans la pharmacopée française, paré des

---

1. La pharmacologie moderne mettant en évidence la fréquente inversion des effets selon les doses rend partiellement compte du bien-fondé de ces deux théories pourtant *a priori* contradictoires.

vertus d'une véritable panacée. Se référant aux Égyptiens, aux Assyriens et à Dioscoride, Galien a indiqué le mode d'emploi de nombreuses plantes médicinales dont certaines exigent des manipulations délicates en raison de leur action déjà perceptible à très faible dose, comme l'aconit, la ciguë, la mandragore, le laurier-rose, la jusquiame, le colchique et le pavot. Un arsenal déjà fort complet dans lequel figurent, on le voit, de grands médicaments de la douleur : l'opium, mais aussi l'aconit pour les névralgies, le colchique pour la goutte (même si ces indications, toujours valables aujourd'hui, n'étaient pas encore aussi nettement spécifiées à l'époque). Galien était donc à la fois médecin et pharmacien. Si Hippocrate est universellement considéré comme le père de la médecine, l'habileté de Galien à préparer les médicaments lui a valu le titre de « père de la pharmacie ».

Mais si ces thérapeutes prestigieux ne séparent pas l'étude des plantes de celle de la médecine, il ne s'agit jamais, dans leur esprit, que de celles qui guérissent. Et les autres ? Qui donc s'en soucie ? Qui est le père de la botanique ?

Ce titre devrait revenir en bonne logique au Grec Théophraste. Ce dernier s'inscrit dans la lignée des grands philosophes qui, de Socrate à Platon, puis à Aristote, ont porté la pensée grecque à l'apogée de son éclat. Lecteur assidu d'Aristote au Lycée, il lui succéda à la tête de cette école prestigieuse. Par son éloquence, la grâce de ses manières, la douceur de son caractère, il sut se concilier la bienveillance du peuple d'Athènes. De son vrai nom Tyriame, il se vit conférer par ses auditeurs le nom de Théophraste, « le Parleur divin ». Ce qu'Aristote avait fait à propos de certains animaux, Théophraste le fit pour les plantes. Une phrase de son maître l'avait particulièrement frappé : « On constate chez les plantes une *ascension continue* vers la vie animale. » Parole qui aurait pu tout aussi bien se retrouver sous la plume de Goethe, et qui évoque à merveille l'art inimitable des Orchidées quand, en se « déguisant » en faux insectes, elles manipulent savamment ces derniers pour s'attacher leurs services de pollinisateurs[1].

En bon philosophe de la nature, Théophraste tenta de situer les plantes dans le contexte plus général de l'univers. Mais il fut aussi sans doute le premier savant à planter son propre jardin botanique. Il est difficile, aujourd'hui, d'apprécier avec précision l'apport de ce grand philosophe à la botanique, tant ses œuvres ont été traduites, retraduites et déformées par des lignées de copistes peu soucieux de « coller » au texte originel. Il fut toutefois le premier à proposer une classification des plantes en répartissant les cinq cents espèces qu'il connaissait en six divisions ; il eut en particulier la remarquable intuition que la division classique en herbes et en arbres était dénuée de toute valeur, ce que confirmera plus tard la science botanique. Car les arbres, malgré leur apparence, n'ont pas tous la même structure. Ainsi décrit-il avec une grande précision la différence fondamentale qui existe entre le « bois » des palmiers, dépourvu de cernes, et celui des autres arbres à couches ligneuses concentriques.

Il fut aussi le premier à subodorer un phénomène de sexualité chez les plantes ; c'est du moins ainsi qu'il interprétait la manière dont les Anciens pratiquaient la pollinisation artificielle des figuiers et des dattiers. Chez ces derniers, il était usuel d'agiter des rameaux prélevés sur des palmiers ne produisant jamais de dattes, mais dont la poussière fertilisante se répandait sur des arbres qui ne produisaient point cette poussière, mais seulement des fruits. Car les dattiers sont dioïques : ils portent les deux sexes sur des pieds différents ; les uns sont mâles, les autres femelles. Intrigué par ce phénomène, Théophraste se contenta néanmoins de le constater, sans aller jusqu'à en tirer les enseignements relatifs à l'existence d'une véritable sexualité chez les plantes.

À l'est de la Crète, la plage de Vai est bordée d'une belle palmeraie. De petits palmiers n'existant nulle part au monde,

---

1. On pourra se reporter sur ce sujet à mon ouvrage *Mes Plus Belles Histoires de plantes*, Fayard, 1986.

19

hormis dans quelques localités de cette île, y poussent en bouquets. Dédié par les botanistes à Théophraste, ce palmier, aujourd'hui rarissime, est une espèce protégée ; il appartient, comme son grand frère le palmier des Canaries, ornement de la Côte d'Azur et de la Promenade des Anglais, au genre *Phœnix*. Le palmier de Théophraste est un palmier nain que ses cousins toisent de haut. Il ne dépasse guère les dix mètres, contre vingt, parfois, pour le palmier canarien, voire trente pour le palmier-dattier d'Afrique du Nord.

Théophraste, Dioscoride, Galien : les botanistes de l'Antiquité formeraient-ils un trio ? Plutôt un quatuor, car Pline l'Ancien doit encore venir compléter leur bande... Il était l'ami de l'empereur Vespasien, célèbre par les édicules auxquels il a laissé son nom. Bien qu'ayant mené toute sa vie durant une carrière administrative, Pline était un travailleur acharné, un compilateur hors pair, et surtout un extraordinaire conteur. Il eût ravi, s'ils avaient existé à l'époque, les éditeurs toujours friands de belles histoires à raconter, et leurs lecteurs. Mais Pline ne vérifiait pas ses sources, se contentant de rassembler les témoignages recueillis sans les contrôler, et parfois même, dirait-on, sans les comprendre. Sa fameuse *Histoire naturelle* est un véritable monument de trente-sept volumes pour lesquels l'auteur a déclaré avoir consulté pas moins de deux mille ouvrages (mais peut-être exagérait-il là aussi quelque peu). Dix tomes sont consacrés à l'étude des plantes, cinq aux remèdes que fournissent celles-ci.

Le langage de Pline est imagé ; il n'hésite pas à avoir recours à des comparaisons fort suggestives. Ainsi, par exemple : « Le corps des arbres comme celui des autres êtres est constitué de peau, de sang, de chair, de nerfs, de veines, d'os, de moelle... Dans la chair de certains arbres, on trouve des fibres et des vaisseaux... C'est la raison pour laquelle, quand on colle son oreille à la tête d'une poutre, si longue soit-elle, et qu'on frappe un coup de stylet à l'autre bout, on entend le son qui se fraie un passage en ligne droite : cette expérience permet de savoir si le bois est tordu et s'il est entrecoupé de nœuds... » Observation intéressante, encore que, vérification faite, elle manque totalement de pertinence.

On connaît aussi le célèbre épisode des Lotophages : « En Afrique pousse le lotos dont les fruits sont si bons à manger qu'ils ont donné leur nom aux habitants du pays, les Lotophages. Ils poussent trop loin l'hospitalité, puisqu'ils font naître chez l'étranger l'oubli de sa patrie. On raconte que si on mange de ses fruits, on ne sent plus son mal au ventre... En les pressant, on obtient un vin qui ressemble à notre vin miellé mais qui, selon Cornélius Népos, ne se garde pas plus de dix jours. Népos dit aussi que les baies, hachées avec de la semoule et mises en jarres, servent à la consommation ; bien mieux, nos propres armées, dit-on, dans leurs expéditions ici et là en Afrique, en auraient mangé. » Pline fait ici allusion à Ulysse qui, racontant au roi Alkinos son escale chez les Lotophages, sur les côtes tunisiennes, note : « Sitôt que l'un d'eux goûte à ces fruits de miel, il ne veut plus rentrer ni donner de nouvelles. » Mais quel est donc le fruit merveilleux qui envoûte à ce point ses consommateurs ? La datte, puisqu'il est question d'une baie, est sans doute à l'origine de ce mythe.

Il arrive que Pline franchisse allègrement les limites de l'observation courante. Ainsi de ces arbres qui poussent dans la mer : « Il y a des arbres et des arbustes même dans la mer, mais de plus petite taille que sur terre. En haute mer poussent des sapins et des chênes hauts d'une coudée, aux branches couvertes de coquillages. On s'en sert, dit-on, pour teindre la laine, et certains même portent des glands. Des naufragés et des plongeurs en ont rencontré et on prétend qu'il en existe de géants à Scioné. Poussent aussi dans la mer des vignes, des figuiers sans feuilles à écorce rouge, et des palmiers nains. Au-delà des Colonnes d'Hercule croît un arbuste à feuillage de poireau, un autre de laurier, un autre de thym... » Ici, l'auteur franchit carrément la ligne jaune en travestissant les algues ou les coraux en vigne, en figuiers ou en chênes porteurs de glands. De telles affabulations ne sont pas rares sous sa plume, et il rapporte les récits de naufragés et de plongeurs sans états d'âme, prenant leurs allégations et les reservant comme du bon pain.

En revanche, écoutons-le parler, et avec quelle pertinence, des « vicissitudes du goût et de la renommée » à propos des parfums : « Les parfums tirent leur nom soit du pays d'origine de l'essence, soit de l'arbre, parfois d'une anecdote singulière. Premier principe à savoir : leur règne est soumis aux vicissitudes du goût et de la renommée. Le parfum le plus réputé autrefois venait de Délos ; plus tard, on préféra celui de la ville de Mendès ; le mélange et la composition n'avaient pas changé entre-temps, mais, ici et là, des essences s'étaient améliorées, quand d'autres avaient dégénéré. L'iris de Corinthe fut longtemps à la mode, puis l'iris de Phasélis, que firent oublier les parfums de Naples, de Capoue, de Préneste. On aima le safran de Soles, puis on n'aima plus que celui de Rhodes ; la meilleure fleur de vigne vint d'abord de Chypre, puis d'Adramyttéos..., le henné de Chypre, ensuite d'Égypte. Mais, bientôt, on ne jura plus que par celui de Mendès, et par le *métopion* dont bientôt la Phénicie s'arrogea le monopole en laissant à l'Égypte sa prééminence pour le henné. Athènes a toujours continué de fabriquer le parfum "panathénaïque". À Tarse, on pouvait se procurer un parfum appelé pardalion (panthère) dont on a oublié la composition et les dosages. On a arrêté aussi la production de parfum de narcisse... »

Belle tirade, en vérité, sur les effets de mode que semble ne point avoir ignoré l'Antiquité !

Pline n'ignore pas les dangers de la surexploitation. Il plaide pour la protection de certains poissons déjà menacés de disparition, s'inquiète de l'exploitation intempestive de l'ivoire et du corail, consécutive aux goûts de luxe de ses compatriotes ; et, surtout, comme un vrai moderne, il déplore l'invention continue de nouveaux désirs, débouchant, par l'exploitation des pauvres gens des villes et des campagnes, à l'édification de colossales fortunes. Il dénonce le capitalisme latifundiaire avant la lettre.

Comme l'attestent ces quelques citations glanées au hasard dans une œuvre gigantesque, il y a chez Pline à boire et à manger. On conçoit que son œuvre ait suscité des appréciations fort contrastées, qui ne sont pas toujours à l'honneur de la science des Romains, assez indigente, comme leur médecine. Pour Bacon, « Pline a donné à l'Histoire naturelle une étendue proportionnelle à son importance, mais il l'a traitée d'une manière pitoyable ». Cuvier n'est guère plus indulgent lorsqu'il écrit : « Pline n'a point été un observateur tel qu'Aristote, encore moins un homme de génie, capable, comme ce grand philosophe, de saisir les lois et les rapports d'après lesquels la nature a coordonné ses productions... C'est un auteur sans critique qui, après avoir passé beaucoup de temps à faire ses extraits, les a rangés sous certains chapitres en y joignant des réflexions qui ne se rapportent point à la science proprement dite, mais offrent alternativement les croyances les plus superstitieuses ou les déclamations d'une philosophie chagrine qui accuse sans cesse l'homme, la nature et les dieux. » Quelques décennies avant Cuvier, Buffon a vanté en revanche les mérites du grand naturaliste latin dans des termes qui sont ceux d'un contemporain de l'*Encyclopédie* : « Pline a voulu tout embrasser, et il semble avoir mesuré la nature et l'avoir trouvée trop petite encore pour l'étendue de son esprit. Son *Histoire naturelle* comprend, indépendamment de l'histoire des animaux, des plantes et des minéraux, l'histoire du Ciel et de la Terre, la médecine, le commerce, la navigation, l'histoire des arts libéraux et mécaniques, l'origine des usages, enfin toutes les Sciences naturelles et tous les Arts humains, et, ce qu'il y a d'étonnant, c'est que, dans chaque partie, Pline est également grand. L'élévation des idées, la noblesse du style relèvent encore sa profonde érudition. Non seulement il savait tout ce qu'on pouvait savoir de son temps, mais il avait cette facilité de penser en grand qui multiplie la science ; il avait cette finesse de réflexion de laquelle dépendent l'élégance et le goût, et il communique à ses lecteurs une certaine liberté d'esprit, une hardiesse de pensée qui est le germe de la philosophie. Son ouvrage, tout aussi varié que la nature, la peint toujours en beau ; c'est, si l'on veut, une compilation de tout ce qui a été fait d'excellent et d'utile à savoir... »

Bel éventail d'avis parfaitement divergents sur un auteur fortement discuté !

Si Pline est encore plus grand mort que vivant, c'est que l'étrangeté de son trépas l'a propulsé directement dans la légende. Il se trouvait à Misène où il commandait la flotte lors de la fameuse éruption du Vésuve qui, en 79, ensevelit Pompéi. Pressé par la curiosité, il débarqua sur la plage de Stabia, balayant les craintes de ses matelots par le fameux : « La fortune sourit aux audacieux », et y périt, victime des émanations « méphitiques » du volcan. À en croire une lettre adressée par son neveu Pline le Jeune à Tacite, le savant avait pris des notes jusqu'au tout dernier moment, faisant fi des mises en garde de son pilote. Un vrai explorateur naturaliste, passionné par la grandeur d'un phénomène naturel qu'il entendait décrire pour la postérité. Aussi ne craignit-il pas de donner sa vie pour la science. Une autre version, tout aussi édifiante, nous le montre empressé à secourir les victimes de la catastrophe. Gageons que les deux comportent une part de vérité et que l'intrépide savant avait aussi du cœur ! Sa brillante performance éditoriale, couronnée par cette fin hors du commun, lui valent en tout cas le titre de père de l'histoire naturelle.

Mais il est aussi le père de ces explorateurs que nous allons découvrir et qui n'hésitèrent pas eux aussi à se sacrifier à la science.

2

Le Moyen Âge, de Bagdad à Montpellier

Le Moyen Âge répète – c'est tout au moins ce que tous répètent à son endroit. Mais comment imaginer la vision du monde d'un homme du Moyen Âge ? Comment se glisser en ses lieux et places ? Comment comprendre aujourd'hui une époque dont presque tout nous sépare ?

Nul doute qu'un spécialiste de l'Antiquité ne manquera pas d'émettre des réserves sur notre relation des destinées de Dioscoride et de Galien, de Pline et de Théophraste. En ne retenant de ces auteurs que ce qui a trait à la botanique, nous les avons amputés d'une part substantielle de leur œuvre, feignant d'oublier par exemple que le Théophraste naturaliste était aussi un grand philosophe. Aborder l'œuvre d'auteurs anciens, fût-ce dans sa propre discipline, demeure, pour un scientifique, une tâche ardue. Et cela reste vrai du Moyen Âge dont les valeurs et les repères essentiels nous sont devenus radicalement étrangers. Comment imaginer un monde où aucun des grands thèmes qui agitent et nourrissent notre quotidien, par médias interposés, n'existait encore, où les mots n'avaient pas leur signification actuelle, et où le partage par la société entière d'une même foi religieuse créait des références unanimement partagées. Situation que nous ne pouvons

25

même plus imaginer. Comment était donc ce monde où il n'était jamais question de croissance économique, grand mythe fondateur de nos démocraties avancées, pas plus que de développement et de progrès, de modernité et de modernisation, de communication et de médiatisation, de hautes et de nouvelles technologies, de compétitivité et de performances, de management et de marketing, de chômage et de clonage, de niveau de vie et de pouvoir d'achat, mais aussi d'exclusion et de RMI, sans oublier les trains de réformes en perpétuelle partance ? Toutes notions parfaitement indéchiffrables pour un homme du Moyen Âge, comme l'est pour nous le monde dans lequel il vécut.

En ce temps-là, les croyances communes s'imposaient à tous et à chacun, donnant force et sens à la vie. En Occident, la Bible était la référence universelle. Le réel se devait d'épouser ces représentations d'un ordre et d'un rang supérieurs. Cet ordre prévalait, et le réel lui correspondait tout naturellement. Pourquoi, dès lors, se livrer à de fines observations, à de minutieuses descriptions ? Seul s'imposait le plan général du monde tel qu'inspiré par une lecture littérale des textes sacrés. Au besoin, mieux valait demeurer en accord avec cet ordre général, quitte à passer sous silence tel ou tel fait qui paraissait le démentir. Ainsi du mouvement des astres, soigneusement conforme aux dires des anciens, même si des observations de plus en plus fines semblaient les contredire. Ainsi encore des descriptions approximatives, mais surtout des représentations allégoriques, comme celle des plantes qui festonnent les chapiteaux de nos cathédrales et où les critères archétypiques, mythiques et esthétiques l'emportent toujours sur la simple réalité. Mieux valait peindre et enluminer selon les critères de l'époque, que d'observer une plante dans ses détails somme toute dénués d'importance. Même chose pour les animaux fantastiques du bestiaire biblique : le monstrueux et le tortueux, la licorne et le dragon, bien que largement mythiques, occupaient le devant de la scène au même titre que le cheval et le chien, bien réels, ceux-ci. Qui, à cette époque, s'étonnait que la fleur de lys, symbole de la monarchie française, ne ressemble en rien à un lys ? A-t-on jamais vu une fleur de lys au milieu de laquelle émerge un pétale en forme de lame arrogante et dressée ? L'iris ferait mieux l'affaire, et l'on discute toujours sur le point de savoir si la fleur de lys ne serait pas cet iris dont Clovis, victorieux des Wisigoths à Vouillé, en 507, aurait fait son emblème. Mais qu'importe le lys ou l'iris botaniques ! Seule compte la valeur emblématique du symbole.

Il est certain que le Moyen Âge n'a pas su observer, comme nous le faisons aujourd'hui dans le moindre détail, la structure, l'architecture, l'anatomie d'une plante ou d'un animal. Sa seule curiosité en la matière allait aux monstruosités et autres étrangetés dont les gens de l'époque étaient friands ; car les anomalies intriguaient plus que la normalité : de l'animal à deux têtes aux frères siamois...

En médecine, le Moyen Âge se contenta de répéter la doctrine plus ou moins déformée de Galien et de soigner avec les plantes qu'il avait prescrites et les médicaments qu'il utilisait ; le tout, largement assaisonné de pratiques superstitieuses et magiques. De botanique, point. Car les savants de ce temps avaient davantage les yeux tournés vers le ciel que baissés au niveau du sol, là où poussent les plantes.

D'autant plus que seuls les monastères conservaient la science médicale de l'Antiquité ; ils assumaient alors ce qu'on appellerait aujourd'hui une fonction humanitaire, entretenant un « jardin des simples » où figuraient les plantes répertoriées dans le capitulaire de Villis, édicté par Charlemagne en 812, indiquant arbres et plantes médicinales à cultiver sur l'ensemble des domaines royaux. Parmi ces monastères, celui du mont Cassin, au nord de Naples, fondé en 529 par saint Benoît et perché, à l'instar d'une citadelle imprenable, sur l'emplacement d'un ancien temple dédié à Apollon, brille d'un éclat particulier.

C'est à proximité de ce lieu prestigieux, mais sur le littoral, que devait se développer, dès le XIᵉ siècle, la puissante école médicale de Salerne, fondée par un personnage dont la biographie reste fort imprécise : Constantin l'Africain. On ne sait de lui que sa terre d'origine : le Maghreb. Il appartenait sans

doute à l'une de ces petites communautés chrétiennes rési-
duelles qui se maintenaient encore en Afrique au XIᵉ siècle. On
ne sait au juste pourquoi il passa en Italie. Protégé par l'arche-
vêque de Salerne, il fut sans doute moine au mont Cassin où il
demeura jusqu'à sa mort vers 1087. Constantin adapta en latin
de nombreux ouvrages de médecine arabe. Il fut ainsi le pro-
moteur de la première vague de traductions systématiques des
textes scientifiques arabes, eux-mêmes adaptés, deux siècles
plus tôt, à Bagdad, des œuvres de l'Antiquité grecque. On doit
ainsi à Constantin de Salerne d'avoir enrichi la culture occidentale assoupie grâce à un transfert massif des connaissances
de l'Antiquité orientale, seulement accessibles jusque-là en
arabe ou en grec. C'est à partir de ce puissant effort que l'école
médicale de Salerne devait s'imposer jusqu'à son apogée au
XIIᵉ siècle.

La pratique médicale de Salerne est essentiellement fondée
sur les plantes. Son emblème résume le crédit qu'elle accordait
à la sauge, considérée alors comme une panacée – *« cur morie-
tur homo cui crescit salvia in horto »* : comment a pu mourir
l'homme qui cultivait de la sauge dans son jardin ? En fait,
Salerne marqua, dans l'histoire de la médecine occidentale, le
retour à la médecine de l'Antiquité grecque dont les acquis
avaient d'abord été conservés dans la très célèbre bibliothèque
d'Alexandrie, qui comptait pas moins de sept cent mille
volumes mais fut malheureusement brûlée en 391 ; puis, avec
l'invasion arabe, Bagdad avait pris le relais. C'est à Bagdad, en
effet, que s'opéra le transfert de la science des Grecs aux
Arabes. Un homme y joua un rôle décisif : al Mamûn, fils du
khalife des *Mille et Une Nuits*, le célèbre Hārūn al Rashīd, qui
régna de 786 à 809. Pour réussir ce transfert des connaissances scientifiques de la Grèce, Hārūn al Rashīd créa une
institution baptisée « Maison de la Sagesse », qui connut à
Bagdad une brillante renommée. On y traduisit et y copia des
manuscrits, comme dans toutes les académies de l'époque ;
mais on y accomplissait aussi un travail de réflexion – on dirait
aujourd'hui : de recherche. La diffusion des ouvrages est faci-
litée par l'introduction du papier, d'origine chinoise, qui rem-

place progressivement les parchemins et papyrus anciens. Bagdad est à cette époque un extraordinaire creuset de compétences, où se rencontrent savants de cultures et de confessions différentes : musulmans, juifs et chrétiens. La traduction du grec en arabe de la plupart des traités médicaux est due à Hunayn B. Ishaq, connu plus tard par les Occidentaux sous le nom de « Johanicius ».

L'œuvre des savants de Bagdad est en quelque sorte le tablier du pont reliant l'Orient grec antique à l'Occident latin médiéval. C'est en traduisant Hunayn B. Ishaq que Constantin entreprend la diffusion des connaissances gréco-arabes de l'école de Salerne auprès des tenants d'une médecine qui, en Occident, était retombée dans l'empirisme et la superstition. Il réintroduit la distinction fondamentale, venue d'Aristote et de Galien, via les Arabes, entre médecine théorique et médecine pratique : la première décrit les principes pathologiques en recherchant les causes ; la seconde vise à l'action thérapeutique, qui se réfère alors à la physique aristotélicienne des quatre éléments, reprise et amplifiée par Galien. À Salerne, on soigne par des médicaments à base de plantes, mais aussi de minéraux et d'animaux, conformément à la « matière médicale » de Dioscoride.

Parallèlement, à la même époque, Tolède est aussi un centre prestigieux de traduction et de diffusion de la science gréco-arabe ; des savants du monde entier y affluent. La ville a échappé aux musulmans en 1085 lorsque Alphonse Ier le Batailleur s'en est emparé sans effusion de sang et est devenu le « roi des deux religions ». Là s'est développé, comme à Grenade, un extraordinaire foyer culturel où surent coopérer des savants issus des trois grands courants de pensée monothéistes.

Puis Montpellier prend le relais de Salerne et Tolède pour devenir le siège de la puissante faculté de médecine qui y voit le jour en 1141, suivie d'une université complète fondée en 1289 (mais la ville ne passera définitivement à la France qu'en 1349, sous le règne de Philippe VI de Valois). La jeune faculté de médecine de Montpellier enseigne Galien, mais surtout

Avicenne, le plus célèbre des médecins arabes qui, en Asie centrale, rédigea, aux alentours de l'an mil, son célèbre *Canon de la médecine*. Avicenne fit progresser la connaissance des maladies. Il décrivit avec précision la méningite aiguë, les fièvres éruptives, la pleurésie, l'apoplexie, et proposa pour ces pathologies de nouvelles indications thérapeutiques. Esprit universel, c'était aussi un philosophe qui s'inspirait d'Aristote.

Comme, à l'époque, la médecine n'était toujours pas séparée de la botanique, la faculté de Montpellier devint aussi, dans l'histoire, le premier vrai temple de la botanique. Dès la mise en œuvre de l'imprimerie, on l'a dit, les œuvres de Dioscoride furent imprimées en latin et eurent tôt fait de constituer le fondement des études menées à Montpellier. On redécouvrit alors que Dioscoride – comme d'ailleurs Galien – recommandait d'observer les plantes dans la nature, sur le vif, pratique que le Moyen Âge avait complètement délaissée. Ainsi renaît, à la veille de la Renaissance, le goût de l'exploration botanique et de l'herborisation, après des siècles consacrés aux discours sur les plantes plus qu'aux plantes elles-mêmes.

Ainsi, pour comprendre le développement de la botanique au Moyen Âge, convient-il de distinguer deux longues périodes. La première s'étend de la chute de l'Empire romain jusqu'au XIe siècle, et c'est celle durant laquelle l'Occident fut à peu près totalement coupé des œuvres de l'Antiquité. De rares encyclopédies parurent alors, comme celle d'Isidore de Séville au début du VIIe siècle, rassemblant les quelques bribes des connaissances antiques encore disponibles ; pour le reste, la médecine s'était réfugiée dans les monastères et reposait entièrement sur une idéalisation empirique des « simples ». Puis, après l'éclosion de l'école de Salerne, grâce aux apports de la science gréco-arabe traduite et réélaborée à Bagdad et à Tolède, Montpellier prend le relais et devient la capitale incontestée de la botanique – titre envié qu'elle n'a point complètement perdu.

L'Antiquité comme le Moyen Âge sont d'abord, en tous domaines, une aventure méditerranéenne. Face à celle-ci, les apports venant d'Europe du Nord paraissent secondaires, voire insignifiants. À deux exceptions près, toutefois.

L'une est l'œuvre de sainte Hildegarde de Bingen, la célèbre abbesse rhénane, contemporaine de Bernard de Clairvaux. Elle prophétisa littéralement la crise écologique lorsqu'elle écrivit : « Maintenant, tous les vents sont remplis de la pourriture du feuillage, l'air crache de la saleté à tel point que les hommes ne peuvent même pas ouvrir la bouche comme il faut. La force verdoyante s'est fanée à cause de la folie impie des foules humaines aveuglées[1]. » Et encore, parlant de la Création : « Bouleversée, elle perd son équilibre et inflige aux hommes de grandes et nombreuses tribulations afin que l'homme, qui s'était tourné vers le mal, soit par elle châtié[2]. » Mais Hildegarde soigne les malades et consacre à l'exercice de la médecine et aux plantes qui guérissent de nombreux écrits. Elle exerce à la manière des chamans, percevant intuitivement, dans des états de transe, les indications thérapeutiques des plantes qu'elle utilise et dont elle recommande l'usage. Elle insiste aussi sur l'importance de l'alimentation pour la santé. Tombée longtemps dans l'oubli, Hildegarde connaît aujourd'hui un extraordinaire regain d'intérêt outre-Rhin. Ses œuvres sont diffusées et vulgarisées, et son culte bénéficie d'un large courant de ferveur populaire. Hildegarde, la grande mystique rhénane, est morte en odeur de sainteté en 1179.

Quelques années plus tard, en 1190, naquit Vincent de Beauvais qui écrivit, sur la suggestion de saint Louis, un volumineux ouvrage, la *Biblioteca Mundi*, qui connut un vif succès en son temps et fut imprimé à diverses reprises des siècles plus tard. Il s'agissait d'une somme comme il était de mode d'en écrire à l'époque, mais qui a perdu tout intérêt aujourd'hui. Vincent de Beauvais ne manquait pourtant pas d'ambition : il prétendait réunir toutes les connaissances de son époque, défi que ne relèverait plus aucun homme de science aujourd'hui. Il

1. Hildegarde de Bingen, *Le Livre des mérites de la vie*, III, I, 2 ; cité par G. Épiney-Burgard et É. Zum Brunn, *Femmes troubadours de Dieu*, Brépols, 1988, p. 59.
2. Cité par H. et J. Bastaire, *Le Chant des créatures*, Cerf, 1996.

semble au demeurant qu'il n'ait pas si mal réussi, puisque l'éminent historien de l'art Émile Male écrit à son propos : « Si saint Thomas d'Aquin était le cerveau le plus puissant du Moyen Âge, Vincent de Beauvais fut certainement le plus vaste ; il a porté en lui toute la science de son temps... » Ce qui lui valut le titre de « Pline du Moyen Âge », ou encore de « père des Encyclopédistes ».

Hormis ces quelques pointements extra-méditerranéens, c'est à partir de la fameuse faculté de médecine de Montpellier que, très tôt, se développe et se diffuse la science botanique et d'où vont sortir la plupart des botanistes qui s'illustreront au fil des siècles suivants.

Mais non pas Pierre Belon...

3

Pierre Belon, les crocodiles et les platanes

Nous sommes à la Renaissance. Tandis que fleurissent les arts et les lettres, l'architecture et la sculpture, l'esprit de l'Antiquité imprègne encore les sciences naturelles. On le voit bien à travers l'œuvre de Pierre Belon.

Né en 1517 dans la Sarthe sous le règne de François Ier, passionné dans sa jeunesse par l'observation des poissons et des oiseaux – cette passion ne devait d'ailleurs jamais le quitter –, il est remarqué en 1535 par René du Bellay, évêque du Mans et grand amateur de botanique. L'homme d'Église prend le jeune naturaliste sous sa protection et l'envoie faire ses études chez Valerius Cordus à l'université de Wittemberg, en Allemagne.

. Le titre du cours de Cordus reflète bien l'ambiance de l'époque, encore marquée par l'Antiquité, du moins pour ce qui concerne les sciences naturelles. Le maître fait « démonstration et interprétation des plantes de Galien, Théophraste et Dioscoride ». Toute sa vie, Pierre Belon restera imprégné par l'enseignement des Anciens. C'est encore l'époque des pères fondateurs de la botanique qui considèrent d'abord les applications alimentaires et thérapeutiques des végétaux. Le souci de les décrire avec précision, et plus encore de les classer selon

33

une approche « systématique » de la nature, c'est-à-dire selon un système rationnel, n'émergera qu'avec ses successeurs des XVIIᵉ et XVIIIᵉ siècles. D'où les imprécisions et approximations qui rendent difficile l'identification exacte des plantes décrites par cet auteur.

Wittemberg, où arrive le jeune Belon, venait de connaître une brusque célébrité depuis qu'à la Toussain 1517, l'année même de sa naissance, Luther avait placardé sur la porte de l'église du château ses quatre-vingt-quinze thèses, notamment contre l'usage des indulgences, contestant le droit de l'Église à remettre les peines attachées au péché. Bref, à Wittemberg, l'Église entrait dans les temps modernes tandis que les sciences naturelles demeuraient dans la conformité aux traditions des anciens.

De retour en France, Belon a ses entrées à la cour des Valois. Il s'intéresse particulièrement au « cabinet spécial » de la Cour où s'accumulent les bizarreries de toutes sortes que savants, voyageurs et diplomates ramenaient en hommage au souverain. Le Moyen Âge est proche encore, avec sa légendaire curiosité pour les monstres et étrangetés de toute nature qui, à la même époque, intriguaient tant le père Thévet, en mission au Brésil et que nous accompagnerons plus loin dans son périple. Belon n'est pas homme de cour. Lui aussi souhaite partir. Et voici que la chance lui sourit : François Iᵉʳ, soucieux de conserver l'amitié du Grand Turc, Soliman le Magnifique, décide d'envoyer une ambassade à Constantinople en 1546. Pour lui donner plus de lustre, on lui conférera une dimension scientifique et littéraire.

Venise, Raguse (Dubrovnik), Corfou... : autant d'escales où notre botaniste s'en donne à cœur joie. Puis ce sera la Grèce, la Turquie, l'Égypte, la Palestine et la Syrie.

En Turquie, Belon découvre le pavot dont les capsules, par scarification, fournissent un latex : l'opium. Il décrit avec soin et dans le détail la culture de cette plante, ainsi que les usages qu'en font les Turcs. Ceux-ci, relayant la pratique des grands auteurs de l'Antiquité, mangent l'opium : ils sont opiophages. Belon constate que cette pratique est répandue dans toutes les couches de la population. Il s'intéresse aussi – peut-être très imprudemment, comme on le verra – au commerce de l'opium, déjà très intense à cette époque entre la Turquie, la Perse et l'Inde.

Il semble que ce soit aux Assyriens, environ 2 000 ans avant Jésus-Christ, que l'on doive les premières utilisations du pavot. L'Égypte, puis la Grèce en firent à leur tour usage, et la ciguë bue par Socrate en l'an 400 avant Jésus-Christ semble bien avoir été coupée d'opium afin de faciliter le « passage » du condamné. Tant il est vrai que l'allégement des souffrances constitua sans doute l'une des premières grandes victoires de la médecine : un fait historique dont il convient de se souvenir à l'heure où la morphine, principal actif de l'opium, revient en force dans la pratique médicale pour soulager la douleur, après s'être égarée si longtemps dans l'impasse des toxicomanies.

Ces propriétés, Hippocrate, le père de la médecine, ne les ignorait certes pas ; car, à son époque déjà, l'usage de l'opium était entré dans la pratique courante de la médecine et on l'identifiait au fameux *népenthès* d'Homère, qu'Hélène versa dans le vin de Télémaque pour alléger sa peine.

D'Hippocrate, Belon retrouve la trace dans l'île de Cos où naquit le célèbre médecin et où il méditait longuement ses diagnostics sous un platane. Il tombe littéralement en arrêt devant cet arbre puissant dont l'amour le poursuivra sa vie durant.

Vient ensuite l'Égypte, avec la découverte émerveillée des grands papyrus qui permirent à la civilisation égyptienne d'être et de rester une civilisation de l'écrit ; mais aussi des crocodiles, ces fameux « nourrissons du Nil », comme il les appelle. De biens gros nourrissons, en vérité, qui ont l'émouvante habitude d'extraire leurs petits des œufs, au moment de l'éclosion, dans le sol où ils les avaient enfouis, puis de les happer dans leur bouche, de les y cacher et, moyennant trois voyages – soit environ quinze petits transportés à chaque fois –, de les régurgiter dans un marigot où débutera leur carrière. Si celle-ci va jusqu'à son terme sans encombre, le crocodile adulte pèsera mille fois le poids du minuscule nourrisson de 15 centimètres sorti de l'œuf. La vitesse de croissance dépend de la chaleur, mais le sexe aussi est lié à la température du sable dans lequel ont été enfouis les œufs : si celle-ci dépasse les 31° C, le crocodile sera un mâle ; au-dessous de cette température, ce sera une femelle. Autant de détails qu'ignorait sans doute Pierre Belon...

En Palestine, sur les oliviers qui entourent Jérusalem, il cueille « le gui chargé de semence rouge ». Le fait fut à nouveau signalé par les botanistes qui suivirent ses traces, notamment par Boissier, le grand botaniste de l'Orient, qui repéra à son tour ce gui sur les arbres du jardin des Oliviers, à Gethsémani, où il se trouve toujours. Il s'attarde aussi à battre les forêts d'épines pour « entendre de quelle espèce étaient celles dont fut faite la couronne de Notre Seigneur ; et, n'ayant rien trouvé d'épineux plus fréquent que le *Rhamnus*, il nous a semblé que sa couronne fût d'un tel arbre »... L'arbre que décrit Belon sous cette appellation appartient, de fait, à la famille des rhamnacées, celle à laquelle se rattachent aussi la bourdaine et le nerprun. Mais, sur la composition de la couronne d'épines, les botanistes hésitent : pour les uns, il s'agirait de *Paliurus spina christi* ; d'autres pensent au contraire qu'elle aurait été tressée à partir de rameaux de *Zizyphus spina christi*, une espèce botaniquement et géographiquement voisine de la précédente et appartenant au genre qui fournit également le jujubier à fruits comestibles. *Paliurus* ou *Zizyphus* : deux rhamnacées arbustives fort épineuses et particulièrement dissuasives pour les prédateurs brouteurs, y compris, dit-on, pour les chèvres et les chameaux qui, pourtant, ne font pas le détail.

Après l'épine de la Passion, Belon rencontre la fleur de la Résurrection : une petite crucifère, la rose de Jéricho, qui « s'ouvre quand on lui met le pied de la racine en l'eau ». Une petite plante baptisée par Linné l'« Anastacie de Jérusalem[1] » ; cette espèce est en effet capable de demeurer très longtemps inerte sous forme de graines et de germer après une pluie, faisant alors fleurir le désert en quelques jours.

---

1. *Anastatica hierochuntina.*

Pierre Belon, les crocodiles et les platanes

En bon naturaliste qu'il est déjà avant la lettre, Pierre Belon confie à un vaisseau génois, la *Delphinoise*, une grande caisse remplie de ses trouvailles et de ses trophées : oiseaux, bêtes terrestres, plantes entières, semences d'herbes singulières, et plusieurs « choses » de mer. Malheureusement, le bateau est piraté et la caisse perdue. « Nous fûmes frustrés de cela », note Belon sans se douter que beaucoup d'explorateurs connaîtront après lui les mêmes déboires. Puis il rentre en 1549, trois ans après son départ, et relate son voyage dans un ouvrage orné d'assez bonnes gravures et intitulé *Observation de plusieurs singularités et choses mémorables trouvées en Grèce, Asie, Judée, Égypte, Arabie et autres pays étranges...* Toujours les fameuses « singularités » ! Nous n'en sommes pas encore à l'âge scientifique de la botanique, et les descriptions restent approximatives. Belon s'intéresse plus aux usages pratiques et à la culture des plantes qu'à leurs caractères. L'émergence de la botanique, au sens scientifique du terme, est pour plus tard.

Notre explorateur fait hommage à Henri II de ses trouvailles et se propose d'« apprivoiser » les espèces rencontrées et rapportées de son voyage sur le sol de France. Idée somme toute nouvelle, mais qui restera au stade de l'esquisse. Il n'existe encore nulle part à cette époque de jardin d'acclimatation. C'est à Touvoie, dans le domaine de son ancien protecteur (désormais décédé), René du Bellay, qu'il tentera néanmoins l'apprivoisement du platane. Perspicace, Belon avait noté que cet arbre supportait les climats froids des vallées d'Asie (entendre ici : d'Anatolie). Il réussit à faire germer des graines rapportées d'Italie. Mais le platane ne s'installera vraiment en France qu'en 1750, quand Buffon le fera planter au Jardin du Roi. En 1754, il viendra même embellir les parterres du Trianon. Ce qui ne dépossède pas pour autant Belon de son rôle de pionnier en la matière.

Son voyage avait suscité l'admiration de Ronsard qui lui dédia un poème :

> *Combien Belon [...]*
> *Doit avoir en France aujourd'huy*

D'honneur, de faveur et de gloire !
Qui a veu ce grand univers
Et de longueur et de travers
Et la gent blanche et la gent noire...

Puis, en bon naturaliste, il revint à la zoologie et publia coup sur coup deux ouvrages sur les poissons en 1551 et 1553, puis un autre sur les oiseaux en 1555. Ces ouvrages sont ornés de nombreuses planches qui compensent tant bien que mal les descriptions encore approximatives de l'époque. Ce qui fera dire à Cuvier, trois siècles plus tard : « La partie descriptive était à cette époque la plus négligée. Les termes imaginés depuis lors pour exprimer les variétés de couleurs ou de formes n'existaient pas encore ; les auteurs espéraient y suppléer par des figures. » Belon entreprit ensuite une traduction des œuvres de Théophraste et de Discoride, qu'il ne put mener à terme.

On le trouva en effet assassiné près de sa demeure, au bois de Boulogne, dans des conditions mystérieuses, à l'âge de quarante-sept ans. Le bois avait déjà à l'époque une solide réputation de coupe-gorge. Certains ont vu dans cet assassinat une conséquence de la trop grande curiosité qu'il aurait manifestée lors de son séjour en Orient. Car, dans les bazars de Turquie, il avait, à l'instar de nos modernes ethnopharmacologues, tenté de percer les mystères et légendes des drogues secrètes dont le commerce était jalousement protégé... Mais Belon voulait tout savoir sur tout, et peut-être, de fait, en savait-il trop ?

Son nom reste désormais attaché au platane qu'il fut le premier à introduire en France (mais que des Romains avaient déjà importé de l'Orient méditerranéen).

L'histoire du platane est aussi singulière que celle de son « inventeur ». Au temps de Belon, une seule espèce était connue : celle-là même qu'il avait vue en Asie Mineure. Linné la baptisera *Platanus orientalis*, le platane d'Orient. L'arbre possède des feuilles découpées en cinq ou sept lobes profonds. Son écorce se desquame spontanément et tombe par grandes plaques. Mais c'est par ses fruits que le platane se singularise : chacun est un petit akène sec et poilu ; ensemble, ils se regroupent en sortes de sphères quasi parfaites pendant de l'arbre comme les boules d'un sapin de Noël. Ces boules sont à leur tour regroupées par trois à six et ornent les arbres longtemps après la chute hivernale de leurs feuilles.

Mais voici qu'arriva plus tard d'Amérique un autre platane, très peu différent de son homologue oriental, mais dont l'écorce ne se détache pas par grandes plaques, plutôt sous forme de lamelles arrondies. Les feuilles, moins nettement découpées, ne se divisent qu'en trois lobes, tandis que les agglomérats d'akènes en forme de sphères pendent en solitaires des rameaux défeuillés. Par symétrie avec celui d'Orient, il a été baptisé platane d'Occident : *Platanus occidentalis*. On le trouve du Mexique au Canada, alors que l'autre est répandu de la Méditerranée orientale à l'Himalaya. D'une taille pouvant dépasser les 50 mètres, il compte parmi les essences feuillues les plus puissantes d'Amérique du Nord.

Et pourtant, les platanes les plus répandus aujourd'hui ne sont ni ceux d'Orient, ni ceux d'Occident, mais un hybride intermédiaire entre ces deux espèces interfertiles : le platane hybride *(Platanus hybrida)*. Celui-ci serait issu du croisement d'un parent oriental et d'un parent occidental cultivés côte à côte au Jardin botanique d'Oxford au XVIIe siècle. Les caractères de ce platane, le plus cultivé de nos jours comme arbre d'alignement, sont intermédiaires entre ceux des deux parents. Mais cet hybride est fertile, fait rarissime en botanique où les hybrides entre espèces sont généralement stériles, comme l'est le mulet dans le monde animal. La fertilité d'un hybride atteste l'étroite parenté du patrimoine génétique des géniteurs – donc, ici, des deux platanes, l'oriental et l'occidental.

On a pu reconstituer l'histoire du platane. Une histoire fort ancienne puisqu'elle remonte au crétacé, c'est-à-dire à la fin de l'ère secondaire, soit à environ cent millions d'années. On trouve en effet dans des roches du Groenland datées de ces époques, mais aussi en Alaska et en Europe, des fossiles qui semblent très proches des platanes actuels. Groenland, Alaska,

Europe : voilà qui nous rappelle la lointaine existence d'un méga-continent occupant une bonne partie de l'hémisphère Nord. En ces temps reculés, l'Atlantique ne l'avait pas encore creusé comme il commença à le faire il y a trente millions d'années. Les masses continentales se séparèrent alors et le pollen des platanes cessa bientôt de pouvoir circuler d'une côte à l'autre de l'Océan. De part et d'autre du fossé atlantique, à l'est et à l'ouest de la barrière d'isolement ainsi créée, le platane se mit donc à évoluer séparément. Mais il le fit avec une extrême lenteur, de sorte que, trente millions d'années plus tard, lorsque les jumeaux – l'oriental et l'occidental – se retrouvèrent dans le Jardin d'Oxford, ils se « reconnurent » aussitôt pour faire derechef des enfants fertiles, comme font des plantes de même espèce. Trente millions d'années n'avaient pas suffi à dresser entre les deux platanes, du fait d'évolutions divergentes, une barrière sexuelle qui aurait interdit toute interfertilité entre eux deux.

Mais, dira-t-on, si le fossé atlantique est bien cette barrière d'isolement, pourquoi donc ne trouve-t-on pas de platanes implantés symétriquement de part et d'autre de l'Atlantique ? Car si le platane d'Occident pousse bien sur le littoral américain, son homologue oriental ignore les côtes européennes. La réponse à cette énigme est connue : l'Europe a subi beaucoup plus sévèrement que l'Amérique l'assaut des grandes glaciations de ce dernier million d'années. En Europe, les glaciers descendirent jusqu'à la latitude d'Amsterdam et de Hambourg, et les plantes furent contraintes de se réfugier sous des climats plus cléments. Elles migrèrent donc vers le sud. Une migration liée à la dissémination des graines, les plus favorisées étant celles qui purent atteindre les latitudes les plus méridionales. Mais le sud était barré par la Méditerranée, formant d'ouest en est un fossé infranchissable pour les graines. Sous la pression du refroidissement climatique, les platanes n'ont donc pas pu se réfugier outre-Méditerranée, la mer coupant la trajectoire du pollen et des graines. Les platanes que l'on trouvait encore dans la vallée du Rhône, comme l'attestent les fossiles, il y a cinq millions d'années, ont ainsi disparu de l'en-

40

semble de l'Europe occidentale, tués par un climat nord-méditerranéen devenu trop froid pour eux. Par contre, ils ont réussi à se maintenir dans l'Est méditerranéen, favorisés dans leur migration vers le sud par l'Asie Mineure, très justement baptisée « pont de l'Asie » et qui leur fit en effet comme un pont entre le nord et le sud. D'où le maintien en ces contrées du platane d'Orient. Quant au platane américain, il put migrer vers le sud sous la pression des glaciations sans rencontrer d'obstacles, puis remonter vers le nord une fois les glaces retirées.

Les Romains timidement, puis, dans leur lointain sillage, Pierre Belon réinstallèrent le platane d'Orient en Europe occidentale, d'où il avait été chassé par les glaciations, jusqu'à ce qu'il retrouve, à Oxford, son jumeau américain. De cette hybridation dérivent pratiquement tous les platanes que nous rencontrons aujourd'hui.

Lors de son passage en Asie Mineure, Belon avait remarqué « de très hauts platanes à l'entrée d'Antioche, dont il ne croît aucun en France ni en Italie, sinon quelques-uns cultivés à Rome et autres villes par singularité ». Parmi ceux-ci figurait « un platane bien beau à Padoue, au jardin du Cardinal Benbo, et point d'autre. Si ce n'est à Caspello, dans le parc de Côme de Médicis. » À l'époque, le platane était donc déjà présent en Italie, introduit sans nul doute par les Romains, mais seulement en quelques sites dispersés. Et c'est sans doute aussi d'Italie que Belon rapporta les graines de platane qu'il exultait de voir germer : « Donc, *Platanus*, qui chérissez votre demeure sauvage en plus froid climat que le nôtre par les vallées d'Asie, à quoi tiendra que nous ne vous puissions avoir…, car puisque je vous avons nés de semences jusqu'à la cinquième feuille, il y a espoir que ne nous échapperez l'hiver, et si une douzaine en avons, ainsi en auront mille… »

C'est donc bien à Belon, semble-t-il, que nous devons l'implantation en France des premiers platanes, mais il fallut attendre le début du XIX\ :superscript:`e` siècle pour les voir se multiplier au bord de nos routes et de nos avenues. Ils marquent si bien les places et routes du Midi – mais aussi d'ailleurs ! – que les paysages paraissent ne plus pouvoir se séparer d'eux. Ainsi, entre Cavaillon et Beaucaire, la route est bordée de vieux platanes dont la présence excluait son élargissement. Entre les platanes séculaires et cet élargissement, il a fallu choisir. Et, ô miracle, on a choisi les platanes ! En raison du rapprochement des troncs à gauche et à droite de la chaussée, des panneaux invitent l'automobiliste à s'en tenir à une vitesse exceptionnellement limitée à 80 km à l'heure. Un réflexe écologique assez rare pour être salué. D'ordinaire, les paysages perdent tout cachet du fait de l'abattage systématique des arbres qui bordent les routes, au nom de la sacro-sainte sécurité routière. Pour limiter les risques liés à d'éventuelles imprudences humaines, on tue les arbres. Là, on a su faire une heureuse synthèse entre les exigences de l'écologie et celles de la sécurité : il a suffi de conserver les arbres et de limiter la vitesse en conséquence. Car on peut sauver *et* les arbres *et* les vies humaines ! L'écologie exige précisément de prendre en compte et les uns et les autres.

4

André Thévet, les monstres difformes et le tabac

La vie d'André Thévet s'étend sur la quasi-totalité du XVIe siècle. Il est né à l'aube du siècle, sans doute en 1504 – d'aucuns disent 1503, voire 1502 – et s'est éteint en 1592. Religieux cordelier, ordre formant un diverticule dans la grande famille franciscaine, Thévet était curieux de tout. Aussi put-il, au soir de sa vie, se flatter d'avoir été le cosmographe de pas moins de quatre rois de France à partir d'Henri II, et l'aumônier de la reine Catherine de Médicis. Mais il était aussi naturaliste à ses heures. De son premier grand voyage en Orient, qu'il sillonne plusieurs années durant, il nous a laissé une cosmographie du Levant qui laisse à vrai dire le naturaliste sur sa faim, car ses talents ne se révélèrent qu'au cours du voyage qu'il entreprit au Brésil en 1554.

Mais y a-t-il fait un ou deux voyages ? Là encore, sa biographie n'est pas claire. Il semble bien qu'il s'y soit rendu une première fois secrètement, avant sa rencontre avec le preux chevalier de Malte Nicolas Durand de Villegagnon, qui obtint du roi Henri II l'autorisation de conduire une expédition sur le littoral brésilien. Il s'agissait alors d'y créer une base française destinée à protéger le trafic des marins normands qui troquaient avec les indigènes, contre diverses babioles, ce fameux bois rouge – ce « bois de braise » – qui a donné son nom au Brésil.

Pour mener à bien cette expédition musclée sur des terres que les Portugais occupaient déjà, mais de manière sporadique et discontinue, on réunit donc pas moins de six cents hommes, dont bon nombre de prisonniers en rupture de ban, recrutés dans les prisons de Rouen et de Paris. André Thévet s'embarqua dans cette aventure non point en tant que naturaliste, mais comme aumônier. À peine débarquée dans la baie de Guanabara (aujourd'hui Rio de Janeiro), la mission fut atteinte de grippe et de choléra. Décimée, elle demanda du renfort. Mais Villegagnon désirait accueillir des immigrants à la moralité et aux intentions plus honorables que les premiers. Il fit donc appel aux milieux réformés, séduits à l'idée d'occuper une terre nouvelle où la liberté religieuse leur serait assurée.

Au sein d'un groupe de 290 personnes, Calvin laissa partir quatorze Genevois. Ceux-ci entendaient bien instaurer au sein de la mission un régime moral et spirituel des plus rigoureux. Ils prétendirent même imposer une cérémonie de la Cène dans l'esprit calviniste, c'est-à-dire en niant la Présence réelle, ce à quoi Villegagnon s'opposa énergiquement. Ce fut le point de départ d'une violente polémique entre les anciens et les nouveaux, c'est-à-dire entre Villegagnon et Thévet, d'une part, et Jean de Léry, leader des Genevois, de l'autre. Après huit mois de farouches affrontements, la communauté se disloqua : les Genevois firent scission et furent rapatriés. Puis Thévet rentra à son tour et publia les *Singularités de la France antarctique, autrement nommée Amérique*. Dans l'usage courant du terme, l'Amérique recouvrait à cette époque la plus grande part de l'Amérique du Sud ; c'est le géographe Waldseemüller, de Saint-Dié, dans les Vosges, qui avait créé ce néologisme en 1507 à partir du nom du navigateur italien Amerigo Vespucci, qui fit plusieurs voyages au nouveau monde.

L'implantation française dans la forteresse de Fort-Coligny, construite par les hommes de Villegagnon, fut éphémère. Le 16 mars 1560, à peine quatre ans et demi après le débarquement des Français, les Portugais s'en rendaient maîtres au bout de deux jours et deux nuits de combats acharnés. Le fort fut rasé ; l'aventure de la France « antarctique » aboutissait à un échec total.

Conformément à l'esprit du temps, c'est donc aux « singularités » de cette France antarctique que Thévet consacre ses observations et réflexions. Et il en signale en vérité de bien curieuses. Ainsi, par exemple, de ces mythiques géants *quanianbec* qui jouaient à ce que nous nommerions aujourd'hui la pétanque avec des boulets de canon ! Ou encore de cet animal étrange, identifié au paresseux, que Thévet qualifie tout bonnement de « bête vivant de vent », car, de mémoire d'homme, elle n'aurait jamais été vue en train de manger... Thévet portait, on le voit, un intérêt particulier aux bizarreries de la nature, fidèle en cela à une longue pratique – courante au Moyen Âge – consistant à exhiber en public toutes sortes de monstres.

Vingt ans plus tard, Jean de Léry publia à son tour, sur son voyage au Brésil, un ouvrage dans lequel il plagiait parfois mot pour mot les descriptions de Thévet. Et non content de le copier, cet homme à la rancune tenace le discrédita complètement. Thévet, il est vrai, avait été malade pendant pratiquement tout son séjour à l'embouchure du rio de Janeiro. Aussi s'était-il fait rapporter par des marins des informations qu'il n'avait sans doute pas contrôlées ; ce qui lui valut la réputation d'une crédulité excessive, voire d'une naïveté légendaire qui devait porter gravement atteinte au crédit du malheureux cordelier cosmographe et naturaliste. Il fut donc qualifié d'imposteur, de menteur et de calomniateur par son redoutable compétiteur protestant, Jean de Léry.

L'œuvre de Thévet subit alors une sérieuse décote à la bourse des valeurs intellectuelles et ne fut réhabilitée qu'au XIXᵉ siècle. Pourtant, dans *Tristes Tropiques*, c'est l'*Histoire d'un voyage* de Jean de Léry que Claude Lévi-Strauss réhabilite à son tour, la considérant comme « le parfait manuel de l'ethnographe ». Il n'empêche que Thévet avait été non seulement plagié, mais vivement sali à une époque où la protection de la propriété sur les choses de l'esprit n'existait pas encore et où les auteurs s'entre-pillaient allègrement.

Mais que doit-on tirer de l'œuvre de notre cordelier qui puisse être mis à son actif dans cette première relation d'une exploration au Brésil ?

Des animaux rencontrés, ou en tout cas dessinés, on retiendra le goût tout particulier de Thévet pour ce qu'il appelait les « singularités merveilleusement difformes » : les toucans aux « becs les plus gros et les plus longs quasi collés au reste du corps » ; la sarigue qui, lorsqu'elle prend la fuite, perche ses petits sur son dos et les recouvre de sa longue queue ; le requin-marteau qui a « presque les yeux aux bouts de la tête tellement que, de l'un à l'autre, il y a un intervalle d'un pied et demi » ; le paresseux que Thévet, sur sa gravure, représente avec une tête quasi humaine.

Si l'on note une réelle fantaisie dans la représentation de ces animaux, il n'en va pas tout à fait de même dans les planches représentant les végétaux. Car Thévet a déjà le souci de fournir des planches de bonne qualité. À l'en croire, il aurait d'ailleurs largement contribué aux progrès de la gravure dans notre pays : « J'ai attiré de Flandres, dit-il, les meilleurs graveurs et, par la grâce de Dieu, je puis me vanter être le premier qui ait mis en vogue à Paris l'imprimerie en taille douce. » Ses gravures de plantes sont cependant d'inégale qualité. Ainsi de la *paquouère* – alias le bananier – qu'il avait déjà rencontré en Égypte et à Damas, à son retour de Jérusalem. L'illustration qu'il en donne est typique de cet à-peu-près qui caractérisait l'iconographie du Moyen Âge : le tronc, tel qu'il est représenté, n'est pas formé par l'enroulement les uns sur les autres des pétioles des longues feuilles de cette herbe géante, et les feuilles elles-mêmes sont figurées comme des dards acérés, allongés et dressés au sommet du tronc ; on ne remarque aucune feuille cassée ou retombante, comme on en voit habituellement sur les bananiers ; quant aux régimes, ils sont curieusement disposés à l'horizontale, ce qui semble faire abstraction de leur poids qui leur confère toujours une position tombante

D'autres de ses descriptions sont en revanche plus fidèles. On lui doit notamment une première présentation des arachides et des noix de cajou dont l'association fournit l'assortiment classique qui accompagne nos apéritifs. Bien qu'il ne semble point l'avoir noté, l'une et l'autre de ces plantes constituent de véritables curiosités de la nature, des *singularités*, comme il aimait à dire.

L'arachide possède en effet la très insolite propriété d'enterrer ses fruits dans le sol. À l'intérieur du fruit rugueux et cabossé, les graines, ou cacahuètes, sont en position de germer ; ce qu'elles ne tardent pas à faire, car le délai de germination est toujours très court chez les graines oléagineuses. Encore faut-il que le germe triomphe de la rigidité de la coque du fruit dont la position hypogée, c'est-à-dire enterrée, va accélérer la désintégration. Bref, l'arachide est une espèce végétale qui se replante toute seule !

Mais l'histoire, décidément sévère avec le père Thévet, en raison du discrédit dans lequel il était tombé, ne lui attribue point la découverte de l'arachide, accordée à l'Espagnol Monardes qui décrivit en 1569 ces fruits souterrains trouvés au Brésil et déjà connus à l'époque des Indiens et des conquistadors ibériques. Une plante dont l'histoire a retenu le nom mexicain de *tlacàcaualt* (ou « cacao de terre »), devenu cacahuète. Le terme d'arachide est, lui, sans doute dû au père Plumier, explorateur des Antilles sous le règne de Louis XIV, qui baptisa cette graine *arachidna*, reprenant une appellation que Théophraste avait donnée à une plante dont les fruits se développaient également sous terre. Quelle plante ? Nul ne le sait au juste, comme il advient souvent du fait de la difficulté à interpréter les auteurs antiques, Théophraste en particulier.

Quant à la noix de cajou, autre composante incontournable de nos assortiments pour apéritifs, elle est aussi une véritable singularité botanique, puisque toujours perchée au-dessus d'une sorte de pomme résultant de l'enflure immodérée du pédoncule du fruit. Le fruit lui-même, directement posé à l'extrémité de la « pomme », a une forme de rein et contient un noyau, la noix de cajou. Le tout compose une structure extrêmement originale. Pourquoi cette expansion intempestive du pédoncule, cette pomme monstrueuse mais qui n'en est pas une ? Voilà bien un mystère, car, à la lumière du darwinisme, il est bien malaisé d'imaginer l'avantage sélectif qu'un tel dispositif peut réellement apporter à la plante... À moins que cette « pomme », dont on sait à quel point elle peut être tentatrice, ne détourne l'attention des prédateurs d'une graine fragile qui ne s'accommoderait peut-être pas d'un transit intestinal, itinéraire obligé de tant de noyaux et de pépins !

Thévet décrit aussi – et représente sur des planches adéquates – les patates douces, le manioc, sans oublier le bois de braise, dit encore *brésil* : un bois très dur et très rouge appartenant à diverses espèces de *Cesalpinia*, arbres de la famille des légumineuses. Ce « bois de braise » fournissait un pigment rouge cerise très recherché à l'époque.

Il décrit encore l'ananas, qu'il appelle *nana*. L'ananas est une infrutescence, autre singularité botanique résultant de la concrétion, sur un axe central, d'une multitude de fruits adhérant étroitement les uns aux autres. Le mot ananas dériverait d'un nom vernaculaire utilisé par les Indiens Guaranis chez qui « a » désignerait le fruit en général, et « nana » signifierait « excellent ». Il serait excessif d'attribuer au seul Thévet le mérite de la découverte de ce fruit qui figure déjà dans l'*Historia general y natural de las Indias* publiée à Séville, en 1535, par Gonzalo Fernandez de Oviedo y Valdes, envoyé du roi Ferdinand au Nouveau Monde pour y diriger des fonderies d'or. Mais la légende de l'ananas remonte à plus loin encore. Lors de son second voyage, Christophe Colomb débarqua, le 4 novembre 1493, sur une île montagneuse, la Guadeloupe, et découvrit dans un village indien des plantations d'ananas dont « l'odeur et le parfum les étonnèrent et les ravirent ». Les Espagnols s'empressèrent alors de cultiver ce fruit « outre-mer » : l'ananas aurait été signalé à Sainte-Hélène dès 1505, en Chine en 1518, et à Madagascar en 1548... Thévet ne vint que plus tard !

Mais, s'il n'a réellement découvert ni l'arachide, ni l'ananas, se contentant de les représenter sur ses planches, d'où vient que le père Thévet, de surcroît discrédité par Jean de Léry, soit néanmoins demeuré dans les annales de la botanique ? Sans doute parce qu'il fut le premier naturaliste français à prendre pied en Amérique du Sud. Mais, surtout, parce que son nom reste attaché à l'histoire du tabac qu'il fut le premier à introduire en France et dont les Indiens lui avaient dit qu'il « fait passer la faim et la soif pour quelque temps ». Ce qu'il vérifia lui-même, s'empressant d'y goûter. Mais le tabac ne lui réussit pas, car, dit-il, « cette fumée cause sueurs et faiblesse, jusqu'à en tomber en quelque syncope »... Une impression que ne partagent naturellement pas les centaines de millions de fumeurs de par le monde, ni tous ceux qui, parmi eux, déboursent en France de lourdes taxes depuis que Richelieu a fait du tabac, en 1619, un juteux monopole d'État...

Mais Thévet n'a pas plus découvert le tabac qu'il n'a découvert l'ananas ou l'arachide. Car lorsque les compagnons de Christophe Colomb débarquèrent pour la première fois à Cuba, ils constatèrent que les Indiens fumaient « par les narines » de curieux cylindres formés de feuilles roulées... Ils venaient de découvrir les premiers cigares, ancêtres des havanes ! Intrigués, les navigateurs ne manquèrent pas d'imiter les indigènes, ce qui leur valut d'être emprisonnés pour sorcellerie dès leur retour en Espagne : il fallait au moins avoir pactisé avec le Diable pour réussir à souffler de la fumée par le nez ! Qu'il soit fumé au calumet, prisé, chiqué ou même utilisé dans la fabrication de boissons, le tabac était déjà répandu sur tout le continent américain bien avant l'arrivée des Européens. Il était connu en Amérique sous le nom de *petun*, nom que lui avaient donné les Indiens Guaranis et qui a été conservé dans le verbe *pétuner* et dans *pétunia*. En 1520, Hernández l'introduisit en Espagne, paré des plus merveilleuses vertus : c'était la panacée antarctique, l'herbe à soigner tous les maux. Puis le tabac passa au Portugal. Mais c'est Thévet qui, en 1556, entreprit pour la première fois sa culture en France, en semant des graines dans les environs de sa ville natale d'Angoulême. D'où les noms d'« herbe angoulmoise » ou d'« angoulmoisine » donnés à l'époque au tabac.

Malheureusement pour Thévet, l'histoire ne devait pas même lui reconnaître ce mérite puisque c'est à Jean Nicot de Villemain, ambassadeur de François II au Portugal, que fut attribué le mérite – si l'on peut dire – d'avoir été le véritable propagateur du tabac en France. Il l'avait en effet prescrit à la reine Catherine de Médicis en vue de soigner ses migraines. Le tabac entamait par là une carrière de médicament, mais qui se dévoya rapidement lorsque la mode de le priser se répandit dans toutes les classes sociales, en attendant le XIXe siècle où l'on se mit à le fumer à la manière des Indiens. Le duc de Guise proposa que l'on baptisât cette herbe *nicotiane*, en hommage à Jean Nicot, et, soucieux de s'attirer les faveurs de la Cour, le botaniste Dalechamps lui attribua officiellement le nom de *Nicotiana tabacum*, terminologie ultérieurement reprise par Linné. Ce contre quoi André Thévet, qui aurait aimé voir le tabac qualifié d'*herbe angoulmoise*, protesta énergiquement, faisant valoir son droit d'antériorité et s'insurgeant contre le fait qu'« un quidam qui ne fit jamais de voyage, quelque dix ans après que je fus de retour de ce pays, lui donna son nom ». Le quidam, on l'aura reconnu, n'était autre que Jean Nicot.

Ainsi Thévet, comme il advient souvent aux pionniers, fut dépouillé de son vivant de l'essentiel de son œuvre par Jean de Léry, qui le plagia allègrement ; on ne lui reconnut pas davantage le mérite d'avoir introduit le tabac en France, lequel revint indûment à Jean Nicot. Que reste-t-il donc au cordelier, que la botanique lui ait officiellement reconnu ? Simplement, un genre auquel Linné a donné son nom : le genre *Thevetia*. Thévet avait en effet consacré une planche de son ouvrage à un arbre qualifié par les indigènes d'*ahouai*, dont il signalait les fruits vénéneux ; cet arbre, aujourd'hui appelé *Thevetia ahouai*, est l'une des huit espèces de ce genre tropical d'origine américaine. Une autre espèce, *Thevetia neriifolia*[1], baptisée laurier jaune, est abondamment cultivée comme ornementale pour ses fleurs jaunes en forme de grosses clochettes ; on la

1. Apocynacées.

trouve immanquablement dans les parcs et jardins de toute la zone intertropicale du globe, en particulier dans les parcs des grands hôtels qui jalonnent les littoraux, de sorte qu'aucun touriste ne peut manquer d'avoir admiré cette plante magnifique. La plupart, il est vrai, seulement sensibles à leur ambiance chaude et feutrée, ne l'auront sans doute pas remarquée dans le foisonnement et la luxuriance des jardins tropicaux ; mais, dans les belles symphonies de couleurs et de fragrances qu'ils nous offrent, le *Thevetia* joue avec bonheur sa propre partition. On doit néanmoins se méfier de cette plante particulièrement toxique, ainsi que l'avait si bien signalé André Thévet, dont les fruits en forme de tétragones sont aisément identifiables.

Si la critique a été sévère envers le père Thévet, et avec son œuvre au point de l'avoir réduite, comme le signale le *Larousse* du XIXᵉ siècle, à « des drôleries parfois très réjouissantes », le religieux cordelier a néanmoins laissé le souvenir d'un homme certes trop crédule, mais simple et bon. Généreux, serviable, il obligea de son crédit et de sa bourse de nombreux amis, et, lorsqu'il mourut à l'âge de quatre-vingt-huit ans, sa biographie s'inscrivait tout naturellement comme l'une des toutes premières des naturalistes de la Renaissance. Autodidacte, encore fortement marqué par les influences du Moyen Âge, ainsi qu'en témoignent sa curiosité immodérée pour les singularités et autres monstruosités, la relative imprécision de beaucoup de ses descriptions, voire de ses gravures, il n'est pas à proprement parler un découvreur, mais au moins est-il un dessinateur : celui qui, le premier, nous a présenté dans ses gravures les plantes utiles de la « France antarctique ». Quant à ses avanies, elles préfigurent celles que devront subir ses successeurs en Amérique latine, de Joseph de Jussieu à Joseph Dombey, avant que, deux siècles et demi plus tard, Alexander von Humboldt et son fidèle Bonpland effectuent sur ce sous-continent une exploration prestigieuse qui s'acheva, à la différence des précédentes, par un éclatant succès.

5

Charles de Lécluse, prince des descripteurs

Les hommes du Moyen Âge avaient fait acte de répétiteurs. Ils avaient conservé les pratiques médicales des pères de l'Antiquité, Hippocrate, Dioscoride, Galien, souvent corrompues par des emprunts à la magie et aux superstitions. La botanique n'était point considérée pour elle-même, pas plus d'ailleurs que les plantes, celles-ci ne valant que par les services qu'elles offraient en médecine et en alimentation. Elles pouvaient aussi avoir une haute valeur symbolique, telles les feuilles d'acanthe ou de palmier qui ornaient les chapiteaux des cathédrales, ou encore les roses figurant sur les couronnes ou les manteaux de la Vierge. Mais les plantes en tant que telles n'étaient pas objets de science. Leurs descriptions étaient vagues, les confusions nombreuses, les informations de deuxième ou troisième main selon les traducteurs auxquels on se référait. Bref, le Moyen Âge ne faisait guère preuve d'esprit scientifique dans l'approche des végétaux, marquant plutôt un net recul par rapport à des œuvres comme celles d'Aristote ou de Théophraste. La force et la grandeur du Moyen Âge résidaient ailleurs, mais certes pas dans l'étude des plantes.

Avec le XVIe siècle commencèrent les grandes expéditions scientifiques terrestres ou maritimes : Pierre Belon en Orient,

André Thévet au Brésil, pour ne citer que les plus célèbres des Français qui s'illustrèrent en ce domaine.

Mais que se passait-il en Europe pendant ce temps-là ? Seules les plantes de l'Antiquité, dans la mesure où elles étaient correctement identifiées, avaient pignon sur rue. Quant à la flore d'Europe du Nord, elle n'avait jamais fait l'objet de la moindre observation et restait pour l'essentiel inconnue.

L'Allemand Leonhart Fuchs, dit Fuchsius, entreprit d'inventorier les plantes d'Allemagne et exprima ses préoccupations par une formule tout à fait pertinente : « Je n'ai pas voulu qu'il arrive à nos descendants l'inconvénient dont nous avons tous été si évidemment victimes avec les auteurs de l'Antiquité, à savoir que les espèces qui sont aujourd'hui connues de tout le monde ne leur deviennent bientôt obscures... » Il désignait par là la difficulté à laquelle on se heurtait à l'époque pour identifier avec quelque chance de succès les plantes décrites, souvent on ne peut plus maladroitement, par les auteurs antiques. Fuchs soigna donc particulièrement ses descriptions, travaillant en collaboration avec un dessinateur ; il nous fournit ainsi les premières représentations de la belladone, dont il connaît bien les propriétés toxiques, et de la digitale, qu'il baptisa ainsi pour évoquer la forme des fleurs « en doigts de gant ».

Les botanistes ont reconnu l'importance et l'intérêt de son œuvre en lui dédiant le genre *Fuchsia*.

En Belgique, Rembert Daudoens s'intéressa de même aux plantes d'Europe tout en signalant leurs vertus pharmaceutiques.

En Suisse, Conrad Gesner parcourut les Alpes en tous sens, découvrant pas moins de cinq cents espèces encore inconnues qu'il planta dans son jardin.

Pourtant, les descriptions restent encore sommaires et, en l'absence de toute classification, les ouvrages de ces auteurs s'apparentent à des énumérations plus ou moins « fourre-tout » des plantes qu'ils ont rencontrées.

Pourtant, la botanique s'organise. Mieux : elle s'individualise. Ainsi la très célèbre faculté de médecine de Montpellier créa, en 1550, un enseignement spécifique de la botanique : « Un docteur de l'université des plus idoine et suffisant serait désigné pour lire aux écoliers et montrer oculairement les simples de Pâques à la saint Luc (18 octobre), et pour chercher ces simples en ladite ville de Montpellier et circonvoisin. » Cette chaire nouvellement créée fut confiée à un enfant du pays, Guillaume Rondelet. De petits groupes d'étudiants entreprirent de parcourir le Languedoc pour recueillir des plantes, des fleurs et des fruits qui n'avaient jusque-là attiré l'attention de personne. Pour chaque plante récoltée, Rondelet exigeait de ses élèves une description précise, ainsi qu'une représentation dessinée aussi rigoureuse que possible.

C'est dans cette tâche que devait exceller son plus fidèle disciple, Charles de Lécluse. Né à Arras en 1526, ce botaniste, encore nommé *Clusius*, selon l'usage du temps, connut une carrière qui n'avait rien à envier à celle des maîtres qui, au cours des siècles précédents, avaient sillonné l'Europe en dispensant leur savoir d'une université à l'autre. Il fit ses études d'abord à Gand, puis à Louvain où il obtint à vingt-deux ans sa licence en droit. Il se rendit ensuite à Marburg en 1548, puis à Wittenberg en 1549. Dans cette ville, sous l'influence de Luther, il choisit la Réforme. Mais, comme tant de ses condisciples botanistes en herbe, il est bientôt attiré par la faculté de Montpellier où il se rend en 1550 pour devenir très rapidement le secrétaire de Guillaume Rondelet. Les deux hommes sont proches, et Charles partage même pendant trois ans le domicile de son maître.

Grand voyageur, Charles de Lécluse herborise dans les principaux pays d'Europe. Il parcourt la France, mais aussi la Suisse, le Piémont, l'Espagne, le Portugal, poussant même jusqu'à Gibraltar où il se casse malencontreusement le bras. Il revient alors chez son père, à Anvers où il séjourne huit ans. Mais sa célébrité a largement dépassé les frontières de ce qui n'est pas encore à l'époque l'Hexagone. En 1573, l'empereur Maximilien II d'Autriche lui confie la direction des Jardins impériaux à Vienne où il introduit de nombreux végétaux exotiques. C'est là, en particulier, qu'il reçoit de Turquie, par l'intermédiaire de l'ambassadeur à la Sublime Porte, les tout premiers oignons de tulipe parvenus en Europe, dont il envoie à son tour les graines vers la France, mais surtout en Hollande au célèbre Jardin botanique expérimental de Leyde. La tulipe entame ainsi une carrière étincelante que nous avons rapportée ailleurs[1].

Lécluse demeura quatorze ans à Vienne, jusqu'à la mort de son protecteur. C'est alors le landgrave de Hesse qui le prend en charge, lui accordant une pension d'autant plus nécessaire qu'il est devenu infirme à la suite d'une nouvelle chute : « Je ne saurais faire un pas sans être soutenu par deux potences », écrit-il. Mais le landgrave disparaît à son tour et Lécluse perd à nouveau sa pension, ce qui l'amène à accepter en 1593 de devenir professeur de botanique à Leyde où il mourra en 1609, âgé de quatre-vingt-trois ans.

Pour le commun des mortels, Charles de Lécluse est resté dans les annales de la botanique pour avoir publié la première bonne description et bonne représentation des pommes de terre sous l'appellation significative de *Papas peruanorum* : *papas* des Péruviens. Le pied de pomme de terre examiné par Lécluse avait des fleurs rosées et des tubercules rougeâtres ; il le décrit dans son *Histoire des plantes* parue en 1601.

Les toutes premières pommes de terre avaient été introduites vers 1535 en Espagne ; elles provenaient du Pérou où les Indiens les consommaient depuis des siècles. D'Espagne, elles passèrent rapidement en Italie, et un plant fut offert, selon l'usage, à Jean Ange de Médicis, le pape Pie IV. En 1586, le légat du pape en offrit à Philippe de Sivry, gouverneur de Mons, lequel envoya deux ans plus tard un turbercule à Charles de Lécluse. C'est à partir des tubercules récoltés par notre botaniste qu'elle se répandit ensuite en Allemagne, en Autriche et en Suisse, bien avant que Parmentier, à la veille de la Révolution française, finisse par l'introduire en France avec succès : un décalage de *deux siècles* par rapport aux premières cultures pratiquées en Italie pour son usage alimentaire !

1. Dans *Plantes en péril*, Fayard, 1996.

C'est aussi à Charles de Lécluse que l'on doit l'introduction du marronnier d'Inde, arbre originaire de Grèce et de Bulgarie, qu'il importa en Autriche durant son séjour à Vienne. Cet arbre, qui n'a d'Inde que le nom, s'acclimata ensuite aisément dans toute l'Europe de l'Ouest. Car le marronnier d'Inde n'est autre que celui que nous rencontrons communément dans tous nos parcs et jardins.

L'œuvre de Charles de Lécluse est considérable : il nous a laissé une description scientifique de plusieurs milliers de végétaux tout en faisant preuve d'un grand esprit d'observation, ce qui lui a valu d'être nommé « le Prince des descripteurs ». De ce point de vue, il marque une étape fondamentale dans l'histoire de la botanique : celle où les plantes sont réellement identifiées et identifiables par des caractères précis, finement décrits et représentés sur des planches de dessins. Il a même tenté d'esquisser une classification des plantes qu'il avait recueillies. Il les classait en arbres ou en arbustes ; en plantes bulbeuses, à fleurs odoriférantes, sans odeur ou puantes ; en plantes vénéneuses, narcotiques, âcres ou laiteuses, etc. Cet essai de classification était bien entendu fondé sur des considérations beaucoup trop générales, regroupant artificiellement des plantes tout à fait différentes du seul fait, par exemple, qu'elles avaient un goût âcre ou sucré. Il avait cependant déjà cerné quelques groupes homogènes, encore reconnus aujourd'hui par leurs caractères qui s'imposent immédiatement à l'œil, même pour le plus ignare des observateurs : ainsi des Ombellifères qui, à l'instar de la carotte ou du persil, disposent toujours leurs fleurs en ombelles ; ainsi encore des Graminées dont les feuilles sont linéaires et les fleurs disposées en épis et dont l'archétype est l'herbe de nos pelouses ou le blé de nos champs ; ainsi des Légumineuses chez lesquelles le fruit en forme de gousse, comme le petit pois ou le haricot, constitue un caractère distinctif essentiel ; ainsi enfin des Fougères, ces plantes qui ne fleurissent jamais et, naturellement, des Champignons qu'il eut soin de distinguer entre « comestibles », « nuisibles » et « pernicieux ».

Mais ces premières approches, en vue de regrouper les plantes selon leurs affinités pour établir une classification susceptible de rendre compte de l'ordre de la nature, restent tout à fait rudimentaires. Et si, avec Charles de Lécluse, les botanistes apprennent à décrire convenablement les plantes, il leur reste en revanche à trouver vraiment l'art et la manière de les classer. C'est à quoi vont s'employer ses successeurs tout au long des XVIIe et XVIIIe siècles.

6

Mathias Delobel :
une erreur d'aiguillage

Né à Lille en 1538, Mathias Delobel était à peine plus jeune que Charles de Lécluse. Lui aussi, comme la plupart des botanistes de son époque, fut l'élève de Guillaume Rondelet à la faculté de Montpellier. Disciple digne de son maître, il herborisa abondamment dans tout le Midi, mais aussi en Italie, au Tyrol, en Suisse, en Allemagne, en Hollande, puis finalement en Angleterre où il finit par obtenir le titre envié de « botaniste du roi Jacques Ier ».

Comme ses prédécesseurs, Delobel était soucieux de classer selon un ordre naturel les plantes si diverses qu'il récoltait au cours de ses herborisations. Il entreprend donc de le faire en fonction de la forme des feuilles, ce qui lui vaut quelques succès. Ainsi peut-il reconnaître la famille des Graminées en y plaçant céréales et roseaux, caractérisés par leurs longues feuilles à nervures parallèles et dont la base est longuement engainante autour de la tige. Même succès lorsqu'il s'agit de regrouper les jacinthes, les lys et les narcisses : leurs feuilles, quoique plus trapues, présentent également ce caractère allongé et ces nervures parallèles. Obéissant toujours à la même logique, il rassemble dans une même entité les trèfles,

les anémones-hépatiques et les oxalis, tous caractérisés par un appareil foliaire trifolié, à l'instar précisément du trèfle. Pourtant, quand elles fleurissent, ces plantes fournissent des fleurs totalement différentes, qu'aucun caractère ne rapproche, ce qui n'était pas le cas pour les jacinthes, lys et narcisses qui, tous, fournissent des fleurs formées de six pièces colorées, de six étamines et d'un ovaire formé de trois carpelles, dénotant ainsi une évidente parenté. Il faut donc bien vite déchanter : on s'aperçoit que des plantes ayant des feuilles identiques ou semblables peuvent porter des fleurs complètement différentes. D'où cette question : faut-il, en vue d'une classification des plantes, prendre en considération les feuilles ou bien les fleurs ? En d'autres termes, faut-il se baser sur le simple ou sur le complexe ?

Car la feuille est un organe lamellaire simple dont la fonction est de capter le rayonnement solaire pour élaborer de la matière vivante. La fleur, en revanche, est un organe complexe voué à la reproduction et dont l'architecture révèle des éléments aussi divers que les sépales, les pétales, les étamines et le pistil. Or, Conrad Gesner avait déjà montré que les caractères des fleurs, ainsi que ceux des fruits et des graines qu'elles engendrent, sont beaucoup plus constants, beaucoup moins fluctuants que ceux des feuilles. Certaines plantes, comme le lierre ou l'eucalyptus, peuvent même présenter des feuilles fort différentes sur le même individu. Mais il n'en va jamais ainsi des fleurs qui, même si elles diffèrent par un caractère, et même si elles sont tantôt mâles, tantôt femelles, présentent toujours sur un individu donné la même architecture fondamentale. Il apparut donc bientôt que l'observation des caractères des fleurs était nettement plus pertinente que celle des feuilles lorsqu'on prétendait vouloir rassembler les plantes en fonction de leurs ressemblances. La similitude des fleurs allait ainsi permettre des regroupements logiques et cohérents que n'aurait jamais permis celle des feuilles. Il est d'ailleurs d'observation courante que la plupart des arbres des forêts tropicales humides ont des feuilles quasi identiques, au point que seules leurs fleurs permettent de les identifier, donc de les classer.

La tentative de Mathias Delobel fit donc long feu. Deux siècles plus tard, Jean-Jacques Rousseau devait donner raison à Conrad Gesner : « C'est dans la fleur que la nature a enfermé le sommaire de son ouvrage. C'est, de toutes les parties du végétal, la moins soumise à variations. Il faut attendre, pour reconnaître une plante, qu'elle montre son visage, c'est-à-dire qu'elle fleurisse. Une plante n'est pas plus sûrement reconnaissable à son feuillage qu'un homme à son habit... »

Que nous reste-t-il donc de Mathias Delobel ? Un lot de consolation en quelque sorte : le genre *Lobelia* qui lui fut dédié par un botaniste du siècle suivant, soucieux d'honorer les noms de ses prédécesseurs, le père Plumier. Celui-ci fut à son tour récompensé par Tournefort, que nous allons rencontrer maintenant et qui lui dédia le genre *Plumeria*, désignant le frangipanier, cet arbre magnifique aux étranges moignons piquetés de superbes fleurs blanches ou roses, aux cinq pétales disposés en forme d'hélice, l'une des plus belles parures des parcs et jardins tropicaux.

7

Joseph Pitton de Tournefort, ou le refus du sexe

« Quant à moi, je suis presque noyé dans l'océan de mes espèces et englouti sous la multitude des objets. » C'est ainsi que s'exprimait déjà au XVIe siècle Conrad Gesner face à l'impressionnant afflux des plantes nouvellement récoltées et décrites. Il était temps, désormais, d'établir des règles concernant la description des plantes nouvelles, leur dénomination et surtout leur classification. Encore fallait-il, pour cela, dégager de solides critères botaniques sur lesquels s'appuyer pour classer les plantes conformément à l'ordre naturel qui sous-tendait, nul n'en doutait, l'apparente diversité des êtres vivants. Car on ne pouvait alors imaginer la nature comme livrée au hasard qui aurait dispersé dans le plus complet désordre des individus tous différents, sans aucun lien de parenté entre eux. Disposition philosophique devenue difficile à comprendre pour nos contemporains tant l'idée de hasard s'est répandue, depuis le XIXe siècle, dans le monde de la biologie. Ainsi ne vient-il jamais à l'esprit d'un biologiste moléculaire que les bases formant les gènes puissent être disposées dans le génome selon un certain ordre, une harmonie, et les malheureux qui tentent d'accréditer l'idée contraire à partir de leurs propres recherches ne manquent pas de se faire vivement rappeler à l'ordre par leurs pairs[1]. Deux approches radicalement différentes, donc, entre le XVIIᵉ siècle et notre époque : le premier est convaincu de l'existence d'un sens qui donne cohérence et consistance à toute réalité ; cette approche a largement déserté aujourd'hui les sciences naturelles, et plus encore les sciences tout court qui ont désormais exclu de leurs préoccupations la question du « sens », abandonnant l'évolution au seul hasard créateur.

Il faut par conséquent se replacer à l'époque de Tournefort pour appréhender et apprécier sa démarche, tout entière axée sur une incessante recherche de l'ordre selon lequel les plantes sont reliées les unes aux autres et forment des groupements naturels, base d'une classification qui, en son temps, n'en est encore qu'à ses tout premiers balbutiements.

Joseph Pitton de Tournefort est né à Aix-en-Provence en 1656. Il reçoit chez les jésuites une solide formation classique qui le voue tout naturellement, en tant que cadet de la famille, au séminaire. Mais, bientôt, la passion de la botanique prend le dessus et on le voit pénétrant « par adresse » dans les jardins particuliers qui renfermaient toutes sortes de plantes nouvelles pour lui. Le voilà bientôt grand connaisseur des herbes provençales. Dès la mort de son père, en 1677, il renonce au séminaire et se lance à corps perdu dans sa passion, herborisant dans les Alpes de Savoie et du Dauphiné où il commence son célèbre herbier, aujourd'hui détenu par le Muséum national d'histoire naturelle. Puis il suit la pente commune aux botanistes de son temps, qui finit par les amener tout naturellement à Montpellier que Linné qualifiera plus tard de « paradis des botanistes ». Il y est l'élève de Pierre Magnol à qui notre fameux père Plumier dédia le genre *Magnolia*...

Après les Alpes, les Pyrénées où il mène une année durant une vie solitaire, se nourrissant de pain noir et échappant plusieurs fois aux brigands qui écument la région. Pis encore : la cabane dans laquelle il s'abrite s'écroule sur lui... Mais le sacri-

1. Voir, à ce propos, mon ouvrage *Plantes et aliments transgéniques*, Fayard, 1998.

fice est payant et la botanique gagnante, car il ramène de ces montagnes encore peu connues une abondante moisson. « La botanique, dira de lui Fontenelle dans son éloge funèbre à Tournefort, n'est pas une science sédentaire et paresseuse qui puisse s'acquérir dans le repos et dans l'ombre d'un cabinet. Elle veut qu'on coure les montagnes et les forêts, qu'on les gravisse contre des rochers escarpés, que l'on s'expose au bord des précipices... Les hautes montagnes des Pyrénées étaient trop proches pour ne pas le tenter ; cependant, il savait qu'il ne trouverait dans ces vastes solitudes qu'une subsistance pareille à celle des plus austères anachorètes, et que les malheureux habitants qui pouvaient la lui fournir n'étaient pas aussi nombreux que les voleurs qu'il avait à craindre. » Les montagnes d'avant le tourisme : la pauvreté intégrale.

La renommée du jeune botaniste s'étend bientôt jusqu'à Paris et au-delà. Il est remarqué par Guy Crescent-Fagon, titulaire de la chaire de botanique au Jardin du Roi, devenu depuis lors le Jardin des Plantes. Nous sommes en 1683.

Au gré des voyages, des expéditions, des explorations, l'inventaire des plantes connues ne cesse de s'allonger ; c'est ce qui conduit Tournefort à repréciser avec clarté les buts et finalités de cette jeune discipline, la botanique, qu'il sert avec un tel talent : « La botanique, dit-il, a deux parties qu'il faut distinguer avec soin : la connaissance des plantes et celle de leurs vertus. » Deux disciplines, de fait, que les enseignements contemporains séparent aussi aujourd'hui sous les appellations « biologie végétale » et « pharmacognosie ». C'en est bien fini des dissertations à la Pline où se mélangent pêle-mêle des descriptions confuses, des traditions rapportées, des légendes, des indications thérapeutiques aussi vagues qu'imprécises, bref, des développements touffus et confus dans lesquels la science du XVIIe siècle ne se retrouve déjà plus. Désormais, les plantes seront décrites avec précision et selon un plan uniforme englobant d'abord la racine, puis la tige, les feuilles, les fleurs, les fruits et les graines. L'usage et l'habitat seront mentionnés, à l'exclusion de toute autre considération – n'en déplaise à Michel Foucault qui écrit dans *Les Mots et les*

Choses : « Faire l'histoire d'une plante ou d'un animal, c'était pour autant dire quels sont ses éléments et ses organes, quelles sont les ressemblances qu'on peut leur trouver, les vertus qu'on leur prête, les légendes et les histoires auxquelles ils ont été mêlés, les blasons où ils figurent, les médicaments qu'on fabrique avec leur substance, les aliments qu'ils fournissent, ce que les Anciens en rapportent, ce que les voyageurs peuvent en dire[1]... » Eh bien non, c'en est déjà terminé, à l'époque, d'un tel discours ! L'identification et la description des plantes sont cette fois parfaitement précisées : pour Tournefort, « il est absolument nécessaire [...] de rassembler comme par bouquets les plantes qui se ressemblent et de les séparer de celles qui ne se ressemblent pas ». Voilà bien le travail des vrais botanistes, de ceux qui se préoccupent de classification et que Linné distinguera des autres, « piètres amateurs » qui ne s'intéressent qu'aux problèmes secondaires et parmi lesquels il range pêle-mêle les « botanophiles », les anatomistes, les jardiniers et même les médecins...

La première étape nécessaire pour qui veut classer les plantes est de bien préciser le nom de chacune d'elles : « Il faut appliquer, écrit Tournefort, une méthode précise au baptême des plantes, de peur que les noms des plantes n'atteignent le nombre même des plantes. C'est ce qui arriverait s'il était permis à chacun de nommer chaque plante à sa fantaisie ; il en sortirait une immense confusion, et la mémoire serait totalement écrasée sous l'infinité des dénominations. » En d'autres termes, d'abord nommer, ensuite classer.

À cette époque, les appellations données aux plantes recouvraient souvent plusieurs de leurs caractères, chacune étant comme dans l'Antiquité désignée par une périphrase. En 1620, déjà, le botaniste Gaspard Bauhin avait publié une véritable somme renfermant la description de plus de six mille végétaux et qui devait demeurer l'évangile des botanistes jusqu'à Linné. Or, dans cet ouvrage, nombre de plantes étaient

---

1. Michel Foucault, *Les Mots et les Choses : une archéologie des sciences humaines*, Folio, Gallimard, 1990.

désignées par deux noms latins, le premier correspondant à ce qui deviendra le genre, le second à l'espèce. Cette désignation binominale fut reprise et systématisée par Tournefort, puis définitivement confirmée par Linné.

Chaque genre regroupe un nombre variable d'espèces ayant en commun toute une série de caractères, ceux précisément du genre en question. Comme, au nom de famille, correspond chez nous toute une série de prénoms (ceux des membres de la famille, précisément), de même, au genre correspond une série d'espèces (celles qui appartiennent justement à ce genre). Mais, pour poursuivre l'œuvre de classification, il fallait regrouper à leur tour les genres dans des entités plus vastes. À cette fin, Tournefort s'appuya sur la comparaison des fleurs, regroupant entre eux des genres dont les fleurs se ressemblent, surtout par la corolle, caractère qu'il privilégie comme base de toute sa classification. Conservant des Anciens la distinction classique entre les arbres et les herbes, il distingue les plantes sans pétales ou à pétales, et, parmi celles-ci, les plantes à pétales libres ou polypétales (devenues dialipétales), et les plantes à pétales soudés monopétales (devenues gamopétales). Puis, en tenant compte de la forme des pétales, il distingue vingt-deux classes, parmi lesquelles on distingue par exemple les campaniformes à corolles en forme de cloches, qui donnèrent nos modernes Campanulacées, les infondibuliformes à corolles en entonnoirs, telles que le liseron, ainsi que toute une série de familles que nous avons conservées : Labiées à corolles en forme de lèvres, Cruciformes (Crucifères) à corolles en forme de croix, etc. Il apparut bien vite que le nouveau système était nettement plus performant que celui de son premier maître, Pierre Magnol, qui avait tenté une classification fondée sur la présence et la forme des sépales.

Le système de Tournefort représente la première tentative d'envergure de regrouper les plantes en fonction de leurs affinités. En choisissant de privilégier les caractéristiques de la corolle, il fondait sa classification sur un caractère important que les nôtres emploient toujours très largement. Pourtant, ce système comportait deux inconvénients.

D'une part, il conservait l'antique division entre arbres et herbes ; or, il est notoire que des arbres et des herbes peuvent posséder des fleurs très semblables, ce qui conduit aujourd'hui à les classer dans les mêmes familles botaniques. Quoi de plus semblable qu'une fleur de robinier (le faux acacia, un arbre), de glycine (une liane) et de lupin (une herbe) ? Tous ces végétaux sont aujourd'hui classés dans la même famille des Papilionacées.

La seconde critique, plus fondamentale, porte sur le choix d'un seul et unique caractère pour élaborer toute la classification, comme si l'ordre de la nature végétale reposait tout entier sur la forme, la nature et l'architecture des corolles. Tournefort s'était lui-même aperçu de cet obstacle et avait dû créer la classe 11, dite des « Anomales », dans laquelle il regroupait un ensemble hétéroclite de plantes dont les fleurs n'entraient pas dans sa classification. L'erreur de notre botaniste était bien évidemment de n'avoir pas tenu compte d'un ensemble de traits, plus particulièrement des caractères proprement sexuels liés aux étamines et au pistil, ce que lui reprocha avec beaucoup de véhémence son contemporain Vaillant. Des griefs analogues peuvent d'ailleurs être formulés à l'encontre du système de Linné qui construisit une classification non moins artificielle en se fondant uniquement sur le nombre, la forme et la disposition des étamines : un système sexuel, cette fois, mais à nouveau critiquable du fait qu'il ne privilégie à son tour qu'un seul caractère.

Mais, pour satisfaire sa curiosité et parfaire son image, un botaniste, en ce temps-là, devait être aussi un voyageur. Certes, Tournefort avait arpenté dans sa jeunesse la forêt de la Sainte-Baume et la montagne de la Sainte-Victoire, dans sa Provence natale. Professeur et démonstrateur de plantes au Jardin du Roi, il consacrait ses vacances d'été – les mois de juin et juillet – à ses enseignements de botanique, et effectuait chaque année un voyage de printemps, parfois aussi un voyage d'automne. Ainsi, hormis le Languedoc et la Provence, le vit-on en Angleterre, aux Pays-Bas, en Espagne et jusqu'à Gibraltar. Dans ses *Éléments de botanique ou méthode pour connaître les plantes* étaient répertoriées 8 846 espèces connues à l'époque. En 1699, il fut élu membre de l'Académie des sciences. S'achemina-t-il pour autant vers une paisible fin de carrière ? Bien au contraire : voici que de nouvelles et vastes perspectives s'ouvrent à lui lorsque Louis XIV et son maître Fagon lui proposent un voyage au Levant avec, entre autres missions, « la reconnaissance des plantes des Anciens et peut-être aussi de celles qui leur ont échappé »...

Le 13 avril 1700, Tournefort quitte Marseille avec ses deux principaux collaborateurs, le brillant dessinateur Claude Aubriet et un jeune étudiant allemand en botanique, médecin de son état, André Gundelscheimer. Ainsi le voit-on bientôt sur le mont Ida, nimbé de la prestigieuse légende de Jupiter qui fut censé y avoir été nourri mais que Tournefort compare au « vilain dos d'un âne tout pelé, sans la moindre forêt, car on n'y voit ni paysage, ni solitude aimable, ni ruisseau, ni fontaine »... Même déception dans l'Orient turc, sur le mont Ararat, une horrible montagne où il ne trouve aucune trace de l'Arche de Noé, réputée y avoir jeté l'ancre après le Déluge, et où il ne voit que quelques maigres buissons d'astragale et de genévrier, ainsi que « beaucoup de perdrix et quelques tigres » ! Sur le chemin du retour, l'ascension de l'Olympe se révèle moins décevante, car la montagne est toute peuplée de sapins et de cette fameuse hellébore noire des anciens, aujourd'hui dénommée « rose de Noël », qui se joue habilement des saisons et risque sa fleur dans notre vieille Europe au plus fort des frimas.

Tournefort et sa petite troupe débarquent à Marseille, au bout de deux ans, le 7 juin 1702. Il rapporte des herbiers, une moisson de graines, et surtout les dessins d'Aubriet, considérés comme de purs chefs-d'œuvre. Ce qui a valu à leur auteur de parrainer le genre *Aubrietia*, où figurent ces magnifiques petites Crucifères violettes, éclatantes au printemps, qui forment des bordures dans les jardins de rocaille qui ceignent nos maisons.

Son abondante récolte botanique s'élève à 1 356 plantes, soit beaucoup plus que n'en avaient recensé Dioscoride et

Théophraste. En décembre 1700, il écrit à Fagon : « Outre les plantes nouvelles et non décrites, je crois avoir découvert plus de la moitié de celles de Dioscoride, et je me prépare déjà à faire réimprimer cet auteur avec les véritables noms des plantes dont il a parlé. Il n'était pas possible de les deviner sans venir sur les lieux, car, comme ces inscriptions conviennent à plusieurs espèces du même genre, pour prendre son parti, il faut être informé de celles qui s'y trouvent. » Bref, il avait enfin mis de l'ordre dans les informations précieuses mais imprécises recueillies auprès des Anciens.

Parmi les espèces remarquables rapportées par Tournefort figure le *Gundelia tournefortii*, ainsi baptisé par Linné en hommage à Tournefort et à son compagnon de voyage Gundelscheimer : une sorte de chardon qui fit une brusque irruption dans l'actualité lorsque des chercheurs de l'Université hébraïque de Jérusalem (Avinoam Danin) et de l'Université Duke de Caroline du Nord (Alan et Mary Whanger)[1] démontrèrent l'abondante présence du pollen de cette plante sur le Suaire de Turin. Or le *Gundelia* est une plante typiquement moyen-orientale, confirmant l'origine géographique de cette relique si énigmatique qui défie les scientifiques depuis un siècle. Mieux encore, ces auteurs mirent en évidence, sur des photographies du Suaire, les traces d'une autre plante, *Zygophyllum dumosum*, espèce endémique d'Israël, de Jordanie et du désert du Sinaï. Ce qui permet de serrer de plus près encore l'origine du Suaire. Enfin, le fait que ce Suaire contienne une proportion exceptionnellement élevée de grains de pollen de *Gundelia* est rapproché par ces auteurs de l'hypothèse selon laquelle ce chardon serait l'une des plantes à entrer dans la composition de la couronne d'épines du Christ. Cette même abondance de pollen laisse supposer que les fleurs d'où il provient ont été cueillies au printemps, saison que les Écritures désignent justement comme étant celle de la Passion.

---

1. *E-mail* adressé le 15 juin 1999 par Avinoam Danin à Mme Véziane de Vezins, journaliste au *Figaro*, annonçant une communication scientifique à paraître dans *Annals of the Missouri Botanical Garden*. Je remercie vivement Mme de Vezins de m'en avoir transmis la copie.

Des travaux qui font rebondir, grâce à ces minutieuses investigations botaniques, la question si controversée de l'authenticité du fameux Suaire.

Mais revenons à Tournefort dont les relations de voyage nous livrent en quelque sorte... la faille de sa cuirasse ! Comme tous les naturalistes voyageurs parcourant l'Orient, il a assisté à la pratique de la caprification, consistant à suspendre des rameaux contenant des petites figues sauvages à un figuier domestique qui, sans elles, resterait indéfiniment stérile.

L'explication du phénomène qu'observe Tournefort est aujourd'hui bien connue : les figues sauvages hébergent un insecte qui, lorsqu'il les quitte, s'en va visiter les figues domestiques ; pénétrant dans celles-ci, il tente de pondre ses œufs dans l'ovaire des minuscules fleurs femelles blotties au fond de la figue, sans toutefois y parvenir, car son oviducte est trop court par comparaison avec le long style de la fleur femelle, ce qui l'empêche d'atteindre l'ovaire ; en revanche, l'insecte dépose sur le stigmate du pollen issu du figuier sauvage, ce qui permet la fécondation des fleurs, lesquelles donnent alors ces pseudo-pépins craquants qui sont en réalité les fruits du figuier : la figue elle-même n'est qu'un réceptacle porteur de ces fruits, gonflé par les hormones émises après fécondation.

Or il se trouve que Tournefort s'obstinait à refuser toute sexualité aux plantes. Aussi dut-il imaginer au processus qu'il constatait une explication alambiquée qui, en vérité, ne manque pas de sel : « Les piqueurs contribuent peut-être à la maturation des fruits du figuier domestique en faisant extravaser le suc nourricier dont ils déchirent les tuyaux en déchargeant leurs œufs. Peut-être aussi qu'outre leurs œufs, ils laissent échapper quelque liqueur propre à fermenter doucement avec le lait de la figue et à en attendrir la chair... » C'est que Tournefort restait obstinément hermétique à toute idée de reproduction sexuée chez les végétaux. Or, plus de vingt-cinq ans plus tôt, dès 1676, le botaniste anglais Nehemiah Grew avait identifié les étamines aux organes sexuels des plantes. L'année suivante, Leeuwenhoek découvrit les spermatozoïdes grâce au microscope dont il était l'inventeur. Puis, en 1694,

Rudolph Jacob Camerarius, directeur du Jardin botanique de Tübingen, démontra de manière incontestable l'existence d'une sexualité des végétaux. Ce dernier avait isolé des pieds femelles de mercuriale et constaté que, seuls, ils ne produisaient jamais de graine. Il avait aussi ôté les fleurs mâles d'un pied de ricin et constaté que les fleurs femelles restaient alors stériles. Enfin, il avait sectionné les stigmates d'épis femelles du maïs, lequel, devenu incapable de recevoir le pollen, restait lui aussi obstinément stérile.

Jusqu'à sa mort, Tournefort s'obstina à rejeter les résultats de ces travaux. Il ne voyait dans le pollen qu'un excrément sans aucun intérêt physiologique, le « caca des plantes », selon lui ! À la différence de Sébastien Vaillant, son éternel contradicteur, qui y voyait, lui, « un esprit volatile capable de féconder les œufs dans le pistil ». Mais comment les choses se passaient-elles exactement ? Ça, c'était une autre histoire... Ne s'agissait-il pas, par exemple, d'un souffle censé apporter la vie, comme dans la Genèse ? Pour Vaillant, une telle hypothèse n'était pas à exclure, lui qui écrivait en 1717 : « Suivant ce principe, il était fort inutile que Malpighi se fatiguât tant les yeux à chercher dans le pistil des conduits pour charrier dans chaque œuf des germes imaginaires... » Vaillant se trompait donc lui aussi, acceptant le principe de la fertilisation tout en refusant d'en reconnaître les modalités, à savoir ces fameux tubes polliniques qui véhiculent les grains de pollen jusqu'aux cellules femelles.

Il a fallu attendre encore près d'un demi-siècle pour que Linné expose dans sa *Philosophie botanique* ses idées sur la sexualité des plantes dont la postérité finira par le désigner comme le découvreur. Comme on le verra, il parle de l'émergence de ce phénomène dans le monde végétal avec un vocabulaire à nul autre pareil. Faisant foin des critiques d'anthropomorphisme ou d'anthropocentrisme, il évoque les étamines comme des « maris » et les pistils comme des « épouses ». Mais, chez les fleurs comme chez les humains, les mariages sont parfois illégitimes et les épouses entrent alors en compétition avec des amantes ou des concubines... Ainsi Linné décrit-il chaque type de fleur selon des schémas toujours étrangement décalqués sur ceux que lui offrait l'observation des mœurs de ses congénères.

Le langage imagé de Linné vaut celui, non moins alerte et mordant, de son prédécesseur Vaillant qui, parlant des organes reproducteurs mâles, émetteurs de la *« farina »* des plantes (le pollen), écrivait : « Dans cet instant, ces fougueux semblent ne chercher qu'à satisfaire leur violent transport, ils ne se sentent pas plus tôt libres que, faisant brusquement une décharge générale, [ils lâchent] un tourbillon de poussière qui se répand et porte partout la fécondité, et, par une étrange catastrophe, ils se trouvent tellement épuisés que, dans le même instant qu'ils donnent la vie, ils se procurent une mort soudaine... » Et le reste à l'avenant !

Bref, si sexualité végétale il y avait, celle-ci ne pouvait qu'obéir à des lois générales, bien connues et répertoriées chez au moins une espèce de référence : la nôtre !

Mais, esprit classique et conservateur, Tournefort s'était bien gardé de s'engager dans cette voie. Il n'était guère plus tenté par ce que nous appellerions aujourd'hui l'« émergence des nouvelles technologies ». Ainsi l'apparition du microscope lui pose problème : il redoute cette plongée dans l'intimité des plantes, c'est-à-dire dans l'inconnu. Il ne se sert pas de l'instrument et se méfie de ce que celui-ci pourrait permettre de découvrir, créant plus de problèmes qu'il n'en résoudrait. Aussi préfère-t-il s'en tenir « aux caractères visibles, sans l'aide du microscope », prenant prétexte qu'on ne pourra emporter ce dernier sur le terrain où il faudra cependant trouver le nom des plantes. Pas de microscope, donc pas de spermatozoïdes, pas d'ovaires observables, donc pas de fécondation et pas de sexualité des plantes. Tournefort semble décidément avoir oublié qu'on n'arrête pas le progrès !

Cette tache sur le sérieux de notre botaniste, obstiné à ignorer jusqu'au bout les vertus fertilisantes du pollen – pourtant clairement démontrées par un faisceau de preuves convergentes et pertinentes –, ne porta pourtant aucun préjudice à sa réputation. Au contraire. Universellement reconnu dès la publication de ses *Éléments de botanique*, il n'hésita pas à écrire : « Depuis le temps d'Hippocrate, cette science a été l'objet d'efforts si grands qu'elle est presque arrivée à son point de perfection. » Rien que cela !... À croire que notre botaniste s'était déjà prématurément glissé dans le costume trois pièces de ce qui allait devenir, dans les siècles suivants, la figure de l'*expert*, toujours péremptoire et néanmoins si souvent démenti par des expériences ou des évidences ultérieures.

La fin précoce de Tournefort ne fut point à la hauteur de sa brillante carrière. En 1707, il est nommé professeur au Collège de France. Le 16 avril 1708, rue Lacépède, il est happé par le timon d'une charrette qui l'écrase contre un mur. Il n'a que cinquante-trois ans.

Tournefort avait légué au roi de France toutes ses collections et demandé à être enterré à Saint-Étienne-du-Mont. Resté célibataire, il rejoignait à un demi-siècle d'intervalle, dans cette église parisienne, un autre grand de son siècle, également célibataire : Blaise Pascal.

S'il vous arrive de flâner sur quelque plage tropicale des Seychelles ou d'ailleurs, sans doute ne remarquerez-vous pas un petit arbuste de la famille des Borraginacées, aux fleurs disposées en forme de crosse de fougère ou de queue de scorpion. Sachez néanmoins qu'il a été dédié à Tournefort par le père Plumier (toujours lui !) : il s'agit d'un *Tournefortia*.

8

Une tribu de botanistes : les Jussieu

Ils étaient trois, mais il en vint bientôt un quatrième, comme chez les Mousquetaires. Puis il en arriva même un cinquième pour compléter l'ample et prestigieuse tribu botanique des Jussieu dont le patronyme domine la botanique du XVIIIᵉ siècle.

Le père fondateur de la dynastie était pharmacien à Lyon. De ses quatre fils, Antoine, Bernard, Joseph et Christophe, seul ce dernier ne s'est point engagé sur les sentiers de la botanique, préférant continuer d'exploiter la pharmacie paternelle. Mais ce Christophe eut à son tour un fils, Antoine Laurent, le plus célèbre botaniste de la famille, qui continua de creuser le sillon et eut lui-même un fils, Adrien, dernier représentant de la lignée.

Le fils aîné, Antoine de Jussieu, montra en début de carrière un profil on ne peut plus classique : d'abord voué à l'état ecclésiastique, il reçut la tonsure à quatorze ans ; mais, bientôt, comme pour Tournefort et Linné, le goût de la botanique l'emporta chez lui sur celui de la théologie, et le voilà parti pour Montpellier où il entreprit ses études. Puis il « monta » à Paris, y rencontra Tournefort peu de temps avant sa mort, et lui succéda comme professeur au Jardin du Roi. Ses observations sur la riche flore du Lyonnais, ainsi que sur les plantes de Normandie et de Bretagne, lui valurent d'entrer à vingt-six ans à l'Académie des Sciences où il demeura près d'un demi-siècle...

Le nom d'Antoine de Jussieu est resté lié à l'histoire des caféiers qu'il décrivit avec précision. Un plant de café avait été offert au roi Louis XIV par le bourgmestre d'Amsterdam qui l'avait lui-même reçu des premières plantations hollandaises à Batavia, dans l'actuelle Indonésie. Lorsque les Français voulurent à leur tour cultiver le caféier dans leur possession des Antilles, ils se heurtèrent à une difficulté imprévue : les graines perdaient rapidement leur faculté germinative, de sorte qu'il était impossible de les transporter durant un long voyage en mer. Il fallut donc envisager de transférer non point les graines, mais de jeunes plants. Ceux-ci furent confiés à un officier français, Desclieux d'Erchigny, qui emporta à la Martinique les trois plants de café que lui avait confiés Antoine de Jussieu. Faute de vent, le voyage se prolongea tant et si bien qu'il fut nécessaire de ménager les provisions d'eau et de rationner l'équipage à un seul verre par jour... Pénétré de l'importance de sa mission, Desclieux partagea sa maigre ration individuelle avec ses caféiers. Deux périrent néanmoins, mais le troisième arriva sain et sauf et devint la souche de nos plantations aux Antilles d'abord, puis en Amérique centrale et au Brésil.

Antoine de Jussieu s'illustra aussi en publiant le premier travail de langue française en paléobotanique. En 1718 puis en 1721, il étudia en effet les *Impressions des plantes marquées sur certaines pierres des environs de Saint-Chamont, dans le Lyonnais* et assimila ces empreintes laissées par des végétaux inconnus parmi la flore actuelle « aux feuillets de la plus ancienne bibliothèque du monde ». Idée fort pertinente et très en avance sur la science de son temps qui découvrait tout juste les fossiles.

Le frère cadet d'Antoine, Bernard de Jussieu, suivit un parcours analogue à celui de son frère. Il étudia d'abord les plantes du Lyonnais, puis suivit des études de médecine à Montpellier où il obtint son diplôme en 1720. Antoine le fit alors « monter » à Paris où il exerça comme « sous-démonstrateur » au Jardin du Roi. Bientôt, sa connaissance des plantes devint légendaire. Pour mettre à l'épreuve sa science et sa patience, les étudiants s'amusaient à « truquer » des plantes qu'ils se faisaient un malin plaisir de lui demander de déterminer, ce qu'il réussissait à faire, paraît-il, toujours à la perfection, déjouant les pièges les plus sophistiqués. Lorsque Linné vint à Paris en 1728 et qu'il lui arrivait d'hésiter sur une détermination, il avait coutume de s'exclamer, paraît-il : « *Aut Deus, aut de Jussieu !* » Pour lui, Dieu seul, hormis Bernard, était censé être capable de réussir correctement une diagnose difficile.

Bernard se rendit deux fois en Angleterre pour enrichir les collections du Jardin du Roi (notre Jardin des Plantes). La tradition rapporte qu'il y planta un cèdre du Liban, reçu d'Angleterre en fort mauvais état, qu'il apporta dans son chapeau, du numéro 13 de la rue des Bernardins, où il résidait, jusqu'au Jardin. Fort modeste, Bernard de Jussieu a laissé peu d'écrits et ne répugnait nullement à ce qu'on lui empruntât « une bonne idée pourvu qu'elle soit connue ». Parmi ces bonnes idées, il en est une grâce à laquelle il laissera à tout jamais son nom au frontispice de l'histoire de la botanique : au lieu de suivre les classifications artificielles des végétaux fondées sur un seul caractère, comme celle de Tournefort basée sur la corolle, ou celle de Linné fondée sur les étamines, il entreprit de classer les plantes suivant leur parenté naturelle en prenant en compte *un ensemble* de caractères. Désormais, les affinités étaient ainsi fondées sur une association de caractères communs. Affinités d'autant plus grandes que ces caractères communs étaient plus nombreux. Cette idée proprement géniale fut développée par son neveu, Antoine Laurent, et ne tarda pas à s'imposer en botanique, tout comme Cuvier devait l'introduire plus tard en zoologie. C'est la règle de « coordination des caractères », incontournable dans tout projet de classification des êtres vivants.

Antoine Laurent de Jussieu, né en 1748, fut le plus célèbre de la famille. Lui aussi « monta » à Paris en 1765 à l'invitation de son oncle Bernard. Ses publications particulièrement pertinentes sur la famille des Renoncules lui ouvrirent, dès l'âge de vingt-cinq ans, les portes de l'Académie des Sciences. De fait, ce travail connut dans le microcosme de la botanique un retentissement considérable. Il regroupait dans la même famille des herbes dont les fleurs présentaient à première vue des dissemblances notoires ; mais tous les genres qu'il rangeait dans cette famille n'en présentaient pas moins un certain nombre de caractères communs, en particulier la structure du pistil, formé d'un nombre élevé d'ovaires juxtaposés sur un réceptacle floral bombé, ainsi qu'un appareil nectarifère lié à la corolle et toujours très développé. Antoine Laurent attribuait à ces caractères une valeur supérieure aux autres, estimant fort judicieusement que « les caractères, dans leur addition, ne doivent pas être comptés comme des unités, mais chacun suivant sa valeur relative, de sorte qu'un seul caractère constant soit équivalent ou même supérieur à plusieurs inconstants pris ensemble ». En d'autres termes, pour lui, les caractères se pèsent et ne se comptent pas : c'est le fameux principe de « subordination des caractères » qui, joint au précédent, celui de leur coordination, lui permit de délimiter une famille vraiment naturelle : celle des Renonculacées.

Deux exemples illustreront le raisonnement d'Antoine Laurent.

Soit une population constituée d'un grand nombre d'êtres humains pris au hasard sur toute la planète. Un premier caractère distinctif s'impose d'emblée : la couleur de la peau. Mais, à ne prendre en considération que ce seul trait, comme le firent tour à tour Tournefort et Linné en fondant toute leur classification sur un caractère unique, on ne manquerait pas de regrouper dans une même division, dite des « bruns », le « Blanc » de retour des sports d'hiver et bronzé au point d'en paraître presque noir, le « Méditerranéen » au teint naturellement basané, et le natif de l'Inde. Une telle distinction serait bien entendu parfaitement artificielle. Pour identifier les races humaines – la prudence sémantique, conjuguée aux exigences du « politiquement correct », inciterait à parler ici d'ethnies –, d'autres aspects doivent naturellement être pris en compte, tels que les caractéristiques de la chevelure, les données anthropométriques, la teneur naturelle de la peau en mélanine, etc. Ainsi, chaque sous-groupe humain se caractérise par un ensemble de caractères communs que le métissage redistribue d'ailleurs, attestant la parfaite interfécondité des individus appartenant à l'ensemble de l'espèce humaine. C'est donc en coordonnant plusieurs caractères que l'on aboutit à une classification naturelle répartissant les membres d'un groupe en sous-groupes homogènes. Mais ces caractères sont-ils subordonnés les uns aux autres ? Ont-ils plus ou moins d'importance les uns que les autres ?

Un second exemple illustrera la règle de subordination. Il est bien clair que, dans les distinctions qui précèdent, la pointure des pieds n'apporte rien de nouveau ; ce caractère est donc tout à fait secondaire et sans valeur pour la classification que nous envisageons. Il en serait de même pour une population d'objets que l'on regrouperait au seul motif qu'ils ont moins de deux centimètres de long, faisant de ce caractère le critère premier de leur classification : par exemple un timbre, un dé à coudre, une gomme, une noix et une mouche... Un tel regroupement obtenu d'après le seul critère de la taille serait dépourvu de toute valeur. Beaucoup plus important est le fait de distinguer dans ces divers objets ceux qui appartiennent à la nature, comme la noix et la mouche, et ceux qui sont l'œuvre de technologies humaines, comme la gomme, le dé à coudre ou le timbre. Puis de distinguer dans un second temps, parmi les objets naturels, celui qui appartient au règne végétal, en apparence inanimé (la noix), et celui qui appartient au règne animal (la mouche). Ces caractères d'appartenance ont bien sûr une signification infiniment plus grande que le seul critère de taille (selon lequel un timbre de plus de deux centimètres de côté serait séparé d'un plus petit et classé à part). Il est donc important, lorsque l'on tente d'établir une classification entre divers objets hétéroclites, de choisir des critères significatifs et judicieux auxquels les divers caractères secondaires pourront être subordonnés. Parmi ces derniers figure en botanique par exemple la forme des feuilles qui permettra éventuellement de distinguer deux espèces appartenant à un même genre. En revanche, il serait peu judicieux – comme on l'a vu à propos de Mathias Delobel – de la prendre en compte pour regrouper des plantes selon ce seul et unique critère, ce qui aboutirait à créer des ensembles parfaitement hétérogènes. Répétons-le : les caractères des feuilles sont subordonnés à ceux des fleurs, et non l'inverse.

En fondant une classification naturelle sur la base du double principe de coordination et de subordination des caractères, Antoine Laurent de Jussieu fait figure de véritable père de la botanique systématique, celle qui a pour objet la classification des plantes. C'est lui qui a en effet proposé la première classification naturelle en regroupant judicieusement les genres en familles, puis les familles en ordres et en classes.

En 1826, les grands principes de son œuvre sont universellement admis, et Antoine Laurent passe la main à son fils Adrien : celui-ci va occuper sa chaire de professeur de botanique à l'ex-Jardin du Roi, devenu avec la Révolution le Muséum national d'histoire naturelle. Adrien poursuit l'œuvre de son père en publiant de nombreuses monographies de familles végétales, notamment celles des Euphorbiacées en 1824, des Rutacées en 1825, des Médiacées en 1830..., ce qui lui valut à lui aussi une entrée précoce à l'Académie des Sciences.

Peu de progrès décisifs ont été accomplis depuis les Jussieu en matière de classification des plantes. Toutefois, à leur époque, le concept d'évolution ne s'était pas encore imposé. Dès lors qu'il fut, avec l'œuvre de Lamarck, puis de Darwin, communément admis au sein de la communauté scientifique, ce concept vint éclairer d'un jour nouveau les ressemblances constatées dans la nature, considérées désormais comme la conséquence logique de liens de parenté remontant aux ascendants. Ainsi allait-on désormais devoir envisager des lignées évolutives, seules bases vraiment satisfaisantes de toute classification des êtres vivants.

De fait, toutes les classifications modernes se réfèrent à présent à ce principe, même si, faute de fossiles en nombre suffisant, et du fait des fameux « maillons » toujours manquants, il est encore difficile de leur attribuer une valeur définitive. Les dernières synthèses opérées en ce domaine, dues au botaniste russe Takhtajan, au botaniste américain Cronquist, puis, dernièrement (en 1975 et 1983), au systématicien suédois R. Dahgren, font déjà l'objet de diverses contestations. L'élucidation du génome des végétaux permettra-t-elle de reprendre la classification sur de nouvelles bases proprement révolutionnaires ? Il est trop tôt pour le savoir. Aussi les travaux des Jussieu n'ont-ils nullement perdu de leur intérêt, défiant fort bien le temps... ce que ne feront sans doute pas les deux prestigieuses universités parisiennes qui leur sont dédiées, dont la malencontreuse architecture – surdimensionnée, hyperfonctionnaliste et linéaire, triste témoignage des années 1970 ! – est déjà largement caduque.

Il reste dans la grande tribu des Jussieu un cinquième nom, celui de Joseph, frère d'Antoine et de Bernard, dont le destin devait se singulariser complètement. C'était sans doute le plus modeste et peut-être le plus généreux des membres de la famille. Ce qui ne l'empêcha pas d'inscrire son nom sur la liste des grands explorateurs du XIXe siècle à la suite d'une très longue carrière en Amérique latine.

9

Joseph de Jussieu, les baumes et la cannelle

Si les Jussieu se révélèrent plutôt sédentaires, Joseph (1704-1779), le petit frère d'Antoine et de Bernard, fut un véritable explorateur au destin exceptionnel. C'est lui, en effet, qui, à l'initiative du comte de Maurepas, ministre de la Marine de Louis XV, et poussé par ses frères, représenta la botanique au sein de la célèbre expédition des académiciens conduite par Godin, dont l'objet était de mesurer un degré d'arc de méridien à l'équateur.

Deux thèses s'affrontent en effet à l'époque : l'une soutient l'hypothèse de l'astronome anglais Isaac Newton qui a déduit par calcul, à partir de sa loi sur la gravitation universelle, que la Terre est aplatie aux pôles à l'instar d'une mandarine ; l'autre prétend au contraire, avec les Cassini père et fils, que la Terre est de forme étirée, comme un œuf ou un citron.

Pour trancher ce débat capital, l'Académie royale des Sciences organise une mission en Équateur et une autre en Laponie pour confronter la longueur d'un degré d'arc de méridien mesuré dans chacune de ces deux régions.

La première mission quitte La Rochelle le 16 mai 1735 à bord du *Portefaix*, une flûte de la marine royale. Bien qu'étant le plus jeune de l'équipe, Louis Godin en est le responsable en raison de son ancienneté à l'Académie. Il est mathématicien et astronome. Font également partie de la mission deux autres académiciens : Pierre Bouguer, mathématicien et physicien, et Charles de La Condamine, chimiste et géographe. Parmi leurs accompagnateurs figure précisément Joseph de Jussieu, médecin et naturaliste, que ses frères, désolés par son caractère fantasque, pensent ainsi rendre utile. La mission devra parcourir les Andes et y effectuer des mesures de triangulation sur une distance de 400 kilomètres, tout au long du corridor situé entre les cordillères occidentale et orientale, dans l'actuel Équateur.

Chaque membre de la mission connaîtra en fait une destinée particulière, et le groupe se délitera peu à peu. Qu'on en juge par leur premier séjour à Quito, décrit non sans humour par Patrick Drevet[1], dans sa belle évocation de Joseph de Jussieu : « Bouguer poursuivant à lui seul l'objet de la mission ; Godin et Godin des Odonnais occupés à leur propre représentation dans les palais de la ville ; La Condamine fermé dans son auguste retraite au collège des jésuites ; Verguin et Couplet louant leur savoir-faire qui suppléait opportunément pour les créoles aux manquements des artisans indigènes ; Hugo appelé de même à réparer toutes les horloges des communautés ; Morainville, à tirer le portrait de toutes les beautés créoles et espagnoles ; Seniergues, à satisfaire ses malades aux exigences proportionnelles à leur fortune ; Joseph, à prendre en charge d'un faubourg à l'autre tous les laissés-pour-compte ; sans parler de Don Jorge Juan et Don Antonio de Ulloa, aux prises avec le président qui voulait exercer sur eux une autorité dont ils s'estimaient dégagés –, la compagnie se trouvait-elle éclatée, vouée à se diluer dans les couches de la société coloniale, étanches l'une à l'autre, et à s'y dissoudre. »

Déjà, la traversée ne s'était pas passée sans heurts : comme il advint souvent au cours de ces expéditions, les humeurs des uns et des autres n'étaient pas toujours compatibles ; d'où des emportements et des confrontations restés légendaires.

---

1. Patrick Drevet, *Le Corps du monde*, Seuil, « Fiction & Cie », 1997.

Godin, particulièrement infatué de sa personne, ne tarda pas à se mettre à dos toute la compagnie.

À la Martinique où ils abordèrent en premier lieu, Joseph, dans l'ivresse des tropiques, essaya non sans mal de reconnaître les plantes qu'avait dessinées un précurseur, le père Plumier, au cours de ses trois voyages aux Antilles (de 1687 à 1695) ; il reconnut néanmoins aisément les caféiers dont il avait vu son frère Antoine surveiller la croissance dans les serres du Jardin des Plantes et que ce dernier avait confiés au chevalier Desclieux d'Erchigny pour les introduire aux îles.

Puis l'on débarque à Carthagène, dans l'actuelle Colombie, et c'est pour Joseph la première déception : Godin refuse de faire un crochet par Tolu, à 80 kilomètres plus au sud, où notre botaniste aurait tant voulu voir l'arbre producteur du célèbre baume de Tolu, liquide épais à la consistance de térébenthine, exsudé à la suite d'incisions pratiquées dans le tronc d'un grand arbre à gousses de la famille des Papilionacées. Mélangé à un simple sirop de sucre – le sirop « simple », précisément –, il devient le *sirop de Tolu*, présent dans toutes les officines, vieil et traditionnel expectorant et sédatif de la toux. Comme tous les baumes, celui de Tolu contient de l'acide benzoïque à l'odeur d'amande amère, présent aussi dans le benjoin (d'où le nom donné au benzène, au benzol, à la benzine) et de l'acide cinnamique à l'odeur de cannelle, deux constituants nécessairement présents dans tous les baumes, qui se définissent par leur présence. Mais le baume de Tolu contient aussi de la vanilline (à l'odeur de vanille) et du nérolidol (à l'odeur d'orange). C'est dire que ce baume embaume !

Moins, toutefois, que son homologue le baume du Pérou, qui, malgré son nom, ne vient pas de ce pays, mais d'Amérique centrale. Pour le produire, il faut soumettre le tronc à l'épreuve du feu ; s'en exsude alors un liquide visqueux, brun fondé, presque noir, à l'arôme de vanille extraordinairement prégnant. À la différence du baume de Tolu, il est réservé à l'usage externe et entre dans la composition de nombreux onguents antiseptiques.

Les baumes, tombés en désuétude depuis lors, étaient très en vogue à l'époque ; ils figuraient en bonne place parmi ces drogues mythiques rapportées par les Espagnols de la Conquête, et le moins fameux d'entre eux n'était certes pas le baume de Copahu qui, malgré son nom, n'est pas un baume. Car, pour se hisser au rang de baume, la sécrétion doit nécessairement contenir les acides benzoïque et cinnamique (acides qui embaument, précisément), faute de quoi elle appartient plus modestement au vaste groupe des Térébenthines.

Antoine de Jussieu avait adjuré son frère Joseph de lui rapporter des rameaux fleuris et fructifiés de ces arbres sud-américains afin d'en établir une bonne diagnose botanique. Mais, pour ces arbres à baume et pour beaucoup d'autres, comme on le verra, à l'instar de sœur Anne il ne vit rien venir...

Après plusieurs escales, l'expédition finit par arriver à Guayaquil, en Équateur, le 25 mars 1736. Malheureusement, il est difficile de suivre Jussieu à la trace, car sa correspondance avec ses frères est épisodique et maints échantillons récoltés ont été égarés ou ne sont pas parvenus à Paris. Il s'en désole d'ailleurs dans plusieurs lettres à Antoine. Mais son collègue Charles de La Condamine, qui avait pris soin de tenir un journal de voyage, en a fait éditer une version abrégée. Grâce à ces pages, nous pouvons suivre à distance les pérégrinations de Joseph de Jussieu.

Botaniste exceptionnellement malchanceux, voire quelque peu désordonné, il réussit même à se faire doubler par ledit La Condamine qui, étant passé à Loja, pays du quinquina, avant lui, put présenter le 21 mai 1738 un mémoire à ce sujet à l'Académie des Sciences, étant ainsi le premier botaniste à avoir décrit l'arbre producteur de l'écorce de quinquina. Il est vrai que, confiant et naïf, Joseph l'avait prié d'observer pour lui les arbres à quinquina, Loja se trouvant sur son chemin. Pour lui, il ne devait s'y rendre que plus tard – trop tard pour se prévaloir de quelque antériorité !

Le pauvre Joseph devait se faire « doubler » une seconde fois : médecin et botaniste, il consacra en fait plus de temps, semble-t-il, à soigner qu'à herboriser. Lors d'une épidémie de variole, il se dévoua corps et âme à soigner les Indiens, plus touchés que les autres catégories de la population. Il remarqua que ceux qu'il réussissait à sauver avaient déjà contracté la maladie et semblaient avoir été immunisés : comme protégés d'un second accès par les effets du premier. Il en conclut que le meilleur moyen de lutter contre la variole était d'en provoquer un accès bénin en inoculant à des sujets indemnes un peu des humeurs prélevées sur les pustules des malades. Avec son collègue et excellent ami le chirurgien de l'expédition, Jean Seniergues, il établit même les conditions à mettre en œuvre pour réussir ce qui allait s'appeler plus tard – beaucoup plus tard ! – une vaccination. Joseph confia aussi ces observations à La Condamine, lequel ne manqua pas d'en faire une communication à l'Académie des Sciences, citant certes ses sources, mais s'assurant toute la gloire de la découverte.

Pourtant, La Condamine devait se faire « doubler » à son tour : débarqué à Amsterdam le 30 novembre 1744, il apprend que Bouguer, de retour à Paris quelques mois plus tôt, vient de présenter à l'Académie le compte rendu officiel de la mission. Hors de lui, il en voudra à Bouguer jusqu'à sa mort. L'histoire a mis néanmoins à son actif la découverte d'une gomme naturelle, élastique et résistante, dont les Indiens se servaient pour réparer et colmater leurs pirogues. « Il croît, écrit-il, dans la province d'Esmeralda, un arbre appelé *hevé*. Il en découle par une seule incision une liqueur blanche comme du lait, qui se durcit et se noircit peu à peu à l'air... Les indiens Mayas nomment la résine qu'ils en tirent *cahutchu*, ce qui se prononce "caoutchou" et signifie : l'arbre qui pleure. » La découverte du caoutchouc fera grand bruit et contribuera à priver davantage encore le pauvre Joseph de Jussieu du prestige qu'aurait dû lui valoir sa mission.

Notre malheureux botaniste réussira cependant à effectuer à son tour deux voyages successifs à Loja, localité de l'Équateur connue, on l'a vu, pour sa production d'écorce de quinquina. Il y rencontra et décrivit avec soin une espèce de quinquina encore inconnue. Écologiste avant la lettre, il nota même que, depuis que la comtesse del Chinchón en avait rapporté, en 1640, les effets quasi miraculeux contre les fièvres tierces et quartes (le paludisme), l'ardeur des *cascarilleros* qui arrachaient et récoltaient les écorces était telle que les populations autochtones tendaient à régresser sérieusement. Il organisa donc le repiquage des plants, mit au point des extraits plus efficaces que les décoctions habituelles, et surtout apprit aux habitants des régions productrices à s'en servir, car, quoique récoltant l'écorce pour le compte des Espagnols, ils n'en connaissaient pas les vertus.

C'est grâce aux descriptions et aux échantillons rapportés par La Condamine et Joseph de Jussieu que Linné créa, en 1753, le genre *Chinchona* : genre dédié à la fameuse comtesse, épouse du vice-roi du Pérou, supposée avoir été miraculeusement guérie par cette poudre d'écorce devenue dès lors « poudre de la Comtesse », avant de devenir « poudre des Jésuites », ceux-ci assurant sa diffusion à travers l'Europe où le paludisme faisait d'amples ravages[1].

Puis Jussieu se rendit dans la région de Canelos pour y observer l'arbre à cannelle qu'il rêvait enfin de voir ; car, à l'instar du quinquina, aucun Occidental ne l'avait encore jamais aperçu. Il ne s'agit pas là du cannelier originaire de Ceylan ou d'Extrême-Orient, mais du cannelier blanc dont les écorces, à l'époque, très prisées en Europe, exhalent également l'odeur de cannelle.

Il entreprend donc la périlleuse traversée des Andes, redescend dans la forêt équatoriale, s'accoutume à la compagnie des Indiens auxquels, au fur et à mesure que se prolonge son séjour, il s'attache sans cesse davantage, délaissant les mondanités en usage dans les colonies espagnoles. Malheureusement, il écrit à son frère Antoine, le 26 février 1741, qu'il n'a pu pénétrer dans la région de Canelos, car il a contracté une fièvre maligne qu'il a néanmoins soignée avec succès, dit-il, sans doute avec des écorces de quinquina. Toujours est-il qu'il n'a vu aucun cannelier !

1. À propos de l'histoire du quinquina, on se reportera à mon ouvrage *La Médecine par les plantes*, rééd. Fayard, 1986.

Tandis que les derniers membres de l'expédition quittent l'Équateur en 1745, une épidémie de syphilis y fait rage, et les autorités locales lui demandent de se tenir à leur disposition pour soigner les malades, donc de surseoir à son départ pour Lima d'où il espérait regagner la France. Joseph s'exécute de bonne grâce : son tempérament l'incline à chercher à soulager ses semblables sans aucune arrière-pensée mercantile.

Il n'en reste pas moins très motivé par la botanique ; on le voit, durant son séjour, tenter de vivre au mieux ses deux vocations : celle de médecin et celle de naturaliste, l'une l'emportant tantôt sur l'autre, et inversement. Mais la passion des plantes ne le quitte pas. Il a d'ailleurs été promu en janvier 1743 « adjoint » botaniste par l'Académie des Sciences. Aussi décide-t-il de reprendre sa quête du cannelier en se rendant à nouveau dans la province de Canelos qu'il n'a pu atteindre la première fois.

Il y découvre cette fois un arbre très haut, exhalant une très bonne odeur. D'après la description qu'il donne des feuilles – longues, semblables à celles de notre laurier –, le botaniste sait d'emblée qu'il ne s'agit pas de la cannelle de Ceylan dont les feuilles sont au contraire fort larges, à nervures très caractéristiques : parallèles et incurvées, en forme de cœur, toutes convergentes vers la pointe de la feuille. Il s'agit en fait de la cannelle blanche, substitut de l'autre et elle aussi d'usage pharmaceutique. Bizarrement, cette cannelle à feuilles de laurier appartient à la famille des Canellacées, tandis que celle de Ceylan, aux feuilles toutes différentes, appartient, elle, à la famille des... Lauracées (celle du laurier, précisément !). Comme on le voit, et comme on l'a signalé à propos de Mathias Delobel, les botanistes ne classent pas les plantes d'après la forme des feuilles.

En 1748, Jussieu part pour Lima en vue de gagner Buenos Aires. Traversant la Bolivie, il décrit la coca et note comment les Indiens, qui travaillent nuit et jour dans les mines, ne résistent à ce pénible labeur qu'en mastiquant des feuilles de cette plante qui les prémunit contre la fatigue et contre les effets du froid qui sévit à ces hautes altitudes. Privilège remarquable de cette cocaïne, merveilleux remède contre la douleur, à l'instar de la morphine, et dont pourtant nous avons fait un si mauvais usage !

Mais voici qu'en Bolivie, Joseph se retrouve dans une situation qu'il a déjà connue à Quito. Ses qualités de scientifique aux multiples aptitudes se retournent en quelque sorte contre lui : on lui interdit de quitter le pays, car on a besoin de ses services. Il laisse donc Godin gagner seul Buenos Aires et la France. Le voici chargé par les autorités boliviennes de dresser des cartes, d'inspecter des mines, voire de rétablir un pont et une chaussée qui permettent d'y accéder. Il va jusqu'à inventer une machine hydraulique capable d'évacuer l'eau qui inonde les galeries.

Mais Joseph n'aime pas les fonctions de commandement qui mettent à mal sa modestie. Sans doute n'a-t-il pas ce qu'il faut pour réussir au sens où on l'entend d'habitude : en sachant se placer, se vanter, se vendre. Bref, il ignore comment faire carrière. En janvier 1756, il s'en retourne à Lima où il va rester quatorze ans et dix mois ! Éternel indécis, il aspire à rentrer sans pouvoir s'y décider vraiment, car la perspective du long voyage de retour l'effraie. Aussi ne cesse-t-il de repousser l'échéance.

Pour lui les épreuves se succèdent : la maladie, la mort de sa mère et de son frère Antoine, qu'il aimait comme un père. Sa santé décline ; il exerce de moins en moins la médecine, se plaît dans la compagnie des plus pauvres, et trouve dans la fidèle affection d'un jeune prêtre, Juan de Bordanave, un peu de réconfort dans une existence désormais rapidement déclinante.

Pourtant, il sent bien que son œuvre reste à faire : il n'a rien écrit, rien publié. La parution des premiers tomes de l'*Histoire naturelle* de Buffon le consterne : le voici à nouveau doublé... et par un scientifique travaillant en cabinet, qui n'a pas même voyagé !

En octobre 1770, il décide enfin de quitter Lima, se rend au Panama d'où il embarque à destination de Paris où il arrive en juillet 1771. Il est alors bouleversé de s'entendre confirmer ce qu'il savait déjà par les lettres reçues de France, à savoir que la plupart de ses envois ne sont pas arrivés : graines perdues, peine perdue ! Son cerveau se brouille, il perd la mémoire et reste de longs jours prostré. Sa famille le tient soigneusement à l'écart du monde, évitant de donner la moindre publicité à ce voyage dont il n'a rien rapporté, malgré trente-cinq années d'absence ! Car il est même rentré sans bagages... Aussi ses frères, dans l'espoir de sauver ce qui peut l'être encore, vont-ils tenter de rechercher à Lima des traces ou des vestiges de ses travaux. On apprendra là-bas que les nouveaux occupants de son logement ont tout débarrassé : l'équivalent de plusieurs volumes de notes est parti en fumée...

Certes, Joseph a décrit le quinquina, laissant au Muséum un dossier sur ce sujet, l'un des rares documents qui nous restent de lui. Il a aussi, dit-on, ramené d'Amérique la capucine, à moins qu'elle n'ait déjà été introduite du Pérou en 1684, ainsi que l'écrit l'abbé Paul Fournier[1]. Ce point reste obscur, comme tout ce qui touche à l'infortuné explorateur.

Bernard de Jussieu mourut le 6 novembre 1777 ; Joseph devenait l'unique héritier de ses deux frères. Mais ses neveux, Antoine-Laurent et Bernard-Pierre, déposèrent une demande visant à le déclarer « incapable », laquelle aboutit trois jours plus tard. Il n'hérita donc rien, ajoutant cet ultime déboire à son émouvante image de perpétuel perdant...

Joseph mourut huit ans après son retour d'Amérique, le 10 avril 1779, à l'âge de 75 ans, rongé par la gangrène, aveugle et paralysé, dans d'atroces souffrances. L'année suivante, le 5 avril 1780, Condorcet prononça son éloge funèbre devant l'Académie des Sciences où il avait été élu en 1743 et où il n'avait jamais siégé.

Joseph illustre parfaitement le savoir encyclopédique de l'honnête homme du milieu du XVIIIe siècle : un vif désir de connaissances, une culture étendue, une curiosité sans cesse en éveil, un humanisme authentique et profond ; mais aussi un

---

1. Paul Fournier, *Le Livre des plantes médicinales et vénéneuses de France*, tomes I, II et III, rééd., Connaissances et Mémoires européennes/Société nationale d'Horticulture de France, 1999.

désintérêt peut-être excessif pour les contingences matérielles, les stratégies affinées, les conversations de salon, bref, les oripeaux de la célébrité et du pouvoir. Pourtant, ses qualités humaines incomparables, exercées surtout au profit des plus pauvres, Noirs et Indiens, font de ce savant un personnage particulièrement attachant, qui, n'ayant jamais recherché sa propre gloire, est mort dans l'indifférence de tous. Sans doute fallait-il le réhabiliter, car il illustre ce qui nous fait si parfaitement défaut de nos jours : la « beauté du bien », hors toute gratification, tout statut social, toute reconnaissance humaine. Sa vie ne prend sens qu'à travers son inlassable dévouement de « médecin aux pieds nus » avant la lettre, profondément attaché à l'homme, à la nature et à la vie. Quel modèle dérangeant pour un siècle obsédé par la réussite individuelle et le désir exclusif de posséder « toujours plus » !

Toujours plus ? « Plus est en nous », dit la fière devise de la Maison de Bruges...

10

Charles Linné au royaume de Flore

De Charles Linné, chacun connaît le nom, mais c'est à peu près tout. Suédois, il écrivait dans sa langue, ou bien en latin, et la plupart de ses ouvrages n'ont pas été traduits. Aussi sa popularité n'a-t-elle guère dépassé les frontières de son pays, même s'il est, dans le domaine de l'histoire naturelle, une figure incontournable.

Pour les Suédois de son temps, Linné naquit le 13 mai 1707 dans un petit village du sud du pays. Mais la Suède continuait de s'en tenir au calendrier julien, remontant à Jules César, qui avait pris dix jours de retard sur le soleil ; elle n'adopta qu'en 1752 le calendrier grégorien, conforme à la réforme de Grégoire XIII mise en œuvre à Rome en 1582. De sorte que, selon ce calendrier, qui est aussi le nôtre, c'est le 23 mai que naquit en fait le jeune Carl Linné, ainsi prénommé en hommage au souverain très populaire de son pays, Charles XII.

Charles semblait prédestiné à la botanique. Son nom, Linné ou *Linnaeus*, provient en effet du mot *lin* ou *lind*, qui signifie tilleul : en France, Linné eût été un « Dutilleul ». Fils de pasteur, il fut élevé dans le jardin du presbytère. Très tôt, les fleurs lui tinrent lieu de compagnes. Très tôt aussi, il apprit de son père que chaque fleur avait un nom, et cette passion des noms, venue de sa plus tendre enfance, ne le quitta jamais.

Ainsi baigné dans l'univers végétal, comment s'étonner qu'il ait fait si souvent l'école buissonnière, surtout durant les mois d'été où il aimait à parcourir la campagne et à y récolter des plantes ? Ses petits camarades, devins et perspicaces, l'avaient baptisé « le Petit Botaniste ». Il aimait aussi, comme les enfants de son âge, jouer au docteur avec ses frères et sœurs : rien ne l'amusait plus que de leur faire une « saignée » avec un petit morceau de bois pointu, naturellement sans les blesser.

Au lycée, il dut étudier des disciplines aussi arides que le grec, la philosophie, la théologie, la rhétorique et même l'hébreu, ce dont le jeune Charles se désintéressa parfaitement. Il apprit cependant à écrire et à parler couramment latin, commettant toutefois de nombreuses fautes de syntaxe qui lui furent sévèrement reprochées par la suite. Mais il ne s'en souciait guère, car, selon lui, « mieux vaut violer trois fois les règles de la grammaire qu'une seule fois celles de la nature ».

Comme il était de tradition à l'époque pour un fils de pasteur, ses parents le destinaient au sacerdoce. Mais le jeune Carl ne manifestait ni prédisposition ni vocation et entendait bien suivre sa propre voie, celle des sciences naturelles, ce qui désola fort son géniteur !

Il n'avait pas encore vingt ans lorsqu'il découvrit par un ami médecin la classification des plantes de Tournefort et l'essai du Français Vaillant sur la reproduction des plantes. L'influence de ces deux botanistes allait marquer de façon indélébile son œuvre et sa carrière dans lesquelles la sexualité des plantes devait occuper une place primordiale. C'est en lisant Vaillant qu'il découvrit le rôle des étamines et des pistils qui avait échappé jusque-là aux botanistes, plus enclins à prendre en compte, pour leur classification, la forme du calice, comme Pierre Magnol, celle de la corolle, comme Tournefort, ou celle des fruits et des graines, comme Gesner.

À l'université d'Uppsala où il s'inscrit après une année passée à celle de Lund, le jeune Linné fut hébergé par un éminent professeur de théologie – mais aussi naturaliste convaincu –, le docteur Olof Celsius. Celsius était l'oncle de l'astronome Anders Celsius, père du thermomètre centigrade qui porte son nom. En vérité, pour ce dernier, le zéro correspondait au point d'ébullition de l'eau, et les 100° à son point de congélation ; c'est Linné qui inversa la proposition de Celsius et adopta notre graduation actuelle dont il se dit l'inventeur, avec le point de congélation à 0° et le point d'ébullition à 100°. Pourtant, c'est bien le nom de Celsius qui a été conservé, sans doute parce que l'on crut à tort que le « C » de centigrade était l'initiale de son nom (comme le « F » pour Fahrenheit). En toute rigueur, conformément aux règles d'antériorité auxquelles Linné fut de son vivant si sensible, c'est donc un « L » qui devrait suivre le chiffre des températures, comme il suit si souvent le nom des plantes qu'il baptisa...

Carl venait d'aménager chez Olof Celsius lorsque la bibliothèque de l'université lança, comme il était de coutume à l'époque, un débat à propos « de la nuptialité des arbres ». Il entreprit donc de rédiger un texte à ce sujet, mais se refusa à l'écrire en vers, ainsi que la coutume l'exigeait. Il note dans son avant-propos : « Je ne suis pas poète, mais plutôt botaniste ; je vous offre donc le fruit que j'ai récolté dans le domaine où Dieu m'a accordé d'en produire... Tout au long de ces quelques pages, je parle de l'importante ressemblance que l'on peut observer entre les végétaux et les animaux en ce qu'ils accroissent tous deux leur famille de la même manière. »

Dans cette dissertation rédigée en suédois et non en latin, contrairement aux usages du temps, Linné célèbre ainsi le printemps : « Tous les animaux sentent monter en eux les ardeurs de la sexualité. Oui, et même les plantes ressentent l'amour. Les mâles et les femelles, les hermaphrodites eux-mêmes célèbrent leurs noces. Les pétales d'une fleur ne participent eux-mêmes en rien à la reproduction ; ils servent seulement de couche nuptiale, que le Grand Créateur a fait si splendides, ornés de tentures si précieuses et parfumées de tant de suaves senteurs, pour que l'époux (le pollen) et l'épouse (l'ovule) y célèbrent leurs noces avec plus de solennité. Quand la couche est ainsi préparée, le moment est venu pour l'époux d'enlacer sa bien-aimée et de s'abandonner à elle... » Comment mieux dire que les fleurs font elles aussi l'amour ? Ce langage imagé, célébrant la sexualité des plantes en même temps que la grandeur du Créateur, est typiquement linnéen. C'était là une vision absolument neuve, au moins en Suède, qui ne manqua pas de susciter une vive surprise, mais aussi d'acerbes critiques. Établir un tel parallèle entre la vie sexuelle des plantes et celle des animaux, évoquant même des pratiques aussi peu recommandables que la polygamie, la polyandrie ou l'inceste, c'était une manière de voir terriblement provocatrice dans un pays puritain et, pis encore, sous la plume d'un fils de pasteur !

En matière de sexualité végétale, Linné avait, il est vrai, des prédécesseurs. Le premier d'entre eux fut l'Italien Andrea Cesalpino (André de Césalpin) qui avait osé parler, deux siècles avant lui, du sexe des plantes. Mais, comme il était en même temps le médecin du pape Clément VIII, cette audace intellectuelle ne lui avait valu aucun désagrément. Le malheureux Galilée n'eut certes point cette chance ! Puis vinrent tour à tour l'Anglais Nehemiah Grew en 1676, l'Allemand Camerarius en 1694, qui démontrèrent, en effectuant des croisements entre plantes unisexuées mâles et femelles, que les plantes se reproduisent effectivement par sexualité. Entre-temps, le Hollandais Loenwenhoek découvrit grâce à son microscope les spermatozoïdes. Les Français, pourtant réputés portés sur la bagatelle, mirent du temps, on l'a vu, à se ranger à ces observations, et le grand Tournefort prétendait toujours en 1700 que « le pollen n'est que l'excrément des plantes » ! Dix-sept ans plus tard, Vaillant, il est vrai, sauva l'honneur en démontrant, par des expériences célèbres sur des pistachiers du Muséum, que les plantes ont bien deux sexes et que ceux-ci, par la fécondation, engendrent des descendants ; mais ces travaux demeurèrent confidentiels et c'est à Linné qu'il appartint de leur donner une vaste publicité. Ainsi imagina-t-il le premier une classification des plantes fondée sur le nombre et la disposition des étamines et des pistils. Il n'a que vingt-sept ans lorsqu'il publie *Systema naturae* (« Le Système de la nature ») dans lequel le monde des plantes est divisé en 24 classes fondées précisément sur l'observation des étamines. Ainsi décrit-il les plantes à une seule étamine, les monandres, comme « un homme dans un couple ». Chez les diandres, au contraire, il y a « deux hommes par couple », et ainsi de suite, jusqu'aux polyandres où « vingt mâles ou même plus sont dans le lit de la même femme », pratiques auxquelles s'adonnent avec ardeur le pavot et le tilleul dont les fleurs se parent d'un grand nombre d'étamines. Linné n'hésite pas à agrémenter ses commentaires en mettant en scène, le cas échéant, des épouses et des concubines, certaines fertiles et d'autres stériles. Ainsi de nos modestes marguerites dont le centre est tapissé de fleurs fertiles jaunes (comparées à des épouses fertiles), et les bords, de fleurs stériles blanches à allure de pétales (les concubines stériles). Emporté par son zèle professionnel, il va jusqu'à qualifier sa propre épouse de « lys monandre », voyant en elle un double symbole de virginité et de fidélité !...

Malgré un langage parfois déroutant, chaque type de fleur est décrit avec une remarquable précision que n'altèrent nullement ces étranges comparaisons. C'est que Linné avait suivi des cours de philosophie et de théologie qui l'avaient familiarisé avec la nécessité de préciser soigneusement chaque concept et de distinguer avec subtilité les nuances séparant les catégories philosophiques chères à Aristote. Rien n'est plus précis en théologie, comme chacun sait, que la définition de la Sainte Trinité ou du mystère de l'Incarnation ; Linné conserva ce goût des descriptions et classifications précises, hérité de la théologie, qu'il appliquera aux sciences naturelles. Ce qui peut paraître assez surprenant aujourd'hui lorsqu'on connaît le débat opposant les sciences dites « dures » (physique, chimie ou biologie) et les sciences dites « molles » (sciences humaines, notamment) ! Au XVIIIe siècle, au contraire, la théologie, qui n'est pas à proprement parler une science humaine, puisque son objet – audacieux, on en conviendra – est la connaissance de Dieu, était une science « dure », alors que les sciences de la nature manquaient gravement de méthode et de rigueur : c'étaient donc des sciences molles... qui ont bien durci depuis !

Classant les plantes en fonction des étamines, Linné aurait pu être considéré comme un dangereux phallocrate, ce qui n'eût pas manqué de lui arriver de nos jours. À son époque, on le considéra plutôt comme un obsédé sexuel, au point de lui attribuer, on l'a dit, la découverte de la sexualité végétale à laquelle ses travaux conférèrent, en fait, un immense retentissement. La critique à son endroit fut souvent féroce. Universitaire à Saint-Pétersbourg, Johann Siegesbeck dénonça avec vigueur le système « lubrique » de Linné et sa « répugnante prostitution que le Créateur n'aurait jamais tolérée dans le règne végétal... Qui aurait pensé que les jacinthes, les lys et les oignons s'adonnaient à une telle immoralité ? »... Linné mourut très affecté par ces reproches, redoutant la punition divine pour avoir si fâcheusement introduit le sexe là où, à son époque, on croyait qu'il n'était pas...

Le système imaginé par Linné est parfaitement artificiel dans la mesure où il se fonde sur un seul caractère, à savoir les étamines. Ainsi mousses, fougères, algues et champignons sont-ils tous classés dans la 24ᵉ classe, vaste fourre-tout des plantes sans fleurs et donc sans étamines. De même, des plantes comme l'olivier et le romarin sont rapprochées du seul fait que leurs fleurs ne comptent que deux étamines, alors même que leur allure est complètement différente et que tout les distingue. Linné est d'ailleurs parfaitement conscient du caractère artificiel de sa classification et n'hésite pas, quand il le faut, à la violer. Il fut même contraint de le faire chaque fois qu'une espèce porte sur le même pied des fleurs à nombre variable d'étamines.

De même place-t-il parfois dans le même genre des espèces très semblables qui ne se différencient que par le nombre de leurs étamines et qui auraient dû logiquement prendre place dans des classes différentes ; mais, dans ce cas, l'évidence des ressemblances, jointe à son sens inné des affinités naturelles, a fini par triompher de son esprit logique. Ainsi des verveines qu'il a classées dans les diandres parce qu'elles comprennent des espèces à deux étamines, et bien que certaines, pourtant très voisines, en contiennent quatre, si bien qu'un étudiant, découvrant notre verveine commune, chercherait tout naturellement cette plante à quatre étamines parmi les Tétrandres, sans imaginer que Linné ait pu la ranger parmi les Diandres. Mais Linné était trop fin observateur pour ne pas tenir compte des affinités manifestes de toutes les fleurs de verveine, qui se ressemblent fort et que, pour cette raison, il a rassemblées dans un même groupe. Bref, il n'hésitait pas à faire des exceptions aux règles qu'il avait lui-même édictées pour sa classification.

Si Linné est irremplaçable dans le domaine des sciences naturelles, c'est parce qu'il a su généraliser et systématiser la dénomination binominale des espèces, chacune d'elles étant titulaire de deux noms latins : le premier correspondant au genre auquel elle appartient de par la nature de ses affinités et de ses caractères, le second étant un qualificatif désignant nommément une espèce particulière de ce genre. Désormais, tous les animaux (dont Linné était aussi un spécialiste) et tous les végétaux seraient uniformément désignés ainsi, chacune des espèces ainsi nommée faisant ensuite l'objet d'une description latine minutieuse. Avec Linné, c'en est donc fini des noms ultracompliqués qui prétendaient donner de l'espèce un portrait sommaire en une ou deux lignes latines. Ainsi notre modeste plantain à feuilles lancéolées, si commun dans nos prairies et nos champs, abandonne-t-il son ancien nom de *Plantago foliis lanceolatis, spica subovata nuda, scapo angulato* (plantain à feuilles lancéolées, à épine presque ovale et à hampe angulaire), et prend-il le nom tout simple de *Plantago lanceolata* (plantain lancéolé). Et comme cette simplification est le fruit de l'imagination créatrice de Linné, ce nouveau nom latin est suivi de la lettre « L », désignant Linné comme son auteur.

Lorsque, en 1753, Linné publie son célèbre *Species Plantarum* (*Les Espèces des plantes*), c'est pas moins de 5 900 espèces végétales classées en 1 098 genres qui sont ainsi répertoriées et nommées. Il ne craint nullement d'y rebaptiser au gré de sa propre inspiration des plantes qui avaient déjà précédemment bénéficié d'une dénomination binominale, ce qui lui valut beaucoup d'acrimonie de la part de certains de ces collègues, dépossédés des noms qu'ils avaient donnés avant lui à ces plantes. Mais il n'en a cure. L'avenir devait le conforter dans ses audaces puisque la nomenclature botanique prend comme point de départ officiel cet ouvrage de Linné et considère comme nuls et non avenus tous les noms de plantes antérieurs. Suivra bien sûr une quantité de plantes découvertes et baptisées ultérieurement, mais toujours selon le système binominal, soit au total aujourd'hui, pour les seules plantes à fleurs, près de 270 000 espèces !

Dès 1754, un naturaliste anglais, William Watson, présenta l'ouvrage de Linné comme « le chef-d'œuvre du naturaliste le plus complet que le monde ait jamais connu »... Quant aux noms choisis par Linné pour baptiser les plantes, ils dénotent l'imagination sans limite de leur auteur. De nombreux genres sont dédiés par lui à des botanistes contemporains ou à l'un ou l'autre de ses propres élèves, quand ce n'est point à la femme de son cœur, ainsi que l'atteste une escapade amoureuse (purement platonique) qui valut une dédicace à Lady Anne Monson, botaniste enthousiaste qui avait herborisé aux Indes et au Cap en 1774 avec Thunberg, élève de Linné. Elle se trouvait en Angleterre lorsqu'elle est supposée avoir reçu cette étrange lettre dont on ne possède que le brouillon (comme quoi il est toujours risqué pour un homme célèbre de laisser traîner ses brouillons) :

« Je me suis longtemps efforcé d'étouffer une passion impossible à assouvir et qui maintenant éclate. Ce n'est pas la première fois que je brûle d'amour pour quelqu'un du beau sexe, et votre mari me pardonnera puisque je ne porte pas atteinte à son honneur. Qui peut contempler une aussi belle fleur sans en tomber amoureux, encore que ce soit en toute innocence ? Malheureux est l'époux dont la femme ne plaît qu'à lui. Je n'ai jamais contemplé votre visage, mais, dans mon sommeil, je rêve souvent de vous. Pour autant que je sache, jamais la Nature n'a produit de femme qui vous égale, vous qui êtes un phénix parmi vos sœurs... Si j'ai le bonheur de découvrir que l'amour que je vous porte est payé de retour, je ne vous demande qu'une faveur : qu'il me soit permis de m'associer avec vous pour procréer une toute petite fille qui porte témoignage de notre amour – une petite *Monsonia* qui perpétuerait éternellement votre nom dans le Royaume de Flore... »

Le fantasme amoureux de notre botaniste poète fut fructueux, puisqu'il conféra le nom de *Monsonia* à des plantes sud-africaines de la famille des géraniums.

Il en fut de même pour les animaux que Linné baptisa avec ardeur, d'où cette critique acerbe de son rival Haller : « La dénomination sans limite que Linné s'arroge, en ce qui concerne le règne animal, sera dans l'ensemble forcément odieuse à de nombreuses personnes. Il s'est pris pour un second Adam et a donné à tous les animaux des noms selon leurs traits distinctifs, sans même se soucier de ses prédécesseurs. C'est tout juste s'il ne fait pas de l'homme un singe, ou du singe un homme... » Plus cruelle encore, la charge de La Mettrie, médecin français farouchement matérialiste, à qui l'on doit le fameux adage : « Le cerveau sécrète la pensée comme le foie sécrète la bile. » Ce dernier n'hésita pas à tourner en dérision le système de Linné dans un pamphlet particulièrement cruel. L'espèce humaine y était classée sous l'appellation *Dioecia,* qui signifie « sexes mâle et femelle portés par des individus séparés » ; le mâle faisait partie des Monandres (car il ne porte qu'une étamine), et la femelle des Monogynes (un seul pistil) ; les vêtements formaient le calice, la corolle les membres, et les glandes nectarifères étaient naturellement les seins. Cet article, intitulé « L'Homme-plante », fut publié dans *L'Homme-machine* dont les exemplaires firent l'objet d'un autodafé public à Leyde, tant il fit scandale à sa parution.

Si Linné a beaucoup herborisé dans son pays, mais aussi en Allemagne, en Angleterre, en Hollande et en France où il séjourna un mois (durant lequel Bernard de Jussieu lui fit visiter Paris et rencontrer des savants de l'époque), il se garda bien d'entreprendre des explorations risquées dans de lointaines contrées. Sa seule exploration digne de ce nom fut un voyage en Laponie qui le conduisit jusqu'aux côtes de Norvège à la latitude des îles Lofoten, fort loin encore du cap Nord, et un peu au sud de la fameuse voie ferrée, la plus septentrionale du monde, qui relie aujourd'hui Kiruna à Narvik, traversant d'est en ouest le nord de la Scandinavie. Ce voyage, il le fit à l'âge de vingt-cinq ans et en rapporta notamment une petite campanule, baptisée dès 1596 *Campanula serpilifolia* (la campanule à feuilles de serpolet) par le botaniste Gaspard Bauhin. Les dénominations binominales, on le voit à cet exemple, étaient souvent antérieures à Linné dont le principal mérite est de les avoir systématisées.

À son retour, et lors de son voyage en Hollande, il rencontra le botaniste Grovonius à qui il montra le manuscrit de son *Systema Naturae* dans lequel il exposait les grandes lignes de son projet de classification des règnes minéral, végétal et animal. Fort impressionné, Grovonius déclara à un ami anglais qu'à son avis « il n'avait existé, depuis l'époque de Conrad Gesner, aucun homme aussi versé que celui-là dans toutes les parties de l'histoire naturelle, et non pas d'une manière superficielle, mais tout à fait approfondie »... Aussi, voulant l'honorer, rebaptisa-t-il cette campanule *Linnea borealis*. Dans un accès de modestie qui lui est peu coutumier, Linné, qui parle toujours de lui à la troisième personne, écrit à ce propos : « C'est le fameux Grovonius qui donna le nom de *Linnea* à cette plante de Laponie, humble, insignifiante et discrète ; elle ne porte des fleurs que pendant une courte période ; elle est à l'image de Linné dont elle porte le nom. » Présente sous les hautes latitudes, la *Linnea borealis* se rencontre aussi en altitude, dans les Alpes où on la trouve notamment dans le parc de la Vanoise en tant qu'espèce rare et protégée.

Dans une zone marécageuse proche d'Umea, sur le golfe de Botnie, Linné découvrit de minuscules sous-arbrisseaux porteurs de merveilleuses fleurs roses qui stimulèrent une fois de plus son imaginaire et son lyrisme. Cette plante aussi était déjà connue à l'époque, mais il n'hésita pas à la rebaptiser :

« Je remarquai qu'elle était rouge sang avant de fleurir, mais, dès qu'elle s'épanouit, ses pétales deviennent rose clair. Je me demande quel artiste pourrait égaler ce charme dans le portrait d'une jeune fille, ou s'il arriverait à orner ses joues d'une beauté telle que celle-là, qui ne doit rien aux fards. En la regardant, je pensai à Andromède, telle que les poètes la représentent, et plus j'y réfléchissais, plus elle m'apparaissait avoir d'affinités avec la plante ; en fait, si Ovide avait entrepris de décrire cette plante de façon mystique, il n'aurait pu atteindre une meilleure ressemblance... »

Ainsi naquit l'andromède de nos tourbières, espèce rare et protégée. Sur sa lancée, dans ce style qui n'appartient qu'à lui, Linné poursuit :

« Sa beauté ne demeure que tant qu'elle reste vierge (comme souvent les femmes), c'est-à-dire jusqu'à ce qu'elle soit fécondée, ce qui ne tardera plus maintenant. Elle est plantée loin de la berge, petite touffe émergeant à la surface du marécage et aussi fermement ancrée que si elle se trouvait sur un rocher, entourée par la mer. L'eau lui vient aux genoux, baignant ses racines ; et elle est toujours entourée de dragons et de monstres diaboliques – c'est-à-dire de vilaines grenouilles et d'affreux crapauds – qui l'éclaboussent lorsqu'ils s'accouplent au printemps. Elle se tient là et incline la tête d'un air affligé. Puis ses petites grappes de fleurs, avec leurs joues vermeilles, commencent à se faner et deviennent de plus en plus pâles... »

Mais Linné est un vrai naturaliste. Il s'intéresse par exemple aux fameux lemmings que les Lapons croyaient portés par les nuages, « mais les nuages, pas plus que le brouillard, ne sont capables de soulever qui que ce soit, pas même ces lemmings qui, comme d'autres animaux, vivent sur la lande et, certaines années, se rassemblent en très grand nombre ». Autrefois, dans les provinces voisines de la Laponie, lorsque ces animaux envahissaient soudain tout le pays, les gens étaient en proie à un grand désarroi. Cet événement inhabituel était, pensaient-ils, un châtiment envoyé par Dieu parce qu'ils avaient failli à l'observance des jours réservés à la prière. Ce que Linné lui-même, fidèle à la célébration des cultes dominicaux, ne faisait jamais.

Les lemmings ont néanmoins réussi à se tailler une solide réputation qui les présente comme les seuls animaux susceptibles de se suicider. De fait, quand ils deviennent très envahissants, ils se dirigent en vastes colonies vers la mer du Nord ou le golfe de Botnie, sans doute à la recherche de régions plantées de bouleaux et de genévriers ; là, il arrive qu'ils se précipitent dans la mer, la prenant peut-être pour un cours d'eau semblable à ceux qu'ils ont déjà traversés, et ils finissent par s'y noyer d'épuisement.

Courageux mais non téméraire, Linné se garda bien de s'embarquer sur une mer déchaînée pour atteindre les îles Lofoten. Il craignait le fameux « Maelström », tourbillon marin, violent et dangereux, dû à d'impétueux courants de marée, que Jules Verne rendit célèbre dans *Le Désert de glace* et qui faisait sombrer de nombreux bateaux entre les îlots de Mosken et de Moskones. Il se contenta de passer son temps sur la plage à observer et dessiner (fort mal, car ses dessins sont exécrables) des crabes et des méduses.

À Tornio, au fond du golfe de Botnie – aujourd'hui en Finlande –, il s'acquit une grande célébrité en élucidant les causes d'une maladie qui causait de vastes ravages parmi le bétail. Il observa que les bêtes s'intoxiquaient en mangeant de la ciguë, abondante dans les prés humides et dont les paysans apprirent dès lors à se méfier.

De son récit de voyage en Laponie, les biographes de Linné retiennent qu'il n'hésita pas, comme l'autruche qui se pare des plumes du paon, à exagérer son courage et sa bravoure face à la nature, certes peu amène, des terres subarctiques. Il alla même jusqu'à inventer des exploits et des explorations qu'il n'aurait accomplis que dans sa tête ! En fait, il ne fut jamais un véritable explorateur ; sans doute trop timoré, il préférait dépêcher « ses apôtres », comme il les appelait, sur les terres les plus reculées afin qu'ils y récoltent à son profit plantes et animaux qu'il s'empressait ensuite de décrire et de baptiser avec ferveur. Lorsque son élève Pehr Osbeck s'embarqua en 1750 pour l'Extrême-Orient, Linné lui écrivit : « À votre retour, nous ferons avec les fleurs que vous rapporterez, des couronnes pour orner la tête des prêtres du Temple de Flore, et les autels de la déesse. Votre nom sera inscrit sur des matériaux aussi solides et indestructibles que le diamant, et nous vous dédierons quelque très rare *Osbeckia* qui rejoindra les rangs de l'armée de Flore. Aussi, hissez les voiles et souquez ferme ; mais prenez bien garde de revenir chargé du butin le plus précieux, sans quoi nous invoquerons Neptune afin qu'il vous précipite, vous et vos gens, dans les abîmes du cap Ténare ! »

Curieux ordre de mission, en vérité...

Hormis sur ses vieux jours où de fréquents accès de dépression le tourmentaient, rien ne le ragaillardissait davantage que la réception d'une caisse d'herbiers, voire d'animaux morts ou vifs, sur lesquels il se précipitait avec un zèle extraordinaire dans l'espoir de débusquer et décrire quelque nouvelle espèce. Car là était le propre du génie de Linné : si les plantes ou les animaux lui inspiraient parfois des envolées lyriques lorsqu'il s'agissait de les nommer, il se gardait bien d'extrapoler et de se livrer à des considérations générales touchant à l'histoire naturelle ; son art consistait exclusivement à décrire avec soin des espèces, à les nommer et à les classer. Homme de système, homme de méthode, doué d'un exceptionnel sens de l'observation et d'un raisonnement logique sans égal, c'était un naturaliste « pointu », l'exact opposé de son célèbre collègue Buffon qui, à la même époque, développait des vues générales et souvent très audacieuses pour son temps.

Ce qui ne l'empêchait pas d'être lui aussi, parfois, en avance sur la science de son époque : n'a-t-il pas subodoré, un siècle avant Pasteur, l'existence des microbes ? Dans son mémoire à l'Académie royale des sciences intitulé *Mundus invisibilis* (*Le Monde invisible*), daté de 1767, Linné écrit : « La petite vérole, la rougeole, la diarrhée, la syphilis – oui, même la peste –, toutes ces maladies résultent certainement de l'action de très petits vers... Ces animalcules, une centaine de fois plus petits que les particules de poussière qui dansent dans un rai de soleil, sont disséminés partout. Les très petites créatures peuvent causer davantage de dommages que les grosses ; oui, elles peuvent exterminer plus de gens que toutes les guerres. » Pertinente prémonition !

Observateur attentif et minutieux, sa description des saute-relles pourrait, de même, être signée de Jean Henri Fabre : « Les sauterelles stridulaient dans les prés et nous en attra-pâmes une... La femelle fait saillir son appendice caudal comme une longue épée. Le mâle est entièrement vert ; il a quatre crochets à l'appendice caudal et deux pinces entre les cuisses ; dans ses ailes, qui reposent l'une sur l'autre, est percé un trou rond grand comme un grain de vesce et recouvert d'une fine membrane. Lorsque le mâle de la sauterelle chante une sérénade à sa bien-aimée, il frotte ses ailes l'une contre l'autre et la membrane tendue produit un son ; ainsi son chant provient de ses ailes, non de la bouche. Les ailes de la femelle ne comportent pas d'instrument, et, ainsi, elle se voit contrainte de garder le silence... »

L'un de ses étudiants, Johann Christian Fabricius, qui devint un célèbre entomologiste, décrit en ces termes les her-borisations conduites par Linné :

« La troupe joyeuse – nous étions souvent cent cinquante de diverses nationalités – se scindait en petits groupes qui devaient se retrouver à une heure donnée ; Linné gardait avec lui quelques étudiants, les plus doués. Parfois, le rendez-vous choisi était le château de Säfja, et nous nous mettions tous en route dans cette direction, dans une grande gaieté que Linné n'essayait jamais de restreindre. Dès que tout le monde était réuni, Linné commençait à identifier les plantes qui avaient été ramassées. Il y avait une table servie pour vingt personnes [...], et ceux qui avaient trouvé les plantes les plus rares y prenaient place avec le Maître ; les autres mangeaient debout, espérant avoir un jour cet honneur très convoité qui suffisait à provo-quer la compétition la plus vive entre ces jeunes rivaux. »

Dans son excellente biographie, consacrée à Linné, Wilfrid Blunt poursuit :

« Par d'autres élèves, nous connaissons d'autres détails. Les étudiants portaient des uniformes légers et confortables en toile de lin, et des couvre-chefs bientôt ornés de fleurs. Linné désignait quelques "responsables", comme par exemple un secrétaire, un élève chargé de faire respecter la discipline, et un tireur d'élite pour abattre les oiseaux. Si quelque chose de rare était découvert, une sonnerie de clairon rassemblait rapidement tout le monde autour de Linné, qu'on écoutait faire sa démonstration. À la fin de la journée, toute la troupe retournait en ville, Linné en tête, en agitant des bannières et en jouant de la trompette et des timbales. Lorsqu'elle atteignait le Jardin botanique, le cri plusieurs fois repris de "Vive Liné !" se faisait entendre, puis chacun partait de son côté. Le non-conformisme de la tenue des étudiants et la liberté de leur comportement faisaient froncer les sourcils aux professeurs plus collet monté... »

Linné eut la chance d'assister de son vivant à la consécration de son œuvre. Le 29 octobre 1773, cinq ans avant sa mort, il écrivit à son élève Thunberg :

« Le roi d'Angleterre a créé un très grand jardin renfermant toutes les plantes possibles. À côté de chacune d'elles est placée une étiquette de bois sur laquelle sont inscrits ses noms générique et spécifique selon mon système. Le roi de France a fait la même chose depuis plus de deux ans, à Trianon, près de Versailles. Une nouvelle chaire de zoologie a été fondée à Édimbourg, et l'enseignement que l'on y dispense se conforme au plan de mon *System Animalium*. Voici quinze ans environ, le pape [Clément XIII] ordonna que fussent brûlés tous mes ouvrages qui pénétreraient dans les États pontificaux ; maintenant, il [Clément XIV] vient de congédier un professeur de botanique qui ne comprenait pas mon système, et l'a remplacé par un autre professeur. Ce dernier a reçu l'ordre d'adopter mon nouveau système dans ses cours publics... »

S'il fallait trouver à Linné quelques défauts majeurs, ce seraient sans doute son incroyable vanité et une avarice certaine. Il parle de ses propres ouvrages au superlatif sans que sa grandiloquence semble le gêner le moins du monde. Dans son *Species plantarum*, il voit « la plus grande œuvre accomplie dans le royaume de la nature... », et dans son *Systema naturae*, « un chef-d'œuvre que l'on ne relira jamais assez souvent et que l'on n'admirera jamais trop »... S'il touche à la médecine –

107

qu'il exerça auprès des jeunes débauchés de Stockholm dont il soignait les chaudes-pisses avant d'obtenir la chaire de botanique à l'université d'Uppsala –, il ne lui consacre qu'un seul ouvrage, somme toute bien modeste, qu'il qualifie néanmoins de « plus beau joyau de la médecine »... Parlant de cette œuvre devant la Diète, il ajoute : « Je ne crois pas que quiconque aujourd'hui puisse espérer sans mon aide et mes directives accomplir quelque progrès en ce domaine. » N'avait-il pas emprunté à Virgile une phrase dont il fit sa devise : *Faman extendere factis* (« étendre sa renommée par ses hauts faits ») ? Ce qui ne l'empêcha pas d'écrire à propos de lui-même qu'il « s'opposait au plus haut point à tout ce qui avait l'apparence de l'orgueil ». Dont acte ! N'empêche : rien ne lui était plus insupportable que de voir un autre botaniste baptiser une plante ; il saisissait alors n'importe quel prétexte pour lui donner un nom choisi par lui. Mais c'est lui qui forgeait alors ce nom d'après celui de quelque autre botaniste, parfois avec une stupéfiante pertinence. Il écrit à ce sujet : « On pense en général que le nom d'une plante inspiré par celui d'un botaniste n'a pas de rapport avec ce dernier. Mais quiconque a une connaissance même sommaire de l'histoire des lettres perçoit aisément le lien qui existe entre le nom et la plante... *Commelina* a des fleurs à trois pétales, deux apparents et le troisième quasiment inexistant : son nom vient de deux botanistes appelés Commelin, le troisième étant mort avant d'avoir rien accompli en botanique... »

Marié à une épouse farouchement puritaine, Linné ne semble guère avoir vécu une union épanouie. Il eut néanmoins quatre filles et un garçon. Ce dernier mena une vie courte mais délurée, traduisant en actes, en quelque sorte, les fantasmes de son père. Quant aux filles, Linné, conformément aux usages du temps, se garda bien de leur donner la moindre éducation scientifique ou littéraire ; elles étaient destinées à devenir tout simplement de sages épouses, ce qui advint d'ailleurs à trois d'entre elles. Pour cela, il veilla à leur dispenser une solide éducation religieuse fondée sur une pratique aussi régulière que la sienne.

Dans son petit village d'Amorby, non loin d'Uppsala, il fréquentait assidûment l'église paroissiale, accompagné de son chien Pompe. Et si, souffrant, il ne pouvait se rendre lui-même à l'office, le chien y allait sans lui et s'asseyait, paraît-il, sagement dans la stalle qui lui était réservée. Linné n'avait qu'une piètre estime pour le pasteur dont il supportait mal les homélies interminables ; aussi, au bout d'une heure, se levait-il ostensiblement pour quitter l'office. Et la légende veut que le chien, même lorsqu'il assistait à l'office sans son maître, avait pris le pli d'en faire autant, effectuant ainsi une sortie remarquée... Ce qui semble ici un véritable gag est pourtant rapporté avec le plus grand sérieux par divers biographes de Linné.

Ce dernier s'était mis aussi une étrange idée en tête : celle de créer une « horloge florale » en observant les heures auxquelles s'ouvraient certaines fleurs judicieusement choisies. Les heures variant d'une espèce à l'autre, il était donc possible d'élaborer cette insolite horloge : il suffisait de relever le moment de leur épanouissement pour en déduire l'heure qu'il était.

Voici un aperçu des « riches heures » de Monsieur Linné :

Liseron des haies	3 heures
Salsifis des prés	4 heures
Chicorée sauvage	5 heures
Nénuphar blanc	7 heures
Mouron rouge	8 heures
Souci des champs	9 heures
Dame-d'onze-heures (ornithogale)	11 heures
Silène nocturne	17 heures
Belle-de-nuit	18 heures
Grand cierge péruvien (cactus)	20 heures
Liseron pourpre	22 heures

Comme on le voyait, les belles-de-nuit sortent un peu tôt, mais les cierges s'allument à l'heure ! Quant aux dames-d'onze-heures, elles donnent un bouillon très comestible et sans danger...

Malheureusement, l'horloge de Linné – qui réussit ainsi à monter contre lui tous les horlogers de Suède ! – ne fonctionnait guère, car la météo influe fâcheusement, selon qu'il fait sec ou humide, plus clair ou plus sombre, sur l'heure d'épanouissement des corolles. On a donc gardé de Linné son thermomètre, bien que ce soit là sa seule invention à ne point porter son nom, et on a laissé tomber son horloge.

À cette invention, il substitua bientôt le « calendrier de Flore », proposant un nouvel éphéméride où les mois seraient baptisés en fonction des saisons. Or les noms latins attribués aux mois par Linné évoquent singulièrement ceux du calendrier révolutionnaire français élaboré par Philippe Fabre, acteur et poète dramatique qui se faisait joliment appeler Fabre d'Églantine et qui baptisa les douze mois de trente jours du calendrier adopté en octobre 1793. Ce dernier, semble-t-il, n'a pas hésité à faire de sérieux emprunts à Linné : *Brumalis*, le mois des brumes, devenant Brumaire ; *Germinationis*, le mois des bourgeons, Germinal ; *Messis*, le mois des moissons, Messidore, et ainsi de suite... Des similitudes par trop voyantes pour n'être que de pures coïncidences !

Épuisé à la tâche – sa production littéraire et scientifique est proprement colossale –, Linné se sentit vieux dès l'âge de cinquante ans. Son épouse, la cupide Fru Linnaea, continuait néanmoins à le pousser à prendre de nombreuses et nouvelles responsabilités en vue d'arrondir le revenu – insuffisant à ses yeux – de sa charge de professeur. Pis encore : dans les toutes dernières années de sa vie, elle négligea son mari malade, le soignant mal, et, lorsqu'il tombait de son fauteuil, n'hésitant pas à le laisser par terre. Le fils ne fit guère mieux : du vivant de son père, il demanda à tirer avantage de sa lignée pour obtenir du roi le titre de professeur titulaire. Nommé à cette fonction le 27 octobre 1777, il fut peu apprécié du milieu universitaire d'Uppsala où on l'accusait d'incompétence et de paresse.

Linné trouva du réconfort dans l'amitié de son vieil ami Bäck, de Stockholm, qu'il voyait le plus souvent possible. Il lui avait écrit vingt ans plus tôt, à la mort de son fils : « Je suis votre frère, vous êtes mon frère, je suis à mon frère pour toujours jusqu'à la mort. » Et il en fut ainsi.

Pendant l'hiver 1776-1777, Linné eut une attaque, juste à la veille de ses 70 ans. Il ne s'en remit pas et mourut le 10 janvier 1778 à 8 heures du matin, n'ayant à son chevet que le fiancé de sa dernière fille et un élève anglais ; le reste de sa famille était mystérieusement absent.

On l'enterra solennellement à la cathédrale d'Uppasala, tout comme Darwin devait reposer un siècle plus tard à Westminster. C'était la première fois qu'il n'entendait pas sonner ce glas obsédant, interminablement égrené depuis le clocher de la cathédrale, qui l'avait tant gêné de son vivant.

Charles Linné fils suivit promptement son père dans la mort, puisqu'il décéda le 1ᵉʳ novembre 1783. Fru Linnaea décida alors de se débarrasser des collections de son mari en les vendant au plus vite et le plus cher possible. En l'absence du roi Gustave de Suède, alors en Italie, l'acheteur fut un Anglais, Edward Smith, jeune et ardent naturaliste âgé de vingt-quatre ans et ami de Sir Joseph Banks, célèbre compagnon du capitaine Cook dont il sera question plus loin. Le 17 septembre 1784, les bibliothèques et collections quittèrent Stockholm à bord de l'*Appearance* et arrivèrent quelques semaines plus tard en Angleterre. En 1788 fut fondée la Linnean Society de Londres qui, à la mort de Smith, acquit auprès de sa veuve l'essentiel des collections. Elles sont depuis lors conservées à Londres, au siège de la société, à Burlington House. En 1940, l'Institut Carnegie la dota d'une subvention substantielle en vue de réaliser une reproduction photographique de l'ensemble. On rapporte que la photographe, Miss Gladys Bown, « se piqua le bras à l'un des spécimens d'ortie séchée mis en herbier presque deux cents ans auparavant... ».

Sur le tard, Linné reçut l'hommage posthume des plus grands de ses contemporains. Mais Rousseau, épris plus que d'autres de botanique, la science aimable du XVIIIᵉ siècle, lui avait déjà écrit, le 21 septembre 1771, ce compliment appuyé :

« Seul avec la nature et avec vous, je passe des journées heureuses à me promener dans la campagne, et de votre *Philoso-*

phia botanica je tire davantage de profits réels que de tous les autres ouvrages de morale... Je lis vos œuvres, je les étudie et je les médite ; et je vous vénère et vous aime de tout mon cœur... »

De même, lorsqu'il entreprit son voyage en Italie en 1786, Goethe ne manqua pas d'emporter un exemplaire du même ouvrage : « J'ai emporté mon Linné avec moi et je me suis sérieusement mis dans la tête sa terminologie, c'est-à-dire son système de classification. » Vers la fin de sa vie, il écrivit à un ami : « J'ai récemment relu Linné et j'ai été étonné par cet homme extraordinaire ; il m'a appris énormément de choses, et pas seulement en botanique. Hormis Shakespeare et Spinoza, je ne connais personne, parmi ceux qui nous ont quittés, qui ait eu autant d'influence sur moi. »

Deux cents ans plus tard, le nom de Linné reste une référence majeure. Il est le seul naturaliste signalé, derrière les noms d'espèces dont il baptisa les plantes ou les animaux, par une lettre unique : l'initiale « L ». Tous les autres « baptiseurs de plantes » sont désignés par des abréviations, mais aucune ne comporte qu'une seule lettre : ce privilège a été octroyé à Linné et à lui seul. Il est ainsi reconnu par la communauté scientifique internationale comme le « Prince des botanistes », ou encore le « Pline du Nord ». Avant lui, les trois règnes — minéral, végétal et animal — représentaient encore un chaos de pierres, de plantes et d'animaux mal spécifiés et mal identifiés. Puis vint Linné qui réussit, par un effort surhumain, à mettre un certain ordre dans les foisonnantes productions de la nature. Il souhaitait rendre à la fois plus visible et plus accessible, pour les savants de son temps et leurs successeurs, le Grand Œuvre du Créateur. D'où l'adage : *Deus creavit, Linnaeus ordonavit* (« Dieu créa, Linné mit de l'ordre ») !

Un ordre dont ne se préoccupait guère monsieur de Buffon, qui, à la même époque, en France, voyait les choses bien autrement...

11

Monsieur de Buffon au Cabinet du Roi

La tribu des Jussieu avait porté la botanique française à un niveau jamais atteint jusque-là. Science aimable, science des dames et des salons, des plumitifs et des poètes, elle se hissait désormais, Linné aidant, au rang des sciences nobles, comme les mathématiques, l'astronomie et la physique qui occupaient le devant de la scène. Un autre grand savant devait, durant ce même siècle des Lumières, contribuer à cette promotion des sciences de la nature : Buffon, véritable père de l'histoire naturelle. Il approcha les règnes minéral et animal avec des vues différentes de celles des Jussieu et de Linné, mais, malgré l'énorme retentissement qu'elle connut à l'époque, son œuvre ne bénéficia point d'une renommée aussi durable.

Buffon ne voyageait pas. Il n'herborisait pas. Il disséquait peu. Homme de cabinet, il partageait son temps entre ses fonctions d'intendant du Jardin du Roi et son domaine de Montbard, en Bourgogne, où il ne passait pas moins de huit mois par an. Tout le distingue, on le voit, du malheureux Joseph de Jussieu, naturaliste bohème et malchanceux qui aurait pu apprendre de Buffon l'art de faire et de mener carrière ; mais aussi de Linné qui passa une bonne partie de sa vie dans les herbes et les herbiers.

113

Georges Louis Leclerc naquit le 7 septembre 1707 à Montbard. Titulaire des terres de Buffon, il prit ce nom quand celles-ci furent érigées en comté. Après une jeunesse quelque peu agitée, il monte à Paris et entreprend alors un long parcours sans faute : lorsqu'il s'éteint, dans la nuit du 15 au 16 avril 1788, à 0 heure 40, emporté par une crise de gravelle, Georges Louis Leclerc est devenu comte de Buffon, seigneur de Montbard, marquis de Rougemont, vicomte de Quincy, seigneur de La Mairie, Les Harens, Les Berges et autres lieux, intendant du Jardin et du Cabinet d'histoire naturelle du Roi, membre de l'Académie française, trésorier perpétuel de l'Académie royale des sciences, membre des Académies de Berlin, Londres, Saint-Pétersbourg, Florence, Bologne, Édimbourg et Philadelphie. Linné, Montesquieu, Réaumur, Voltaire, Rousseau, Condillac, d'Alembert, Diderot, tous sont morts avant lui, et ses funérailles grandioses marquent un peu celles de l'Ancien Régime auquel tout laisse penser qu'il n'aurait sans doute pas longtemps survécu. (Son fils, familièrement qualifié de *Buffonet,* fut d'ailleurs guillotiné à la suite d'un litige avec des propriétaires privés en conflit ouvert avec le Jardin du Roi du fait d'opérations d'agrandissement de celui-ci.) C'est donc un savant au faîte de sa gloire qui disparaît dans cette nuit du printemps 1788. Mais que nous reste-t-il de lui, deux siècles plus tard ?

Buffon commença ses études à Dijon au collège des jésuites où il témoigna d'un goût certain pour les mathématiques. Vint ensuite la faculté de droit où il décrocha sa licence, puis la faculté de médecine d'Angers où il se mit à l'étude de la botanique. À la suite d'un duel qui lui fut imputé, il dut quitter précipitamment cette ville. Plantant là ses études, il voyagea dans le Sud-Est, puis en Italie où il se trouve au début de l'année 1732. De retour en France, initié au calcul des probabilités, il publie en 1733 un mémoire sur ce sujet qui lui ouvre très précocement les portes de l'Académie des sciences. Une fois là, il s'intéresse davantage à la physiologie végétale et préfère la section de Botanique à celle de Mécanique.

Dès son arrivée à Paris à l'âge de vingt-cinq ans, Buffon a obtenu un logement chez Gilles-François Boulduc, Premier apothicaire du Roi, démonstrateur au Jardin du Roi et académicien. Un homme utile, qui n'est certes pas étranger à son ascension vertigineuse. Car à peine est-il entré à l'Académie des sciences que survient un événement qui dominera sa vie : le 26 juillet 1739, à l'âge de trente-deux ans, le voici nommé par Louis XV intendant du Jardin et du Cabinet d'histoire naturelle du Roi, titre prestigieux et fonction qu'il assumera durant cinquante ans. À cette époque, le Jardin du Roi (notre actuel Muséum), créé environ un siècle plus tôt, était en plein essor ; Buffon va lui donner un prestige et une renommée inégalés.

Peu de temps après, le secrétaire d'État à la Marine, Maurepas, un de ses protecteurs, commande au nouvel intendant une description du Cabinet du Roi qui devait, dans son esprit, rejaillir sur le roi lui-même et contribuer à son rayonnement. Tandis que le Jardin collectionne les végétaux, le Cabinet expose les curiosités naturelles, mais aussi les grandes collections animales que Buffon ne cessera d'ailleurs d'agrandir par de multiples acquisitions tout au long de sa vie.

Mais il voit très grand. Plutôt que de se borner à décrire les seules collections du Cabinet, il va entreprendre une ample fresque de la nature qu'il prévoit de rédiger en quinze volumes, dont neuf concerneront les animaux, trois les végétaux et trois les minéraux. En fait, lorsqu'il disparaîtra, trente-cinq volumes auront été publiés, et un trente-sixième sera sous presse ! Et le programme n'aura pourtant pu être bouclé, puisque le règne végétal en son entier reste absent de l'*Histoire naturelle*.

Les trois premiers tomes paraissent à l'automne 1749. Œuvre commanditée par l'État, l'*Histoire naturelle* est imprimée sur les presses de l'Imprimerie royale. Deux ans plus tard va commencer parallèlement l'édition de l'*Encyclopédie* par l'abbé de Gua, Diderot et d'Alembert. Ce qui n'ira pas sans quelques rivalités entre auteurs, d'autant plus que la qualité formelle de l'*Histoire naturelle* est unanimement reconnue.

Buffon avait d'ailleurs prononcé en 1753, à l'occasion de sa réception à l'Académie française, son fameux *Discours sur le style* qui resta longtemps dans les mémoires comme exemple d'un maniement parfait de la langue française. D'où ce fameux adage qui nous reste de lui : *Le style, c'est l'homme.*

Voltaire était alors au sommet de sa gloire et dominait son époque de son verbe talentueux, parfois cinglant. Ses relations avec Buffon s'aigrirent rapidement, sans toutefois dégénérer. Une étrange querelle s'éleva entre eux à propos de la nature des fossiles : Voltaire ne voulait voir, dans ce qu'on appelait alors des « pierres figurées », que de simples anomalies de la nature, puis alla jusqu'à prétendre que « c'étaient les pèlerins qui, dans le temps des croisades, avaient rapporté de Syrie les coquilles que nous trouvons dans le sein de la terre en France... » ; Buffon s'indigna « que des personnes éclairées, et qui se piquent même de philosophie, aient encore des idées aussi fausses sur ce sujet ». Mais les deux hommes s'emploient à ne point laisser s'envenimer leur querelle. Buffon déclare : « Je ne voudrais pas laisser douter de la haute estime que j'ai toujours eue pour un homme aussi rare, et qui fait tant d'honneur à son siècle. » Voltaire lâche de son côté : « Je ne veux pas rester brouillé avec monsieur de Buffon pour des coquilles... » Ce qui n'empêchera pas ce dernier d'écrire, à la fin de sa vie, qu'il restait convaincu que, chez Voltaire, « la jalousie contre toute célébrité aigrit sa bile recuite par l'âge »...

Les deux hommes avaient, il est vrai, bien des traits communs. De Buffon, n'a-t-on pas dit en son temps qu'il « a vu constamment trois choses avant toutes les autres : sa gloire, sa fortune et ses aises » ? Et comment n'en point dire autant de Voltaire ?

Toujours prompt à tirer profit des situations, Buffon n'hésitait pas à s'adjuger quelques avantages personnels à la faveur des opérations immobilières ou des aménagements apportés au Jardin du Roi et à Montbard. À Hérault de Séchelles, il confie qu'« il n'existe que cinq grands génies : Newton, Bacon, Leibnitz, Montesquieu et moi »... Quant à sa fameuse formule : « Le génie est une longue patience », il se l'appliquait à lui-même, justifiant ainsi ses longs et laborieux séjours passés à écrire à Montbard. Car Buffon était d'abord un homme de cabinet, un écrivain. Sauf pour la gestion de ses affaires et de ses domaines, qu'il menait de main de maître. S'il se désintéressa très tôt du règne végétal, ce ne fut pas le cas pour la sylviculture, entreprenant des essais sur la résistance des bois à la rupture. Cette préoccupation s'inscrivait dans le cadre d'une bonne gestion de ses domaines, mais aussi dans le contexte d'une époque soucieuse de disposer de bois de qualité pour la mâture des navires. Le ministre de la Marine, Maurepas, son protecteur et ami de toujours, l'avait encouragé dans cette voie. Aussi mena-t-il des recherches en ce domaine dans ses vastes forêts de Bourgogne où il aménagea une pépinière qu'il fit acheter par la province tout en en restant le directeur appointé.

Buffon n'est point davantage un expérimentateur scientifique. Il ne disséquait pas les animaux qu'il décrivait, laissant ce soin à son collègue Daubenton. Mais des difficultés surgirent entre les deux savants du jour où le premier publia une édition de son *Histoire naturelle* expurgée des descriptions anatomiques rédigées par le second, qui en conçut une vive amertume. Une prompte réconciliation leur permit cependant de poursuivre ensemble l'œuvre entreprise, quoique le nom de Daubenton n'y fût plus attaché.

Homme de science, Buffon voyait grand et se complaisait dans les vastes synthèses. Brunetière dit de lui : « Cette faculté de générer des idées qu'il dégage rapidement d'une expérience ou d'une observation [...], peu de savants, peu de philosophes l'ont jamais possédée à un plus haut degré que Buffon. » Sa pensée de naturaliste se dégage peu à peu de tout a priori métaphysique. Ainsi lorsqu'il écrit par exemple : « Tout se perd parce que, à force de temps, tout se rencontre et que, dans la libre étendue des espaces et dans la succession continue du mouvement, toute manière est remuée, toute forme donnée, toute figure imprimée ; ainsi, tout se rapproche ou s'éloigne, tout s'unit ou se fuit, tout se combine ou s'oppose, tout se produit ou se détruit par des forces relatives ou contraires, qui seules sont constantes et, se balançant sans se nuire, animent l'univers et en font un théâtre de scène toujours nouveau et d'objets sans cesse renaissants. » Cette vision proprement goethéenne de la nature a sans doute fortement impressionné le grand poète allemand qui se félicitait d'être né en 1749, année précisément où parut le tome premier de l'*Histoire naturelle*. Celle-ci campait une manière toute nouvelle d'appréhender la nature, dans la mouvance de la vie et en s'écartant du fixisme jusque-là en vigueur. Pour Buffon, tout bouge, tout évolue. De ce point de vue, c'est déjà un moderne.

Pourtant, cette vision grandiose est peu compatible avec l'esprit de système qui prévaut alors dans les sciences naturelles où la préoccupation première, notamment en botanique, est de nommer et de classer. Avec Buffon, la zoologie n'en est pas encore là et l'on comprend mieux la vive animosité qui l'opposa toute sa vie durant à son grand rival, Linné, pour lequel il n'est pas tendre. Dans une lettre du 2 août 1745, il expose ainsi ses vues et ses projets : « On pèche en physique en attribuant à la nature trop d'uniformité. C'est aussi par là que pèchent toutes les méthodes de botanique, et celle de Linnaeus me satisfait moins encore que toutes les autres. J'ai lu l'année passée à la séance publique de l'Académie des sciences un discours à ce sujet, dans lequel je crois avoir démontré les défauts et l'insuffisance des méthodes et l'impossibilité de les rendre bonnes et générales en ne se servant que de quelques parties pour caractères. Et je conclus par faire voir que la méthode de Linnaeus est, de toutes, la moins sensée et la plus monstrueuse, puisqu'il met sous la même classe, et souvent le même genre, des plantes absolument différentes, comme le chêne avec la pimprenelle, l'orme avec la carotte, le mûrier avec l'ortie... »

Cette critique naturellement fait mouche, et Buffon a parfaitement raison de dénoncer la faiblesse de toute classification systématique fondée sur l'analyse d'un seul caractère : en l'occurrence, chez Linné, le nombre, la forme et la disposition des étamines. Dans les premiers volumes de son *Histoire naturelle*, il s'élève avec vigueur contre le cadre rigide et dogmatique établi par le grand naturaliste suédois, et traite avec le plus profond mépris ceux qu'il appelle les « méthodistes ». Mais, en attaquant Linné, c'est aussi aux vieilles catégories philosophiques qu'il s'en prend, en particulier celles de la vieille scolastique et de la vieille Sorbonne qui avaient corseté la théologie dans des catégories trop précises.

La polémique entre Buffon et Linné n'était donc pas sans fondement, et elle évolua au détriment du premier. Celui-ci apporta en faveur de ses thèses des arguments aujourd'hui parfaitement irrecevables, relevant même de la pure provocation quand il écrit par exemple qu'« il vaut mieux faire suivre le cheval, qui est solipède, par le chien, qui est fissipède et qui a coutume de le suivre en effet, que par un zèbre qui nous est peu connu et qui n'a peut-être d'autres rapports avec le cheval que d'être solipède »...

Deux mentalités, on le voit, s'opposent farouchement : l'une, stricte et méthodique ; l'autre, plus vivante, plus poétique, mais moins rigoureuse. Dans un éloge à Buffon, Jean Dorst rappelle à ce propos : « Qu'il me soit permis d'évoquer un apologue proposé il y a peu par Renaud Paulian. Imaginons qu'en 1807, l'Académie française ait mis au concours – cela se faisait alors – une présentation des chasseurs à cheval de la garde impériale. Sur les rives du Styx, Buffon et Linné, apprenant la nouvelle, décident de concourir. Linné, avec toute sa minutie, décrit un chasseur à cheval en tenue de parade, chevauchant une monture soigneusement étrillée : c'est l'archétype – on dirait : l'holotype – des chasseurs à cheval. Buffon, au contraire, décrit un cavalier à l'uniforme souillé de poudre, de fumée et de sang, qui charge avec son escadron. Il est tout énergie, tout élan, sans rien de la splendeur grave des jours de parade. Il n'est que force instantanée et action. » Renaud Paulian conclut : « En 1807, Linné eût été primé. Aujourd'hui, nous préférerions Buffon. »

En fait, rien n'est moins sûr ! Car, malheureusement pour Buffon, ce sont la classification et la nomenclature de Linné qui se sont imposées dans toutes les sciences naturelles, laissant son rival sur le bas-côté. L'histoire lui reconnaît cepen-

119

dant le mérite d'avoir présenté les premières grandes collections de Mammifères, d'Oiseaux et de Minéraux au grand public dans des ouvrages somptueusement illustrés et qui connurent à l'époque, dans toute l'Europe, un extraordinaire succès. Certaines de ses formules ont fait mouche. Ainsi, du cheval comme étant « la plus noble conquête de l'homme ». Quant aux mouches, il n'en a cure, préférant les laisser aux entomologistes, tenants d'une science encore en herbe, et déclarant superbement à l'intention de Réaumur, véritable père de l'entomologie : « Une mouche ne doit pas tenir dans la tête d'un naturaliste plus de place qu'elle n'en tient dans la nature. »

Mais Buffon s'intéresse avant tout aux idées générales, aux grandes hypothèses et aux larges synthèses. Il a une vision panoramique de l'histoire naturelle, ce qui l'éloigne des préoccupations de détail, et c'est là précisément ce qui l'a opposé à Réaumur qui fut le premier à décrire des insectes avec une extrême précision.

Que reste-t-il aujourd'hui des grandes idées de Buffon ?

Sans doute fut-il l'un des premiers qui surent – prudemment, il est vrai – s'écarter d'une lecture littérale du récit de la Genèse sur la Création pour envisager, dans des vues plus larges, une nature perpétuellement soumise à des forces que l'on appellera plus tard celles de l'évolution. Il évoque déjà une « vieille nature » qui aurait changé, des fossiles qui seraient les vestiges d'animaux anciens et disparus ou qui auraient dégénéré... Autant d'idées et de notions qui annoncent les grandes découvertes biologiques du XIXe siècle. Ainsi, quand Linné fonde l'école des faits, Buffon contribue à l'émergence d'une école des idées où la pensée philosophique vient converger avec les sciences naturelles. On peut, en forçant le trait, voir en lui un des précurseurs de Lamarck, de Goethe et de Darwin. Parlant des oiseaux, il écrit par exemple : « On trouve fréquemment parmi eux des espèces voisines et assez ressemblantes pour pouvoir être regardées comme des branches colatérales d'une même tige, ou d'une tige si voisine d'une autre qu'on peut leur supposer une origine commune. » Des vues que Linné n'aurait certes pas partagées ! Mais Buffon, du moins en privé, n'hésitait pas à le renvoyer à ses chères études, ainsi que l'atteste une lettre datée du 15 juillet 1787 dans laquelle la comtesse de Sabran, au sortir d'une visite qu'elle venait de lui rendre, écrivit à son mari, traduisant la pensée du maître : « Je ne peux pas me faire à la bêtise de ces fameux botanistes, à commencer par Linné même, qui ont employé leur temps et tout leur génie à classer les plantes, à les anatomiser, à leur donner des noms grecs et latins qu'il est impossible de retenir, au lieu d'en extraire les sucs, de les décomposer et d'en chercher les propriétés. »

La différence de points de vue qui a opposé toute leur vie durant Buffon et Linné trouve en fait ses racines loin dans le passé, et se perpétue encore aujourd'hui. Pour Linné, ce qui compte, c'est l'analyse, la dissection, la classification, la systématisation – bref, la possibilité pour l'homme de rendre la nature immédiatement intelligible dès lors qu'on la réduit à la totalité de ses composantes. Mais il existe une vision plus ample, donnant priorité aux grandes synthèses harmonieuses et cohérentes – « vitalistes », dira-t-on au début de notre propre siècle. Buffon s'inscrit dans cette perspective. Sur l'origine des espèces, il considère que toutes les combinaisons s'étant réalisées, seules les mieux adaptées se sont conservées, tandis que les plus défectueuses ont été éliminées par le simple jeu des forces naturelles. N'ont donc subsisté que les êtres harmonieux. Cette doctrine, qui annonce la sélection naturelle, remonte aux Grecs où elle fut spécialement exposée dans l'œuvre de Lucrèce. On la retrouve, quoique d'une façon plus nuancée, chez Buffon qui développe également l'idée d'une nature tâtonnante, créant « un monde d'êtres relatifs et non relatifs, une infinité de combinaisons harmoniques et contraires » – approche qui n'est déjà plus si éloignée de la pensée transformiste et des idées évolutionnistes.

Buffon est encore de son siècle par la manière dont il approche les relations de l'homme avec les animaux. Profondément attaché à l'unité du genre humain, à l'instar des savants du Moyen Âge et de la Renaissance, s'appuyant sur une tradition biblique qui admettait que la nature de l'homme est partout la même et que seules les conditions extérieures – le froid ou la chaleur notamment – font varier ses caractères physiques, Buffon ne s'éloigne pas de cette manière de voir. En corollaire à cette grande vision de l'unité de la nature humaine, il ajoute que « ce Blanc, ce Lapon, ce Nègre, si dissemblables entre eux, peuvent cependant s'unir ensemble et propager en commun la grande et unique famille de notre genre humain ». Et il précise : « Quelque ressemblance qu'il y ait entre l'Hottentot et le singe, l'intervalle est immense, puisque à l'intérieur il est rempli par la pensée et au-dehors par la parole... Tandis que nous voyons partout ailleurs la nature procéder par nuances et par degrés, cette réalité semble se démentir pour le passage de l'animal à l'homme ; car si l'homme était de l'ordre des animaux, il y aurait donc dans la nature un certain nombre d'êtres moins parfaits que l'homme et plus parfaits que l'animal par lesquels on descendrait insensiblement et par nuances de l'homme au singe ; mais cela n'est pas. »

Ainsi Buffon se dispense-t-il allègrement du fameux « chaînon manquant » qui occupe tout l'avant-scène de la biologie moderne. Il est donc profondément spiritualiste ; avec son siècle, il croit au progrès indéfini de l'espèce humaine, par opposition à la stagnation du monde animal. Il ne semble d'ailleurs pas reconnaître aux animaux la faculté de « sentir » comme nous ; à ses yeux, ceux-ci restent des êtres purement « matériels », et il se trouve par là à cent lieues de ce qui deviendra la sensibilité écologique moderne. Lorsqu'il décrit leurs mœurs, il le fait avec une partialité étonnante et un anthropomorphisme tout à fait conforme à l'esprit de son siècle. Ainsi classe-t-il leurs comportements en « bons, en mauvais ou en immondes », faisant par exemple du malheureux porc un animal brutal, repoussant, luxurieux, avide et goinfre – bref, le cochon tel qu'il continue d'exister dans notre inconscient collectif.

Cette approche profondément anthropomorphique date considérablement l'*Histoire naturelle* de Buffon, un homme que l'on imagine volontiers sous les traits d'un savant de cabinet aux manches brodées de dentelles, plus à l'aise dans les séances académiques ou les salons, voire à la Cour, que face à un cochon éventré dont il conviendrait d'inventorier dans le détail l'anatomie. Tel fut bien en effet monsieur de Buffon !

Mais, dès lors, que vient-il faire dans un ouvrage consacré aux grands naturalistes explorateurs ? C'est qu'il est constamment présent à l'esprit des grands navigateurs de la deuxième moitié du XVIIIe siècle qui ont tous consulté l'*Histoire naturelle* et sollicité les conseils de son auteur. Son *Traité de l'aimant*, publié l'année d'avant sa mort, est d'ailleurs directement lié aux questions de navigation, très en vogue à l'époque. Bougainville et Commerson, que nous rencontrerons plus loin, devront beaucoup à Buffon qui fut l'un des inspirateurs de leur voyage. Il participe également à la mise en œuvre du malencontreux périple autour du monde de La Pérouse, qui s'acheva par un naufrage, ainsi que l'indique un mémoire rédigé en 1785 par Thouin, professeur de Culture au Jardin du Roi :

« Monsieur de Buffon, après avoir communiqué à monsieur de La Pérouse ses vues sur les points de géographie les plus intéressants à résoudre, sur les observations de physique les plus utiles à faire pour le progrès des sciences, lui recommanda le Cabinet d'histoire naturelle qu'il se trouverait à portée d'enrichir d'un grand nombre de choses physiques et, pour le mettre à même de remplir cet objet d'une manière fructueuse, il lui fit présent de ses œuvres avec sa collection d'oiseaux enluminée. Au moyen de quoi monsieur de La Pérouse, voyant le point où en est chaque partie des connaissances acquises de l'*Histoire naturelle*, il lui sera facile d'en reculer les limites toutes les fois qu'il en trouvera l'occasion. Et les figures des animaux renfermés dans cet ouvrage immortel le dirigeront sur le choix de ceux qui manquent à la collection du Roi. »

C'est ainsi que les grandes explorations scientifiques du XVIIIe siècle vinrent enrichir l'une après l'autre les collections de monsieur de Buffon, pour le plus grand profit du Jardin du Roi qui ne cessait de s'étendre et s'apprêtait, moins de cinq ans après la mort de son intendant, à se transformer en notre Muséum national d'histoire naturelle.

Il est vrai que Buffon n'a guère voyagé et ne connaît de l'Europe que l'Italie où il a séjourné quelques mois ; il était néanmoins nécessaire de donner la parole à ce grand naturaliste qui contribua à faire briller les sciences de la vie au zénith de son siècle, et qui nous a laissé les magnifiques planches de dessins, toujours valables, de son *Histoire naturelle*.

Mais, tandis que Buffon se refusait à classer, comme Linné, le souci de collectionner et de nommer continuait à faire rage en botanique, comme on le vit avec Michel Adanson qui poussa jusqu'à la plus parfaite utopie le désir de réduire la nature à des catégories simples et rigides au sein d'une classification qui ne laisserait plus aucun problème taxinomique ou systématique en suspens. Contemporain de Buffon, Adanson fit d'abord une grande carrière d'explorateur, avant de se transformer à son tour en homme de cabinet, dévoré à la fin de sa vie par une véritable rage de classification qui aboutit à une impasse, tant la nature répugne à se plier à tous nos schémas et conventions.

12

Michel Adanson, le baobab
et les coquillages

À vingt-deux ans, le 27 avril 1749, Michel Adanson débarque à Saint-Louis du Sénégal après cinquante jours de traversée. Il devient ainsi le premier naturaliste à visiter l'Afrique noire, appelée à cette époque « Afrique équinoxiale ».

Né à Aix-en-Provence, comme Tournefort, il se destine d'abord, comme lui, à la carrière ecclésiastique. Mais sa vocation de naturaliste s'affirme lorsque, un savant anglais, l'abbé Needham, lui offre un microscope qui lui permettra de « mieux connaître les œuvres de la nature ». Monté à Paris, il suit l'enseignement de Bernard de Jussieu dont il devient l'assistant zélé, reprenant pour les élèves les démonstrations du maître. Michel est un manuel : il expose et décrit des plantes, persuadé que la vérité ne gît pas dans les livres, entre lesquels il relève de nombreuses contradictions, mais dans l'observation fine de la nature. En 1748, grâce à l'influence de son père, on l'engage à la Compagnie des Indes et il est nommé au Sénégal d'où il espère bien rapporter beaucoup de connaissances nouvelles pour l'Europe.

Hormis la côte, le continent africain reste une *terra incognita*. Le fleuve Sénégal est encore confondu avec le Niger. Son

125

embouchure a été atteinte pour la première fois par le navigateur vénitien Ca'da Mosto en 1456. Celui-ci écrivit dix ans plus tard : « Ce fleuve est une branche du Gion qui prend son origine au Paradis terrestre et fut nommé Niger par les Anciens. Ce Gion, arrosant toute l'Éthiopie et s'approchant de la mer océane à l'Occident, jette plusieurs autres branches ou fleuves, outre celui-ci, du Sénégal. L'autre bras qu'il jette encore est le Nil, qui passe par l'Égypte... » Deux siècles plus tard, on n'en sait guère plus. Il faut attendre 1795 pour distinguer enfin le Sénégal du Niger.

Mais Adanson se gardera bien de s'aventurer à l'intérieur de cet immense et mystérieux continent qu'il n'a d'ailleurs nullement l'intention d'explorer. Il se contentera de quelques incursions à proximité de la petite ville coloniale de Saint-Louis, sans jamais s'éloigner de plus de 200 kilomètres à l'intérieur des terres.

Très vite, il se distingue du mode de vie des membres de la Compagnie, évite leur libertinage et s'enferme dans une conduite austère ; il finit même par être exclu de leur communauté. En revanche, il se rapproche des indigènes, apprend leur langue, le wolof, et partage la sensibilité de Jean-Jacques Rousseau lorsqu'il se dit séduit « par la situation champêtre des cases au milieu des arbres, l'oisiveté et la mollesse des nègres couchés à l'ombre des feuillages, la simplicité de leur habillement et de leurs mœurs ». Tout cela lui rappelle, dit-il, « l'idée des premiers hommes ; il me semblait voir le monde à sa naissance »... Jugement qu'il ne manquera cependant pas de nuancer au cours de son séjour, regrettant la nonchalance des indigènes et leur peu d'empressement à entreprendre.

Comme tous les naturalistes de son temps, il consacre ses observations à la flore, mais aussi à la faune. Michel est chasseur, comme le sont les zoologistes, contraints d'abattre le gibier pour en décrire l'anatomie. Dans une forêt grouillante de singes verts, il avoue en avoir tué vingt-trois dans la même journée ! La fibre écologique ne vibrait pas dans l'âme d'Adanson... Pas écologique non plus, cette répulsion envers les crapauds dont les indigènes se frottent le front pour venir à bout des rigueurs du soleil ou lorsqu'ils ont la migraine. Il préfère somme toute d'autres coutumes ou pratiques selon lesquelles, par exemple, « l'attouchement de la trompe d'un éléphant guérirait les maux de tête [...], cure infaillible si l'animal éternue au moment de l'opération... » !

Mais le nord du Sénégal n'est pas les Antilles, et pas davantage l'Amérique du Sud. Ici, point de luxuriance tropicale, mais une végétation disséminée, facilement accessible, des paysages avenants, des déplacements faciles. Et, dans ce paysage, dispersé çà et là, un géant du règne végétal : le baobab. Adanson en fait une description minutieuse, en particulier de sa fleur qui l'amène à le classer dans la famille des Mauves. Une audace de l'esprit à cette époque où l'usage, quoique déjà controversé, voulait que l'on séparât les arbres des herbes. Au vu des descriptions qu'ils reçurent, les frères Jussieu proposèrent alors d'attribuer au baobab le nom d'Adanson en le baptisant *Adansonia*. Un nom que l'histoire lui a conservé, et qui, aujourd'hui, est aussi celui de la revue de botanique publiée par le Muséum national d'histoire naturelle...

Le baobab est un arbre énorme par le diamètre et la circonférence de son tronc, sinon par l'envergure de sa ramure. Certains troncs dépassent vingt mètres de circonférence et sept mètres de diamètre. « On en a mesuré de si monstrueux, dit Adanson, que dix-sept hommes avaient bien de la peine à les embrasser en joignant les uns aux autres leurs bras tendus. » On dirait que les boababs ont « inventé » ce tronc monstrueux pour en faire une véritable réserve d'eau ; et quand, d'aventure, ces troncs prennent la forme d'une bonbonne ou d'une bouteille, comme il advient à des espèces spécifiques de Madagascar, ils en suggèrent encore davantage le contenu. Le baobab ne pousse-t-il pas la spécialisation jusqu'à élaborer un tissu absolument spécifique, un hypoderme dont la seule fonction consiste à retenir l'eau sous l'écorce comme une éponge ?

À la mauve, le baobab emprunte l'architecture de sa fleur, caractérisée par l'énorme colonne que forment les filets soudés des deux mille étamines qu'elle contient. Cette colonne est traversée par le stigmate qui s'épanouit à l'extrémité en cinq

styles récepteurs de pollen. La fleur, énorme elle aussi, puisqu'elle peut atteindre quinze centimètres de diamètre, est sus-
pendue à de longs pédoncules qui l'amènent très en dessous
des branches qui la portent. L'on voit ainsi les fleurs pendre, la
tête en bas, mais la pointe du style redressée vers le haut sous
les branches, émettant une vague odeur de moisi ou de rassis
qui semble exercer une irrésistible attirance sur les chauves-
souris ! Celles-ci, insensibles aux couleurs, se guident aux
odeurs ; aussi la fleur ne se met-elle pas en devoir de s'habiller
de couleurs aguichantes : elle est blanche. Les chauves-souris
s'en approchent, attirées par l'odeur et guidées par cette sorte
de radar qu'elles utilisent pour virevolter dans l'obscurité.
L'approche est d'autant plus aisée que les fleurs pendent, isolées, en dessous du niveau des feuilles qui créeraient un obstacle au vol d'approche des Chiroptères. Les visites ont lieu de
nuit, comme il se doit pour les chauves-souris. Ces dernières et
le baobab ayant manifestement coévolué pour se rendre de
mutuels services : le premier nourrit les secondes d'un abondant nectar, et celles-ci pollinisent le premier par le battement
de leurs ailes, dispensatrices de pollen.

Adanson est très impressionné par les baobabs. S'il ne
semble pas avoir découvert les subtils mécanismes de leur
fécondation, leur taille, en revanche, le laisse rêveur. En 1749,
il se rend au cap Vert, à proximité de l'actuelle Dakar. Il y
découvre deux baobabs gigantesques portant, gravés sur leur
écorce, les noms de marins européens qui s'en étaient
approchés aux XVe et XVIe siècles et qui avaient ainsi signé leur
visite... Évaluant leur croissance constatée depuis lors, il se
livra à de savants calculs en comparant des spécimens plus
jeunes à ces vénérables patriarches, et finit par attribuer aux
deux arbres, aujourd'hui disparus, l'âge de 5 150 ans ! Il éta-
blissait ainsi le record de longévité supposé des arbres pour le
XVIIIe siècle, qui n'en connaissait pas de plus vieux.

La datation d'Adanson suscita une vigoureuse controverse.
Livingston (l'explorateur-missionnaire écossais qui avait, à
partir d'une lecture savante de la Bible, fixé la date du Déluge
à – 4 004 ans) se posait la question de savoir comment les bao-

babs d'Adanson avaient pu résister au fléau. Il fallait donc qu'ils aient été antérieurs à la catastrophe, ce qui était impensable. Aussi le pieux Livingston les gratifia-t-il d'un âge rond : quatre mille ans. La suite de l'histoire a démontré entre-temps que Livingston aussi bien qu'Adanson se trompaient lourdement ; des mesures plus fiables, établies à partir d'autres spécimens célèbres, donnent à penser que l'âge de ces arbres n'excède sans doute jamais deux mille ans et ne dépasse généralement pas le millénaire.

Enfin, le baobab étonnait Adanson par ses multiples utilisations. Il suffit de consulter des ouvrages spécialisés rendant compte des indications et emplois du baobab dans les sociétés africaines pour relever une multitude d'usages parfois contradictoires. Adanson constata que les Noirs employaient son écorce pour fabriquer des talismans, mais aussi comme médicament contre la dysenterie et les fièvres, que les feuilles séchées et réduites en poudre constituaient d'excellents remèdes contre les infections intestinales. Ces mêmes feuilles servent aussi à la fabrication d'huile et de savon. Quant aux fruits, peu comestibles pour l'homme, ils sont une nourriture de prédilection pour les singes.

Mais l'arbre est aussi doué de propriétés magiques. Lorsque la carie finit par évider les troncs des plus vieux spécimens, on utilise ces cavités pour ensevelir les corps que l'on juge indignes d'une sépulture ordinaire – peintres, musiciens, bouffons, poètes, respectés et craints de leur vivant, mais qui suscitent des sentiments hostiles après leur décès : « Si on les jetait à la mer, il n'y aurait plus de poissons, et si c'était dans la terre, elle serait enchantée. Un baobab creux fera donc l'affaire... On ferme avec une planche, et il dessèche très bien. »

Proche du baobab par son appartenance botanique à la famille des Mauves, Adanson identifie le fromager, un arbre qui n'a rien à lui envier du fait de son impressionnante stature. Le tronc, puissant et élancé, est soutenu par de larges contreforts qui le supportent fermement à sa base. Quant à la taille qui peut atteindre 70 mètres, elle en fait sans conteste l'arbre le plus haut du continent africain. La vocation naturelle des fromagers est de faire, lorqu'ils sont évidés, de grandes et solides embarcations capables d'affronter la mer.

Michel découvre aussi l'arbre qui fournit le henné. Dans une lettre adressée au Jardin du Roi, il écrit : « Je vous joins aussi [...] les feuilles d'une espèce de *Lawsonia* que les nègres Omolofer nomment *foudenn*. La poudre sert aux coquettes du pays pour l'embellissement de leurs ongles ; cette poudre, mêlée avec assez d'eau pour lui donner une consistance de pâte, est appliquée pendant quatre à six heures de temps sur les ongles, et leur communique sans aucune douleur une belle couleur de vermillon foncé qui dure pendant près de six mois. J'en ai fait les preuves sur les ongles de mes doigts de pieds dont le coloris n'a disparu qu'au bout de cinq mois, temps au bout duquel tout l'ongle avait été chassé des doigts par son accroissement. »

Voici encore, parce qu'il est partout et domine les paysages subsahariens, l'acacia que ses petites fleurs jaunes en boules nous feraient plutôt baptiser *Mimosa*. Il s'agit de petits arbres de quatre à cinq mètres de haut, à fortes épines courtes et courbes, prototypes de cette végétation rêche et agressive qui pare les dernières zones de végétation arborée avant le désert. Le tronc et les branches, piqués par des insectes, sécrètent spontanément, à la saison sèche où l'arbre est privé de feuilles, une gomme abondante. D'abord fluide, celle-ci se dessèche sur l'arbre et constitue la fameuse *gomme arabique*. Très connue à l'époque, elle faisait déjà l'objet d'un important commerce. Soluble dans l'eau, dénuée de grains d'amidon, pourvue d'enzymes spécifiques – les oxydases – qui lui font prendre une belle coloration bleue en présence de teinture de gayac, elle se différencie par ces trois caractères distinctifs de sa concurrente, la *gomme adragante*. Tandis que la première provient des acacias du Sahel, la seconde est produite par des astragales, sous-arbrisseaux très épineux qui peuplent les déserts du Moyen-Orient. Mais toutes deux proviennent de Légumineuses, très nombreuses en zone aride, et sont utilisées comme émollients et émulsionnants en pharmacie, mais aussi dans l'industrie alimentaire et en cosmétologie. La présence de ces gommes dans les tissus de végétaux vivant en climat très sec s'explique aisément : la gomme augmente la pression osmotique à l'intérieur des tissus et réduit d'autant la transpiration ; lorsque l'aridité est maximale, celle-ci est quasiment réduite à zéro, la gomme retenant l'eau.

L'inventaire des arbres du Sénégal est encore loin d'être terminé. Adanson observe le palmier à huile, ainsi que la fabrication du vin de palme à partir de la sève de cet arbre. Il décrit également les arbres des mangroves, sans noter toutefois leurs étranges singularités. Le tronc, en effet, est porté par des échasses qui s'enfoncent dans la vase du littoral et émettent des expansions aériennes – les pneumatophores – par lesquelles ces racines envasées viennent respirer. Quant à la fleur fécondée, elle développe son embryon en continu, sans phase de repos ni jamais former de véritable graine. La jeune plantule croît de façon régulière, formant une racine pointue et un jeune rameau ; puis, lorsque le tout se fait trop lourd, la plantule se détache, tombe de la fleur et se fiche par sa racine dans la vase à la manière d'une fléchette : une manière originale de se planter ! Ainsi ces palétuviers – puisque c'est bien d'eux qu'il s'agit – possèdent un mode de reproduction typiquement animal, brûlant l'étape du repos de l'embryon dans la graine, dispositif propre au règne végétal qui permet aux graines d'attendre – de longues années, s'il le faut – des conditions favorables pour germer. Chez les palétuviers, au contraire, l'embryon se développe « en continu » comme le bébé dans le ventre de sa mère.

Enfin, Michel Adanson découvre l'indigo dont le commerce est déjà florissant et dont la récolte s'effectue à partir d'un arbuste natif des Indes. « J'ai fait, écrit-il, l'épreuve de plusieurs indigos qui croissent naturellement et qui sont fort communs aux environs du Sénégal. Sur quinze espèces différentes, parmi lesquelles les unes m'ont donné un rouge brun ou de rouille, il ne s'en est trouvé qu'une qui m'ait donné le véritable indigo ; c'est précisément celle que les naturels du pays emploient pour la teinture de leur pagne... » Puis il décrit la préparation du mélange tinctorial : les feuilles de l'arbuste, de la famille des Papilionacées, sont mises à macérer dans l'eau ; d'abord incolore, le macérat, agité à l'air, verdit puis bleuit, et laisse déposer un colorant bleu violacé : l'indigo. Produit par synthèse depuis le siècle dernier, l'indigo continue d'être employé dans ses usages traditionnels en Inde et en Afrique.

Fort de ces impressionnantes contributions à la connaissance de la flore et de la pharmacopée africaines, Adanson songe à rentrer. Mais la Compagnie réalise soudain tout le profit qu'elle pourrait tirer de la science de ce botaniste quelque peu marginal, et lui propose un poste à l'île Bourbon (aujourd'hui la Réunion). Sujet au mal de mer, Adanson redoute ce long voyage Il tient à retrouver la France où, il le sait, une longue carrière de botaniste l'attend. Le 6 septembre 1753, il embarque et, après un séjour de trois semaines aux Açores, atteint Brest le 4 janvier 1754. Mais l'hiver est rigoureux et aucun des jeunes plants qu'il rapporte ne survivra.

Comme tous les naturalistes de son temps, Adanson s'est aussi intéressé aux animaux. Sa description des coquillages observés et récoltés au Sénégal lui vaudra, en 1757, d'entrer à l'Académie des sciences à l'âge de trente ans, puis, quatre ans plus tard, à la Royal Society de Londres.

Les coquillages se singularisent dans le monde des animaux sans vertèbres par la beauté de leurs formes et de leurs couleurs. Ils forment un univers prolifique, grouillant de configurations étranges, bien en deçà des quadrupèdes et des oiseaux qui, seuls à l'époque, retiennent l'attention des zoologistes – d'un Buffon, par exemple. Ces derniers ne seront qualifiés qu'en 1806 de Vertébrés : il aura fallu l'énorme effort d'observation et de dissection poursuivi tout au long du XVIIIe siècle pour arriver à cette distinction fondamentale. Quant aux Invertébrés, ils demeureront longtemps encore la *terra incognita* de la zoologie. Linné les classe en deux groupes : les Vers et les Insectes, ensembles éminemment hétéroclites regroupant sous les mêmes rubriques des animaux aussi différents que la seiche et la méduse, ou encore le ténia et le corail...

Comme le note avec pertinence André Bailly[1] : « Adanson collectionne les parties dures, ornements des cabinets, dissèque les parties molles, et, mieux encore, observe les animaux en place, guettant les mouvements, la capture des proies, les diverses manifestations de la vie. Il fait véritablement de la biologie, même si le mot n'est pas encore inventé et que peu de naturalistes aient la même attitude. » Il s'intéresse particulièrement au taret[2] qui creuse des galeries dans les coques des navires et les architectures en bois. En 1731-1732, comme le relève encore André Bailly, « cet animal avait fait une apparition massive en Hollande et menaçait toutes les constructions en bois des digues ». Dans *Le Spectacle de la nature*, l'abbé Pluche justifiait cependant la présence de cet animal dans l'œuvre du Créateur : « S'il ne nous fallait continuellement goudronner et de temps en temps renouveler les vaisseaux et les pilotis d'Amsterdam, ce serait inutilement que le Moscovite et le Norvégien recueilleraient la poix qui découle de leur pin. Ce serait en vain que le Suédois taillerait le chêne et le sapin de ses forêts... » Intuition précoce, on le voit, des grands équilibres de la nature et de l'économie ! Adanson souligne en outre que le taret n'attaque pas le bois pour se nourrir, mais que c'est pour se loger qu'il creuse des galeries. Pour preuve : il ne se trouve dans le contenu de son estomac rien « qui ait l'apparence ou la couleur de la sciure de bois »...

De retour du Sénégal, Adanson entreprend avec ambition et conviction son grand œuvre ; il ne s'agit pas moins, à ses yeux, que d'échafauder une classification générale de tous les êtres vivants, plus performante que celles proposées par Tournefort et par Linné.

Linné n'ignorait pas ce que sa classification, reposant sur les étamines, avait d'artificiel ; il s'en est exprimé à maintes reprises, avec l'idée qu'un mode de classification plus pertinent s'imposerait tout naturellement lorsque les botanistes disposeraient d'un plus grand nombre d'observations : « Il est

1. André Bailly, *Défricheurs d'inconnu*, Édisud, 1992.
2. Mollusque bivalve de la famille des Térédinidés.

constant que la méthode artificielle n'est que secondaire de la méthode naturelle et lui cédera le pas si celle-ci vient à se découvrir. »

C'est bien cette « méthode naturelle », enfin définitive, qu'Adanson se propose d'élaborer :

« Ce fut au Sénégal, en 1750, que je fus convaincu de l'insuffisance des systèmes de Tournefort et de Linné, les seuls que j'eusse emportés, qui m'embarrassaient fort lorsqu'il s'agissait d'y ranger la plupart des plantes particulières à ce climat brûlant, qui ne pouvaient se rapporter à aucune de leurs classes... Il fallait chercher dans la nature elle-même son système, s'il est vrai qu'il y en eût un ; dans cette vue, j'examinais les plantes dans toutes leurs parties, sans en excepter aucune, depuis les racines jusqu'à l'embryon, le roulement des feuilles dans le bourgeon, leur manière de s'engainer, leur développement, la situation et l'encombrement de l'embryon et de la radicule dans la graine..., enfin, nombre de particularités auxquelles peu de botanistes font attention. J'imaginais qu'en considérant toutes les parties et qualités des êtres pour tirer un caractère général de l'ensemble de leurs rapports, il naîtrait une méthode qui serait générale, qui comprendrait toutes les plantes sans exception. »

Conscient de la justesse de l'idée selon laquelle une classification naturelle ne pourra découler que de l'ensemble des caractères observés, et non pas d'un seul, comme la corolle pour Tournefort ou les étamines pour Linné, Adanson commet l'erreur fatale de ne point discerner – comme surent le faire ses contemporains, les Jussieu – l'importance très inégale de ces caractères, conformément à la fameuse règle de subordination qui, jointe à celle de coordination, permet seule d'aboutir à une classification naturelle. Aussi va-t-il retenir soixante-cinq critères différents, dont chacun forme un système ! Par exemple, le vingt-cinquième système est le système « *Épines* », qui recouvre à nouveau douze cas de figure selon leur forme et leur position. Puis il fait entrer chaque espèce dans cette matrice. Ainsi les plantes qui sont dotées des mêmes épines se regrouperont par exemple dans le cas n° 10 du vingt-cinquième système. En comparant le contenu de chacun des systèmes, on constatera que certaines plantes sont représentées dans beaucoup d'entre eux, témoignant ainsi d'un grand nombre de caractères communs. Elles doivent donc être proches dans la classification. Il définit ainsi cinquante-huit familles à l'issue d'un véritable travail de titan que seul, aujourd'hui, l'ordinateur pourrait accomplir. Mais son esprit hyperanalytique et systématique à l'extrême le rendait précisément semblable... à un ordinateur !

Ainsi, par exemple, la grande famille des Labiées, la famille de la menthe et de l'ortie blanche, si facile à identifier par l'évidence des caractères communs à tous ses représentants – tiges carrées, feuilles opposées, généralement quatre étamines (deux petites et deux grandes), quatre petits fruits secs entourés du calice persistant, corolle à pétales soudés et colorés de forme variable, se trouve éclatée dans quarante et un systèmes différents ! Et il en va de même des Malvacées, les plantes de la famille de la mauve et du baobab, dont les fleurs présentent de spectaculaires caractères communs – ne serait-ce que la « colonne » formée par la concrétion de leurs étamines. Or cette famille se retrouva éclatée en trente et un systèmes ! Il eût été tellement plus simple, pour les définir, de se borner à tenir compte des quelques caractères fondamentaux de familles aussi typées et homogènes, faisant ainsi l'économie d'un travail d'analyse aussi gigantesque que parfaitement superfétatoire. C'est bien ce qu'avait compris Antoine Laurent de Jussieu.

En fait, Adanson était une sorte de champion de l'utopie. « Pourquoi faire simple quand on peut faire compliqué ? » – telle eût pu être sa devise. N'allait-il pas jusqu'à vouloir donner à chaque espèce un nom nouveau n'appartenant à aucune langue connue, et souvent inspiré des langues africaines qu'il avait pratiquées au Sénégal ? On vit alors surgir sous sa plume des noms aussi extravagants que *Carnongolam* ou *Chundapana*...

Mais, pour établir sa classification, il lui fallut réunir une masse d'échantillons à observer, à trier et à classer. Donnant à

135

son domicile, rue Neuve-des-Petits-Champs, un cours destiné à un public choisi, il s'en expliqua ainsi dans son discours préliminaire : « Pour démontrer efficacement en histoire naturelle, il faut présenter aux yeux les objets dont on décrit les qualités. Un travail non interrompu, de 16 à 18 heures par jour pendant trente ans, depuis l'âge de quatorze ans, m'a permis de faire en ce genre une collection unique de près de 15 000 espèces de plantes, qui composent mon herbier, de 6 000 espèces de graines, de 2 000 sortes de bois, de 6 000 minéraux, de 400 coraux et madrépores, de 3 000 espèces de coquillages, de 6 000 espèces d'insectes, de plus de 300 poissons, sans compter 200 crustacés, 20 serpents, 20 reptiles, 200 oiseaux, 5 cétacés et 100 quadrupèdes. À cette collection, j'ai joint toutes les figures qui ont été publiées sur l'histoire naturelle et qui passent le nombre de 100 000. Je les ai séparées des différents ouvrages pour les rapprocher et classer suivant ma méthode des familles. Ces 30 000 êtres passeront donc en revue successivement, soit en nature, soit en dessin, soit en gravure, dans le cours de ma démonstration. »

De quoi décourager les meilleures bonnes volontés !

Nous sommes alors en 1772, Michel Adanson a quarante-cinq ans ; naturellement, il entend bien faire paraître une somme complète de toutes les connaissances acquises dans un ouvrage qui devrait comprendre 27 volumes de texte et 40 000 planches... Projet fraîchement accueilli par l'Académie, mais qui séduit Louis XVI. En bon mécène, le souverain lui accorda le privilège de l'Imprimerie royale ainsi que l'autorisation de résider à Trianon.

Survient la Révolution, qui l'atteint de plein fouet. Il perd son logement à Trianon, ainsi que les ressources financières qui lui étaient allouées. Dès lors, sa pauvreté devint légendaire, et lorsque l'Académie des sciences fut reconstituée, en 1798, il refusa d'y siéger, faute, dit-il, de chaussures ! Il ne renonça pas pour autant à son incessant labeur et alla même jusqu'à divorcer sous prétexte que la vie commune lui faisait perdre beaucoup trop de temps ! Il s'enferma alors, seul dans son cabinet, sans élèves, ne communiquant avec l'extérieur que par ses livres et ses contributions sous forme d'articles. On le voyait jour et nuit, assis en tailleur devant des amoncellements de documents, de planches d'herbier, d'échantillons qu'il remuait en tous sens. Lorsqu'il mourut, en 1806, l'*Encyclopédie* de Diderot et d'Alembert était parue depuis longtemps, alors que la sienne ne vit jamais le jour.

Original jusqu'au bout, il avait demandé dans son testament qu'une guirlande fût déposée sur son cercueil, contenant une fleur de chacune des cinquante-huit familles qu'il avait distinguées dans la nature. Deux siècles plus tard, son souvenir se perpétue en Afrique et dans les annales de la botanique grâce au baobab qui porte son nom et à la revue de botanique du Muséum, *Adansonia*.

13

Joseph Dombey : une vie pleine de cactus

Si Joseph de Jussieu semble, dans ses pérégrinations, avoir été poursuivi par la malchance, que dire alors de Joseph Dombey ? Sa vie, longue suite d'épisodes souvent rocambolesques, semble marquée par un destin sans cesse contraire qui s'acharna à saper toutes ses entreprises.

Tout a pourtant bien commencé pour ce jeune Mâconnais né en 1742 : il étudie comme tant d'autres la médecine et la botanique à la prestigieuse université de Montpellier où professe alors Antoine Gouan, l'un des successeurs du célèbre Rondelet. On le voit herboriser partout, non sans une certaine désinvolture, car il semble avoir davantage le goût de découvrir que celui de collectionner. À trente ans, en 1772, il monte à Paris, présente son herbier à Bernard de Jussieu, lequel le montre à son tour à Jean-Jacques Rousseau. Ce dernier, quelque peu lassé d'une célébrité fatale à son repos, cherchait alors des consolations dans la botanique, la « science aimable » du XVIIIe siècle. Dombey lui plaît par sa franchise et par son intérêt partagé pour le monde des plantes ; Rousseau, le prenant en vive amitié, s'en fait un compagnon d'herborisation.

Mais voici qu'en 1775 sonne l'appel du destin. Turgot, ministre de Louis XVI, demande à Bernard de Jussieu de dénicher un botaniste de talent susceptible de prendre la route du Pérou dont il conviendrait de connaître enfin les richesses en cannelle et en quinquina, mais aussi en platine, nécessaire à la fabrication de divers instruments de précision. Bernard de Jussieu avance le nom de Joseph Dombey, et l'affaire est conclue.

Mais le Pérou était espagnol. Dès lors s'engagèrent de laborieuses tractations avec ce puissant rival. Le roi Charles III voyait dans cette mission une chance, pour les Espagnols, de pouvoir contourner le monopole hollandais sur la cannelle dont ses sujets étaient fort friands. La mode du chocolat à la cannelle faisait alors rage et l'on pensait que l'Amérique du Sud serait à même de couvrir les besoins de la puissante Espagne en cette épice quasi mythique. Mais il fallait prendre des précautions. On convint donc que Dombey serait escorté par deux botanistes espagnols, Hippolito Ruiz et Joseph Pavón, à qui toutes ses observations seraient communiquées. En fait, les deux Espagnols reçurent pour consigne de conserver en toutes circonstances la maîtrise des opérations afin que le royaume d'Espagne profitât au maximum des retombées scientifiques de la mission.

Le 20 octobre 1777, deux ans avant la mort de Joseph de Jussieu, la petite équipe s'embarque à Cadix sur le vaisseau *Le Péruvien*. Après une traversée de près de six mois, ils abordent à Lima le 7 avril 1778, au début de l'hiver austral. Il faut donc attendre le printemps pour entreprendre un premier voyage le long des côtes et remonter jusqu'à la ligne de l'Équateur. Attaqués par une bande d'esclaves fugitifs, ils durent livrer combat et échappèrent de justesse à la vindicte de leurs assaillants : première avanie sanglante dans une vie qui devait en compter beaucoup.

Les dessinateurs espagnols de l'expédition reproduisirent cinq cents plantes, mais le malheureux Dombey ne put en recueillir aucune copie et regretta amèrement de ne pas mieux maîtriser lui-même l'art du dessin.

De retour à Lima, Dombey apprit que le vaisseau *Le Bon Conseil* allait appareiller pour Cadix ; il en profita pour y charger sa première collection, constituée de deux herbiers, l'un destiné à la France, l'autre au roi d'Espagne. Pour parer à toute éventualité, chaque espèce récoltée figurait sous la forme de douze échantillons desséchés : six pour l'herbier français, six pour l'espagnol. Il y ajouta 38 livres de platine et enfin un mémoire sur le fameux *cannelier* qu'il avait rencontré dans les environs de Quito. Il y confirme avec beaucoup plus de précision des informations déjà recueillies par Joseph de Jussieu : à savoir que ce cannelier n'est point celui de Ceylan et ne saurait être employé aux mêmes usages. Ainsi mettait-il un point final à une controverse déjà ancienne sur l'éventuelle présence du vrai cannelier dans les forêts latino-américaines.

Mais la grande découverte de Dombey, celle qui assit sa réputation, fut sans conteste celle des cactus. Certes, on connaissait déjà en Europe quelques petits cactus cultivés en serres, en provenance des Antilles. L'apport original de notre explorateur est l'arrivée des grands cactus, encore jamais vus en Occident, ces fameux cactus-cierges dont certains donnent une laine « plus courte mais de la même couleur que celle du mouton du Pérou » (entendre : du lama). D'autres espèces suivirent, et la mode était lancée : deux siècles plus tard, elle n'est toujours pas retombée.

Puis, après le cannelier, Dombey s'attaqua à la seconde plante quasi fantasmatique de l'Amérique espagnole : le quinquina.

Il se rend en mai 1780 à Huanuco, au nord-est de Lima. Cette ville marque le terme des établissements espagnols : plus loin s'étendent de vastes forêts où cet arbre est réputé croître en abondance (ce que Joseph de Jussieu semblait ignorer, qui n'en reconnaissait la présence que dans les environs de la ville de Loja). Le voici donc aux prises avec d'impénétrables forêts où l'on ne progresse qu'à la machette. Quand il est à pied d'œuvre, il apprend que deux cents Indiens s'apprêtent à passer à l'attaque et au pillage. Dombey et ses accompagnateurs quittent au milieu de la nuit le petit poste de Cochero, où ils avaient fait halte, et s'enfuient pour regagner Huanuco. Mais aucune trace de quinquina ! Cet arbre, dont on a pu dire qu'il jetait une véritable malédiction sur tous ceux qui tentaient d'en percer les secrets, s'était à nouveau dérobé à la curiosité scientifique qu'il n'était pourtant pas sans stimuler puissamment.

De retour à Lima, Dombey se refait une santé, mais aussi un petit magot. Non pas seulement en soignant les malades, ce qu'il accomplissait avec beaucoup de dévouement, notamment les pauvres qu'il soignait gratuitement et à qui il remettait des remèdes qu'il se procurait à leur intention ; mais aussi en s'adonnant au jeu, car il semble que sur ce terrain au moins, la malchance ne le poursuivait pas... D'une honnêteté scrupuleuse, il ne faisait guère d'économies. Avait-il gagné ? il réglait d'abord ses dettes, faisait ensuite les acquisitions nécessaires, puis distribuait le reste aux malheureux.

Mais il n'a pas oublié pour autant Huanuco où il a laissé ses compagnons... et le quinquina ! Il y retourne donc et entre dans une ville réduite à la plus affreuse détresse, dénuée de tout. C'est qu'en effet, entre-temps, l'Indien Tapac Maro a soulevé une partie du Pérou contre le colonisateur espagnol. Et l'on voit alors, ô surprise, Dombey offrir une somme de mille piastres et vingt charges de grain pour soutenir les troupes royalistes. Le moral revient, la résistance s'organise, la rébellion recule et Huanuco est sauvée.

Voici Dombey couvert de gloire mais qui oublie, semble-t-il, le quinquina. Il revient à Lima où l'attend une fort mauvaise nouvelle : le vaisseau *Le Bon Conseil*, auquel il avait confié ses collections, a été arraisonné par les Anglais, et ses collections rachetées à Lisbonne pour le compte... des Espagnols ! Conformément aux accords passés, on a transmis à Paris le double des plantes séchées et des graines, mais aucun des objets divers que Joseph destinait au roi de France.

Avant de rentrer pour de bon en Europe, Dombey voulut parcourir le Chili d'où il devait rapporter vingt caisses d'échantillons divers. Ainsi arriva-t-il à Concepción au début de 1782 ; dans la ville sévissait une violente épidémie de peste qui avait déjà tué quatorze mille personnes à Santiago. On le vit alors œuvrer avec un courage infatigable et un dévouement sans bornes jusqu'à l'extinction de cette redoutable épidémie. Dombey est dès lors considéré comme un véritable envoyé du

Ciel ; c'est couvert de gloire qu'il quitte Concepción pour Santiago, non sans avoir préparé à nouveau une vingtaine de caisses, dont six de plantes, les autres pleines de minéraux et de coquillages.

De nouveaux événements surgissent, qui rapprochent davantage encore la vie aventureuse de Dombey de celle de son prédécesseur Joseph de Jussieu. Plusieurs mines de mercure, ruinées par des éboulements, ne fournissant plus assez de ce métal nécessaire à l'exploitation des mines d'or du Pérou et du Chili, ont eu recours à lui. Il se rendit dans la cordillère des Andes, afin d'examiner la mine de Coquimbo, abandonnée depuis plus d'un demi-siècle. Il parvint à la remettre en état, puis découvrit une autre mine plus importante encore. Un rapport fut dressé à l'intention de la cour d'Espagne, où est mentionnée de surcroît l'existence d'une nouvelle mine d'or...

Toutefois, Dombey n'oubliait pas la botanique. Au Chili, il s'émerveilla de la beauté d'un grand conifère, l'*Araucaria*, qu'il décrivit minutieusement et dont il considérait le bois comme de bonne qualité pour la mâture des vaisseaux. Mais les graines de cet arbre, qui sont comestibles, refusèrent obstinément de germer au Muséum.

L'heure du retour approchait. Dombey rassembla toutes ses récoltes et en fit pas moins de soixante-treize caisses. Il quitta l'Amérique le 14 avril 1784 sur le vaisseau *Le Péruvien*, mais connut au cap Horn une mer si contraire que trente-deux hommes périrent de froid et de fatigue, et soixante-treize autres tombèrent malades sur un vaisseau démâté et endommagé de toutes parts. Il fallut réparer une voie d'eau, ce qui exigeait des plongeurs qualifiés : Dombey offrit 1 500 livres au premier qui se jetterait à l'eau. La convoitise suscita des vocations et douze hommes se présentèrent, puis se précipitèrent dans les flots déchaînés... Le bateau parvint le 4 août 1784 à Rio où quatre mois furent nécessaires pour le radouber. Puis ce fut l'arrivée à Cadix, le 22 février 1785.

Aussitôt, les ennuis commencèrent. On avait pris soin d'embarquer les caisses sur deux bateaux : celui qui ramenait la collection au roi d'Espagne, *Le Saint-Pierre d'Alcantara*, s'était trouvé séparé du *Péruvien* par la tempête et n'arriva point à destination. Or la cargaison du *Péruvien* appartenait tout entière à la France. La part de l'Espagne était perdue. Que faire ? Malgré ses hauts faits dont l'écho s'était répandu jusqu'en Espagne, Joseph eut à subir les tracasseries de l'administration espagnole. Pour pallier la perte de la collection destinée au souverain madrilène, on demanda à Dombey de remettre la moitié de la sienne. Mais comment diviser par deux certaines séries homogènes sans faire perdre toute valeur aux échantillons ?

(On songe ici à l'histoire, maintes fois colportée, de la célèbre bibliothèque de l'université de Louvain dont il fallut diviser les trésors en deux lors de la création de Louvain-la-Neuve ! Comment répartir les séries ? Certaines étaient uniques : fallait-il conserver un tome ici, l'autre là-bas, au nom d'une stricte égalité entre partenaires ? Un tel démembrement était-il vraiment concevable ?)

Sous la pression espagnole, Dombey est contraint de céder et redivise par conséquent sa collection. Quand on décide de lui restituer enfin la moitié qui lui revient, il doit s'engager à n'en rien publier avant que Ruiz et Pavón ne soient rentrés du Pérou. Or il est déjà tout entier tendu vers le but de sa mission : rédiger la somme de ses découvertes. Le voici bloqué, découragé. Pis encore : menacé. Durant toute l'année qu'il doit demeurer à Cadix pour régler cette affaire, une obscure cabale est montée contre lui : on tente d'attenter à sa vie ; un homme qui lui ressemble est assassiné juste devant sa porte. Lui-même en réchappe.

Pourtant il ne revient pas en France les mains vides. Malgré le partage espagnol, il conserve dans ses caisses et ses herbiers environ quinze cents plantes, dont plus de soixante *nouveaux genres*. Buffon, directeur du Jardin du Roi, croit devoir passer outre aux engagements pris par Joseph envers l'Espagne. Il confie sa collection à Charles L'Héritier de Brutelle qu'il charge de la décrire. Informé, le ministère espagnol fait des représentations à la cour de France, et Buffon reçoit l'ordre de reprendre le contrôle de l'herbier. Cependant, L'Héritier ne l'entend point de cette oreille et part secrètement pour l'Angleterre, où il restera quinze mois, pour décrire à l'abri les plantes de l'herbier de Dombey. Les résultats de ce travail n'ont jamais vu le jour : L'Héritier meurt assassiné avant d'en avoir terminé.

Entre-temps, Ruiz et Pavón sont revenus en septembre 1788 et c'est en Espagne qu'ils rédigent leur magnifique ouvrage sur la flore du Pérou, ne laissant à Joseph Dombey que la portion congrue. Écœuré par une telle disgrâce, Dombey refuse de se présenter à l'Académie, comme on le lui propose. Il se retire à Lyon.

Mais la Révolution bat bientôt son plein et il quitte cette ville sous la Terreur. Le climat qui règne alors en France lui est insupportable ; il obtient du Comité de salut public d'être envoyé aux États-Unis présenter l'étalon des nouveaux poids et mesures adopté par la Convention. Il quitte Le Havre le 24 nivôse an II (12 janvier 1794), mais la tempête oblige à relâcher en Guadeloupe. L'île est alors déchirée entre deux factions hostiles : les royalistes et les républicains. Dombey est jeté en prison par les partisans du gouverneur, adepte de la contre-révolution, tout en étant soutenu par les habitants de Pointe-à-Pitre qui déclenchent même une émeute en sa faveur. Dombey tente de s'opposer à la violence, défendant ceux qui en veulent à sa sécurité contre l'ardeur de ses propres partisans.

Quittant la Guadeloupe pour les États-Unis, son vaisseau est poursuivi puis arraisonné par des corsaires qui s'assurent de sa personne et l'emprisonnent sur l'île de Montserrat.

C'est là qu'il mourut. La nouvelle de sa mort fut communiquée de New York au Comité d'instruction publique le 27 vendémiaire an III (18 octobre 1794).

Dombey avait ainsi passé sa vie dans une agitation continuelle. Exposé à mille dangers, victime de l'injustice, privé du fruit de ses travaux, il périt loin de sa patrie, dans les fers. Il peut être considéré comme un authentique martyr de la science et pourrait figurer au martyrologe de ceux qui donnèrent leur vie pour le développement de l'histoire naturelle.

Si Dombey n'a rien écrit, il laisse en revanche une généreuse moisson scientifique. On a déjà évoqué les cactus et les *Araucarias*. À la minéralogie, il a offert deux nouvelles espèces : le cuivre muriaté ou sable vert du Pérou, et l'éruclase. À la zoologie, il rapporte la moufette du Chili, ultérieurement décrite par Buffon, et un poisson inconnu décrit par Lacépède sous l'appellation de « gastrobranche de Dombey ». À quoi s'ajoutent deux papillons fort rares, d'une grande beauté, ainsi que trois espèces de charançons si remarquables qu'on les a qualifiés de noms spécifiques évoquant leur magnificence : *Curulio imperialis*, *Curulio fastuosus* et *Curulio somptuosus*.

Quant à la botanique, on l'a vu, elle engrangea quinze cents plantes aujourd'hui conservées au Muséum, dont soixante genres nouveaux qui ont presque tous été décrits par Ruiz et Pavón sous des noms différents de ceux que Dombey leur avait donnés. Parmi ces végétaux, on relève de fort belles espèces de Bégonias dont Thouin, jardinier au Jardin du Roi, fera une plante d'ornement très recherchée ; une vingtaine d'espèces de Bignonia, arbustes ornementaux aux belles fleurs en tube très colorées ; une magnifique Sauge aux grandes fleurs écarlates d'un vif éclat ; une superbe collection d'Orchidées nouvelles ; une Verveine buissonnante à forte odeur de citron ; sans oublier le Cèdre de Guayaquil dont le bois est totalement imperméable à l'eau.

Comme Joseph de Jussieu, Dombey lui-même n'a rapporté qu'une petite partie de ses découvertes et il n'eut même pas la possibilité de les présenter dans un mémoire cohérent. Il rejoint ainsi la liste des botanistes explorateurs qui, épuisés par leur travail de terrain, ont dû volontairement ou non confier à d'autres le soin de mettre en ordre et en forme leurs herbiers et leurs documents (si tant est que ceux-ci ne s'étaient pas perdus en route ou n'avaient point été subtilisés par des mains anonymes...). Comme Joseph de Jussieu, il revient, après seulement huit ans passés aux Amériques, profondément diminué, dans un fréquent état de fatigue ou de prostration.

Du nom de Dombey il ne resterait plus qu'un lointain souvenir si la botanique ne l'avait conservé pour désigner le genre

Dombeya, appartenant à la famille des Sterculiacées, celle du cacao. On y dénombre quelques espèces ornementales et leurs inflorescences souvent pendantes ne vont pas sans évoquer ces sortes de bouquets naturels que sont celles des hortensias ou des boules-de-neige. Mais le paradoxe – car tout est paradoxe dans la vie de Dombey ! – est que le genre *Dombeya* qui lui fut dédié par le botaniste espagnol Antonio José Cavanilles recouvre deux cents espèces originaires d'Afrique et des îles Mascareignes, mais aucune d'Amérique du Sud, là où s'illustra précisément notre botaniste explorateur !

14

Philibert Commerson, sa travestie et ses bougainvilliers

Originaire de Châtillon-sur-Chalaronne, dans la Bresse, Philibert Commerson fit, comme il était d'usage, ses études de médecine à Montpellier. L'on trouve dans les archives de ce vénérable établissement la trace de son cursus universitaire : immatriculation en faculté le 19 novembre 1748, baccalauréat le 11 septembre 1753, licence le 7 septembre 1754 et doctorat le 9 septembre de la même année. Affaire rondement menée ! Puis Philibert se marie en 1760 avec Marie-Antoinette Vivante Beau qui, en dépit de son beau nom, décéda deux ans plus tard en mettant au monde un fils, Anne-François Archambaud. Ce fils restera présent dans la pensée de Philibert tout au long de son voyage autour du monde, ainsi qu'en témoigne une lettre écrite de l'île de France (l'île Maurice) à son beau-frère qui a la charge de l'éducation de l'enfant :

« Quelque tendresse que j'aie pour mon fils, quelque douceur que je vous aie prié de mettre dans le moral de son éducation, mon intention serait que vous le soumettiez à la plus dure gymnastique et à la plus grande sobriété... Peu d'âmes fortes ont logé dans des corps originairement faibles, aucune dans des corps amollis. »

149

Très tôt, Commerson brûle de passion pour les sciences naturelles. Il rencontre Voltaire, mais décline l'offre que celui-ci lui fait d'assurer son secrétariat. À vingt-six ans, il est chargé par Linné de mener des observations sur les plantes marines, les poissons et les coquillages de la Méditerranée. Tâche dont il s'acquitte avec brio, comme en témoignent de nombreuses notes manuscrites. Il devra aussi herboriser avec ardeur dans les Alpes, le Massif central et le Midi méditerranéen. Lamarck signale même que l'on eut « souvent à se plaindre de sa trop grande inclination à se rendre possesseur des plantes les plus rares » parmi celles qu'on cultivait dans les jardins botaniques de l'époque ! Une passion dévorante résiste mal à la tentation de chaparder la plante rare, l'échantillon unique !

D'un caractère ardent, impétueux, violent, extrême en tout, Commerson voulait voyager. Rien ne lui résistait. Pour cueillir une fleur, il serait allé au bout du monde ; et c'est bien ce qu'il fit. Aussi Buffon le recommanda-t-il comme naturaliste à Bougainville. Le célèbre navigateur s'était illustré en menant une tentative de colonisation des îles Malouines, au large de l'Argentine, entreprise que la Grande-Bretagne voyait d'un fort mauvais œil. Mais la France était alors alliée à l'Espagne, laquelle revendiqua à son tour ces îles comme faisant partie intégrante de ses possessions d'Amérique en vertu de la bulle papale de 1494 établissant le partage du monde entre les nations. Louis XV, ne pouvant ni risquer une nouvelle guerre avec les Anglais, ni se mettre à dos Rome et les Espagnols, chargea le malheureux Bougainville de négocier avec ces derniers la restitution de l'archipel, baptisé Malouines par des corsaires de Saint-Malo qui s'y étaient installés en 1764.

Pour ce faire, une expédition fut décidée, comportant deux vaisseaux : une frégate, *La Boudeuse,* et une flûte, *L'Étoile.* Commerson, qui a alors trente-neuf ans, embarque le 1er février 1767 à Rochefort sur *L'Étoile* en tant que médecin et naturaliste. *La Boudeuse* est partie de Nantes le 15 novembre 1766 avec pour commandant de bord Louis-Antoine de Bougainville, capitaine de vaisseau, âgé de trente-sept ans. Conformément à sa mission, celui-ci restitue les îles

Malouines – alias les îles Falkland – aux Espagnols le 1ᵉʳ avril 1767. Puis les deux bateaux se retrouvent à Rio. Les relations avec le vice-roi portugais s'étant fortement détériorées, on décide de se rendre à Montevideo, ville d'obédience espagnole, pour attendre l'été austral, seule saison opportune pour contourner l'Amérique du Sud par le détroit de Magellan.

Ces séjours successifs à Rio et à Montevideo furent l'occasion d'ardentes expéditions botaniques d'où est issu le très célèbre bougainvillier, ainsi baptisé par Commerson en l'honneur du chef de l'expédition et qu'il décrit comme « une plante admirable aux larges fleurs d'un violet somptueux ».

Chacun connaît le bougainvillier, liane grimpante dont les magnifiques fleurs roses, rouges ou violettes, parfois jaunes, ornent jardins et maisons du Midi. C'est une merveille pour les yeux, mais aussi une « colle » pour les botanistes en herbe ! Car la fleur du bougainvillier, d'ailleurs nommée *la* bougainvillée, n'est pas une fleur ; pas plus que ses trois grandes pièces colorées, fort attractives pour les pollinisateurs, ne sont des pétales. En effet, il est aisé de constater que chacune porte à son aisselle une petite fleur blanche, de sorte que ce qu'on pourrait prendre pour une fleur est en fait un ensemble de trois fleurs, chacune blottie à l'aisselle d'une grande pièce colorée. Quant à la fleur elle-même, sa corolle en tube blanc n'est guère attractive, et on conçoit qu'elle ait abandonné sa mission publicitaire en direction des pollinisateurs à ces grandes pièces fortement colorées et longuement persistantes.

Commerson découvrit également, sur la côte orientale de l'Amérique du Sud, un buisson sans feuille, mais à très fortes épines acérées disposées en croix tout au long de la tige. Est-ce pour son aspect rébarbatif que Commerson le dédia au botaniste Philibert Collet sous le nom de *Colletia*[1] ? Le premier ne portait pas le second dans son cœur : il le jugeait superficiel et regrettait qu'il eût osé dénigrer son ancien maître Tournefort dont il appréciait la classification avant d'adopter plus tard celle de Linné, puis plus tard encore celle de Jussieu. Ce

---

1. Famille des Rhamnacées.

Colletia est en vérité une plante singulière, comportant sur ses racines des nodules où prolifèrent des bactéries capables de fixer l'azote atmosphérique. C'est là une propriété commune à toutes les plantes de la famille des Légumineuses, mais extrêmement rare ailleurs, si ce n'est dans quelques cas très isolés parmi le règne végétal, comme les Aulnes. C'est par ces fameux nodules que l'azote de l'air est intégré dans les cycles biologiques par ces plantes chargées de cette mission indispensable et qui n'appartient qu'à elles. Car, sans elles, la vie terrestre serait impossible, faute d'azote organique présent dans les protéines de toutes les cellules.

Sur les mille cent huit espèces récoltées par Commerson en Amérique du Sud figure également le *Caladium bicolor*, de la famille de l'Arum, aujourd'hui cultivé comme ornementale pour son étonnant feuillage bicolore. Qui ne connaît en effet ces énormes feuilles rouges en leur centre et vertes tout autour, dont la très vive coloration écarlate se propage vers les bords du limbe par le réseau des nervures ?

Le 14 novembre 1767, *La Boudeuse* et *L'Étoile* s'élancent enfin vers le détroit de Magellan qu'elles affrontent en plein décembre, c'est-à-dire en plein été austral. Pourtant, le temps est épouvantable : on mettra cinquante-deux jours pour traverser ce détroit, long seulement de 300 kilomètres ! Notre botaniste, frappé par une véritable « botanicomania », et toujours accompagné par son fidèle serviteur Baré, n'hésite pas à arpenter les derniers versants de la cordillère des Andes où il aperçoit notamment le *Colpeo*, ou *Loup de Magellan*, dont il fournit une description : c'est l'animal qu'avait déjà aperçu le navigateur anglais John Byron en 1741.

Puis les deux navires s'engagent dans le Pacifique et, le 6 avril 1768, atteignent l'île de Tahiti, découverte un an plus tôt par le navigateur anglais Wallis. Et c'est l'émerveillement ! À compter de ce jour naît le mythe de Tahiti qui, plus de deux siècles plus tard, montre combien il a la vie dure. Certes, Wallis avait déjà été séduit par les filles peu farouches qui se « vendaient contre des clous plus ou moins grands selon leur beauté ». Mais écoutons Commerson :

« Je puis vous dire que c'est le seul coin de la terre où habitent des hommes sans vices, sans préjugés, sans besoins, sans dissensions. Nés sous le plus beau ciel, nourris du fruit d'une terre féconde sans culture, régis par des pères de famille plutôt que par des rois, ils ne reconnaissent d'autres dieux que l'Amour. Tous les jours lui sont consacrés, toute l'île est son temple, toutes les femmes en sont les autels, tous les hommes les sacrificateurs. Et quelles femmes, me demanderez-vous ? Les rivales des Géorgiennes en beauté, et les sœurs des Grâces toutes nues. Là, ni la honte, ni la pudeur n'exercent leur tyrannie ; la plus légère des gazes flotte toujours au gré du vent ou des désirs. L'acte de créer son semblable est un acte de religion, les préludes en sont encouragés par les vœux et les chants de tout le peuple assemblé, et la fin célébrée par des applaudissements universels. Tout étranger est admis à participer à ces heureux mystères, c'est même un devoir de l'hospitalité que de les y inviter : de sorte que le bon Utopien jouit sans cesse ou du sentiment de ses propres plaisirs, ou du spectacle de ceux des autres. Quelque censeur à double rabat ne verra peut-être en tout cela qu'un débordement de mœurs, une horrible prostitution, le cynisme le plus effronté ; mais il se trompera grossièrement lui-même en méconnaissant l'état de l'homme naturel, né essentiellement bon, exempt de tous préjugés et suivant sans défiance comme sans remords les douces impulsions d'un instinct toujours sûr parce qu'il n'a pas encore dégénéré en raison... Pour ce qui regarde la simplicité de leurs mœurs, l'honnêteté de leurs procédés envers leurs femmes surtout, qui ne sont nullement subjuguées chez eux comme chez les sauvages, leur philanthropie entre tous, leur horreur pour l'effusion du sang humain, leur respect idolâtre pour leurs morts qu'ils ne regardent que comme des gens endormis, leur hospitalité enfin pour les étrangers, il faut laisser aux journaux le mérite de s'étendre sur chacun de ces articles comme notre admiration et notre reconnaissance le requièrent. »

Pourtant, Commerson ne manque pas de signaler l'habileté des Tahitiens à voler tous les objets qu'ils peuvent s'approprier. Mais, totalement conquis, même sur ce défaut de caractère, il n'hésite pas à leur accorder une indulgence plénière :

« Je ne les quitterai pas, ces chers Tahitiens, sans les avoir lavés d'une injure qu'on leur fait en les traitant de voleurs. Il est vrai qu'ils nous ont enlevé beaucoup de choses, et cela même avec une dextérité qui ferait honneur aux plus habiles filous de Paris ; mais méritent-ils pour cela le nom de voleurs ? Voyons : qu'est-ce que c'est que le vol ? C'est l'enlèvement d'une chose qui est en propriété à un autre : il faut donc, pour que ce quelqu'un se plaigne justement d'avoir été volé, qu'il lui ait été enlevé un effet sur lequel son droit de propriété était préétabli. Mais le droit de propriété est-il dans la nature ? Non, il est de pure convention. Or aucune convention n'oblige qu'elle soit connue et acceptée, et le Tahitien qui n'a rien à lui, qui offre et donne généreusement tout ce qu'il voit désirer, ne l'a jamais connu, ce droit exclusif. Donc, l'acte d'enlèvement qu'il vous fait d'une chose qui excite sa curiosité n'est, selon lui, qu'un acte d'équité naturelle... Je ne vois pas l'ombre d'un vol làdedans. Notre prince tahitien était un plaisant voleur, il prenait d'une main une chose ou un verre ou un biscuit, mais c'était pour les donner de l'autre aux premiers des siens qu'il rencontrait en leur enlevant bananes, poules et cochons qu'il nous apportait. J'ai vu la canne d'un officier levée sur lui, comme si on le surprenait dans cette espèce de supercherie dont on n'ignorait pas le généreux motif ; je me jetai avec indignation entre eux deux au hasard d'en recevoir la décharge sur moimême. Telle est l'âme des marins, sur laquelle Jean-Jacques Rousseau place si judicieusement un point de doute et d'interrogation... »

L'escale à Tahiti dura neuf jours. Les récoltes effectuées sur la faune et la flore locales furent relativement limitées. Commerson décrit cependant un arbre dont le fruit est encore baptisé aujourd'hui « pomme-cythère[1] » par les habitants de l'île, en souvenir du nom que Bougainville avait donné à Tahiti, et qui sert toujours à faire des confitures. Parmi ses

---

1. *Spondias cytherea*, Anacardiacées.

récoltes figure également le « bonnet carré », un arbre dont le fruit, selon les compagnons de Bougainville, ressemblait à un bonnet de docteur ; c'est pour cette raison qu'ils le dédièrent à Commerson lui-même, lequel le décrit sous le nom de *Commersonia*. Mais, par souci de modestie, il l'appellera par la suite *Peissoneria,* en l'honneur du médecin-ministre Peissonier qui l'avait encouragé au moment d'entreprendre son tour du monde. Entre-temps, le « bonnet carré » a changé de nom une troisième fois : il est devenu *Barringtonia*[1], tandis que *Commersonia* désigne aujourd'hui un arbre de la famille du cacao. Ces fréquents changements de noms, exigés par les règles fort strictes de la nomenclature botanique, évoquent parfois une véritable partie de chaises musicales...

Mais le séjour tahitien de Commerson ne fut point dénué de tout souci. C'est là que se situe en effet une aventure qui ne contribua pas peu à conforter la légende de notre intrépide botaniste. L'incident est consigné dans le journal de bord de Bougainville :

« Monsieur de Commerson était descendu à terre avec Baré qui le suivait dans toutes ses herborisations, portant armes, provisions de bouche, cahiers de plantes avec un courage et une force qui lui avaient mérité de notre botaniste le nom de "sa bête de somme". À peine le domestique est-il sur le rivage que les Cythéréens l'entourent, crient que c'est une femme et veulent lui bien faire les honneurs de l'île. Il fallut que l'officier de garde vînt le dégager. J'ai donc été obligé, suivant les ordonnances du roi, de m'assurer si le soupçon était fondé. Baré, les larmes aux yeux, m'a avoué qu'elle était fille, qu'elle avait trompé son maître en se présentant à lui sous des habits d'homme à Rochefort au moment de son embarquement, qu'elle avait déjà servi comme laquais un Genevois à Paris, que, née en Bourgogne et orpheline, la perte d'un procès l'avait réduite dans la misère et qu'elle avait pris le parti de déguiser son sexe, qu'au reste elle savait en s'embarquant qu'il était question de faire le tour du monde et que ce voyage avait

1. Famille des Lésythidacées.

piqué sa curiosité. Elle sera la seule de son sexe [à le faire] et j'admire sa résolution, d'autant qu'elle s'est toujours conduite avec la plus scrupuleuse sagesse. J'ai pris des mesures qu'elle n'essuyât rien de désagréable. La Cour, je crois, lui pardonnera l'infraction aux ordonnances... »

Jeanne Baret, rendue à son sexe, accompagna Commerson jusqu'à l'île de France (aujourd'hui île Maurice) où elle demeura avec lui. Elle avait réussi ce tour de force de vivre des mois durant sur un bateau déguisée en homme, sans se faire démasquer.

On quitte Tahiti non sans embarquer un indigène qui sera à Paris le grand témoin du voyage et illustrera dans les salons l'archétype du « bon sauvage » : Aoutourou. Puis, on cingle sur les Mascareignes.

Parmi les importantes découvertes botaniques que fit Commerson sur l'île de France (Maurice) et l'île Bourbon (la Réunion), l'une fut dédiée à Jeanne Baret avec cette émouvante dédicace :

« Cette plante aux atours ou au feuillage ainsi trompeurs est dédiée à la vaillante jeune femme qui, prenant l'habit et le tempérament d'un homme, eut la curiosité et l'audace de parcourir le monde entier, par terre et par mer, nous accompagnant sans que nous-même ne sachions rien. Tant de fois elle suivit les pas de l'illustre prince de Nassau, et les nôtres, traversant avec agilité les plus hautes montagnes du détroit de Magellan et les plus profondes forêts des îles australes. Armée d'un arc, telle Diane, armée d'intelligence et de sérieux, telle Minerve, salvatrice et vertueuse, inspirée par quelque dieu propice, elle déjoua les pièges des bêtes et des hommes non sans risquer maintes fois sa vie et son honneur. Elle sera la première femme à avoir fait le tour complet du globe terrestre en ayant parcouru plus de quinze mille lieues. Nous sommes redevables à son héroïsme de tant de plantes jamais collectées jusqu'alors, de tant d'herbiers constitués avec soin, de tant de collections d'insectes et de coquillages, que ce serait injustice de ma part, comme de celle de tout naturaliste, de ne pas lui rendre le plus profond hommage en lui dédiant cette fleur. »

Malheureusement, le *Baretia* n'a pas survécu aux révisions taxinomiques des botanistes systématiciens qui ont remplacé ce genre dans la nomenclature par celui de *Turraea*[1].

Lorsque Commerson débarqua à l'île de France, il y retrouva au poste de gouverneur son vieil ami Pierre Poivre qui lui avait jadis proposé de produire des dessins des poissons de la Méditerranée pour Linné à la demande de la reine de Suède. Ce qui lui avait valu à l'époque l'honneur d'être nommé membre associé des Académies de Stockholm et d'Uppsala. Or Pierre Poivre, au nom prédestiné, avait été chargé par le roi de développer aux îles Mascareignes la plantation et la culture d'« épiceries » : poivre, cannelle, gingembre et, si possible, giroflier et muscade, afin de concurrencer le monopole mondial des Hollandais installés aux îles Moluques. Qui, mieux que Commerson, eût été capable de seconder les efforts de Pierre Poivre ? En accord avec Bougainville, il fut donc décidé que, toujours accompagné de Jeanne Baret, il resterait à l'île de France. Il devait y demeurer quatre ans avant d'y mourir. Il y contribua à la création du fameux Jardin des Pamplemousses qui devint le premier jardin botanique tropical du monde.

C'est durant ce séjour qu'intervint son long voyage à Madagascar. Commerson a la perspicacité de découvrir que les plantes et les animaux y sont originaux, sans équivalents ailleurs sur la planète. Il écrit le 18 avril à son ami Delalande : « C'est à Madagascar qu'est la véritable terre de promission pour les naturalistes. C'est là que la nature semble s'être retirée comme dans un sanctuaire particulier pour y travailler sur d'autres modèles que ceux auxquels elle s'est asservie dans d'autres contrées. » C'est sur la Grande Île qu'il découvre un arbuste dont les feuilles ont souvent la forme d'un cœur ; il le dédie pour cette raison à la mémoire de son ex-épouse, Marie-Antoinette Vivante Beau. Émouvante dédicace, convenons-en :

« Un grand et bel arbre, l'homme des forêts, qui se fait distinguer de fort loin et qui, dans la rigueur des termes, porte

1. Famille des Méliacées.

plus de fleurs et ensuite de fruits qu'il n'a de feuilles, puisque la plupart de ces dernières, taillées en cœur, sont fleuries (chose fort singulière) à double et à triple sur chaque revers, cet arbre, dis-je, est celui sur lequel j'ai gravé deux noms faits pour ne se séparer jamais. Ce nouveau genre s'appellera *Pulcheria commersonia...* »

Malheureusement, le *Pulcheria* – nom qui signifie « belle » – ne devait pas résister davantage à la sagacité des botanistes nomenclaturistes qui en firent plus tard le genre *Polycardia*[1].

Toujours à Madagascar, Philibert Commerson découvre l'étrange usage du tanguin. Le tanguin est un produit que les Malgaches utilisent dans leurs ordalies comme poison d'épreuve :

« Lorsqu'il est question de se purger de quelque accusation, on a recours à l'épreuve du tanguin, comme autrefois nous nous servions du feu, des armes, etc. Le présumé coupable boit le suc extrait du tanguin. Bien entendu que l'ombiasse ou empoisonneur qui le lui administre proportionnera la dose à l'envie qu'il a de sauver ou de perdre le pressenti. Si ce dernier meurt du breuvage, il est censé convaincu et justement puni ; s'il y résiste par la force de son tempérament, la modicité de la dose ou l'administration secrète de quelque contre-poison spécifique, il est pleinement justifié et c'est à l'accusateur de boire le breuvage à son tour... Il est pourtant à remarquer que, depuis que les nations policées ont fréquenté les Malgaches, ces derniers ont été détournés de ces épreuves barbares, et elles ne se tentent guère aujourd'hui que sur les chiens. Il résulte du moins de cette modification que celui qui subit l'épreuve, s'il est justifié, ne s'en ressent pas le reste de sa vie, comme il arrivait auparavant, mais l'alternative est toujours la même : il faut ou que celui qui présente le chien à l'épreuve meure si l'animal succombe, ou l'accusateur lui-même si le chien en réchappe... »

Il ne semble pas que Commerson ait pu repérer avec précision l'origine des graines servant à préparer ce poison ; celles-

---

1. Célastracées.

ci furent imputées plus tard à une plante de la famille des Apocynacées, *Cerbera veninifera*. Cette plante semble être la toute première sur laquelle furent isolés en 1824 des poisons végétaux sans azote. Car, jusqu'à cette époque, on attribuait aux seuls alcaloïdes azotés les propriétés violemment toxiques de nombreuses plantes. Ces poisons sans azote, les glucosides, devaient ouvrir la lignée extraordinairement riche et productive des grands médicaments du cœur tels que l'ouabaïo ou la digitale.

Commerson ramena de Madagascar 495 espèces de plantes qui vinrent s'ajouter aux 1 574 récoltées durant son long séjour à l'île Bourbon et à l'île de France. Parmi celles-ci figurent notamment certains spécimens récoltés à l'île Bourbon en avril et mai 1771 et à l'île de France en février 1773, un mois avant sa mort. Commerson a donné à ces plantes le nom d'*Hortensia* qui, depuis lors, a fait fortune. On y a vu une dédicace destinée à honorer Hortense de Beauharnais, reine de Hollande et mère de Napoléon III (la « reine Hortense »). Mais celle-ci est née en 1783 alors que Commerson est décédé le 13 mars 1773 : il faut donc chercher ailleurs l'origine de cette dédicace. On a suggéré que ce nom aurait constitué une dédicace à Hortense de Nassau, sœur du prince Charles de Nassau-Siegen, compagnon de voyage de Commerson et botaniste à ses heures. Mais, dans leur remarquable biographie consacrée à notre botaniste[1], Jean-Claude Jolinon et ses coauteurs indiquent n'avoir trouvé aucune trace d'une sœur du prince de Nassau qui se serait prénommée Hortense. Ainsi le nom si prestigieux donné par Commerson à nos hortensias reste-t-il auréolé de mystère. Peut-être visait-il la femme de son ami Lefante, mathématicienne et astronome distinguée qui se faisait appeler, semble-t-il, Hortense ? Ce point aussi reste obscur. Toujours est-il que le nom n'a pas plus que les autres résisté au zèle des botanistes nomenclaturistes qui en ont fait le genre *Hydrangea*. C'est sous ce nom que nos horten-

1. J. Monnier, A. Lavondes, J.-C. Jolinon et P. Élouard, *Philibert Commerson, le découvreur du bougainvillier*, édité par l'association Saint-Guignefort, 01400 Châtillon-sur-Chalaronne, 1993.

sias sont aujourd'hui communément désignés dans l'ensemble du monde anglo-saxon ; le mot *hortensia* reste en revanche d'usage courant en France, en Allemagne et aux Pays-Bas.

Étrange fleur, en vérité, que celle de ces hortensias, en grosses boules hémisphériques dont chaque élément n'est qu'une fleur stérile formée de quatre grands pétales colorés. La fleur fertile est au contraire modeste, sans apparat, sans aucune prétention publicitaire à l'égard des pollinisateurs. Plus étrange encore : l'aptitude de ces fausses fleurs à virer du rouge au bleu lorsqu'on traite le sol où elles croissent avec une solution diluée de sulfate d'aluminium. Une opération en tout cas plus simple que celle qui consiste à obtenir une rose bleue en greffant dans le génome d'une rose blanche un gène de pétunia bleu, opération qui relève du véritable casse-tête pour les auteurs de plantes transgéniques !

Tant que Pierre Poivre résidait à l'île de France, Commerson put développer à l'envi ses activités de botaniste heureux. Mais, dès que ce dernier quitta cette terre pour revenir au pays, les relations de Commerson avec son successeur se dégradèrent rapidement. L'état de sa santé, déjà chancelante, s'aggrava, et il mourut le 13 mars 1773 à l'âge de quarante-six ans. Jeanne Baret se maria alors à un ex-militaire et rentra en France, bouclant ainsi le premier tour du monde accompli par une femme et que le défunt n'avait pu achever.

Les collections et manuscrits de Commerson furent rapatriés et confiés aux savants du Muséum. Aujourd'hui, plus de 40 genres décrits par Commerson restent valides et perpétuent ainsi son œuvre dans les répertoires officiels de la botanique. Mais aucune des plantes qu'il a découvertes n'a été directement acclimatée. Elles sont arrivées au Muséum sous forme de planches d'herbiers, car notre intrépide botaniste avait plus le souci de la collection que celui de l'acclimatation. Il pouvait travailler des nuits entières en solitaire à mettre en herbier le produit de ses collectes quotidiennes : telle était sa passion.

Mais, à la suite de sa mission, on discuta beaucoup sur l'art d'introduire des plantes fraîches en vue de les repiquer dans les jardins que l'on ne qualifiait pas encore d'« acclimatation ». Et l'on se promit au Muséum d'aménager spécialement, désormais, à bord des navires, des locaux adaptés aux graines et boutures susceptibles d'être plantées dès leur débarquement.

Philibert a laissé le souvenir d'un tempérament fougueux et d'un caractère pas toujours commode. Après son décès, l'intendant de l'île de France, Maillard Dumesle, écrivit au ministre de la Marine : « On assure que Monsieur Commerson avait beaucoup de connaissances dans la partie de la botanique, mais il ne jouissait pas de l'amitié ni de l'estime publiques. Il passait pour très débauché et on le regardait comme homme très méchant et capable de la plus noire ingratitude... » Jugement fort sévère, que ses dernières dispositions ne devaient pas confirmer. Dans son testament, rédigé dès 1766, Commerson exposait ainsi ses convictions en matière de morale publique :

« Je fonde à perpétuité un prix de morale pratique qui sera appelé prix de vertu et qui consistera dans une médaille de deux cents livres... Laquelle médaille sera délivrée tous les ans, au premier jour de janvier, à quiconque, de quelque condition, sexe, âge et province du royaume qu'il puisse être, dans le cours de l'année précédente aura fait, sans pouvoir être soupçonné d'ambition, de vanité ou d'hypocrisie, la meilleure action connue dans l'ordre moral et politique, telle par exemple qu'un généreux sacrifice de ses intérêts personnels vis-à-vis d'un malheureux ; la libération d'un prisonnier opprimé pour quelque dette considérable mais désastreuse ; le relèvement de quelque honnête famille ruinée, surtout à la campagne ; la dotation de quelques orphelins de l'un et l'autre sexes : l'établissement de quelque banque où l'on prêterait aux nécessiteux sans gages ni intérêts ; la construction d'un pont dans un endroit nécessaire, mais échappé à la vigilance du gouvernement ; enfin, pour tout acte extraordinaire de piété filiale, d'union fraternelle, de fidélité conjugale, d'amour honnête, d'attachement domestique, de réconciliation, de reconnaissance, d'amitié, de secours à son prochain, de courage dans les périls publics, etc. »

La vertu n'étant plus une valeur très prisée aujourd'hui, ni dans son sens premier de courage, ni au sens plus courant de tempérance, elle s'est réfugiée de fait dans ces prix que décernent encore chaque année nos académies.

Mais Commerson avait baptisé Tahiti « Utopie ». Lui-même, sa vie durant, ne cessa d'en nourrir de généreuses. N'avait-il pas conçu la création d'une académie universelle, véritable aréopage de savants qu'il voulait sages et heureux, groupés dans une cité exclusivement académique dont il alla jusqu'à dessiner les plans, disposée en cercles concentriques autour d'un monument central devant servir à la fois de temple, de capitole et d'observatoire ? Il fixe par le menu l'organisation de cette académie, ainsi que les plus infimes détails de son fonctionnement, et la dote d'un budget imaginaire tout à fait colossal, ce dont il s'excuse en ces termes : « Quand on bâtit ainsi des châteaux en Espagne, il n'en coûte rien de les faire grands et beaux ! »

Grande et belle : telle est l'aventure de Philibert Commerson ; et impressionnante sa contribution à l'épanouissement des sciences naturelles et du génie scientifique français au XVIIIe siècle ! Cette aventure scientifique coïncide avec une rapide évolution des mentalités à compter de la seconde moitié du siècle. Jusque-là, l'espoir de découvrir des terres nouvelles fécondes en richesses qui renforceraient la puissance des États, avait nettement prévalu. Mais voici que commence à poindre une idéologie du progrès liée à une application des sciences censées améliorer indéfiniment les conditions de vie ; et, partant, faire sur terre le bonheur des hommes. Jacques Brosse a analysé cette évolution en ces termes :

« En Grande-Bretagne, la Royal Society, présidée pendant plus de vingt ans par Newton, avait pris la tête de ce mouvement. En 1730 avaient été fondés les Jardins de Kew où bientôt affluèrent de tous les points de l'horizon des plantes nouvelles. À Paris, les collections du Jardin du Roi, le futur Muséum, s'enrichissaient d'année en année sous l'impulsion des frères de Jussieu et de Buffon, tandis que l'Académie des sciences envoyait à travers le monde des missions scientifiques, telle par exemple celle qui, en 1735, fut confiée à La Condamine. Grâce à ces puissantes institutions, les savants mettaient en commun leurs recherches. La science alors n'avait pas de patrie et les chercheurs correspondaient entre eux d'un bout à l'autre de l'Europe. L'époque était venue de recenser les connaissances acquises et de voir clairement celles qui restaient à acquérir[1]. »

C'est en s'inscrivant exactement dans ce mouvement d'idées que le très britannique Sir Joseph Banks devait apporter, quelques années seulement après Commerson, une impulsion décisive à l'essor des sciences naturelles.

---

1. Jacques Brosse, *Les Tours du monde des explorateurs*, Bordas, 1983.

15

Joseph Banks : kangourous et eucalyptus

Joseph Banks est, avec Charles Darwin, l'un des plus célèbres naturalistes anglais. Tandis que la réputation du second a largement débordé les côtes anglaises et, davantage encore, celles de l'histoire naturelle pour empiéter sur la philosophie et les sciences humaines, Joseph Banks reste un savant méconnu, hormis sur son île natale. Il est vrai qu'il appartient à cette lignée d'explorateurs qui, de Joseph de Jussieu à Dombey, n'ont pratiquement rien écrit. Mais la comparaison s'arrête là, car Banks connut, à son retour des mers du Sud, une carrière extrêmement brillante.

Élève au fameux collège de Christ, à l'Université d'Oxford, il perd son père en 1761 à l'âge de dix-huit ans. Il hérite alors d'une solide fortune constituée par son grand-père, célèbre médecin du comté de Lindcoln, qu'il consacrera sa vie durant à la promotion des sciences et de l'histoire naturelle. À cette époque, en effet, celle-ci commençait à peine à émerger de l'humble condition où les sciences exactes – mathématiques et physique – la tenaient encore reléguée. Les tableaux éloquents de Buffon, les ingénieuses classifications de Linné frappèrent l'esprit du jeune Joseph, et, bientôt, son attirance pour la nature se mua en véritable passion pour la botanique. On le vit explorer les recoins les plus perdus de son pays ; un jour, alors qu'il s'était assoupi loin de la grand-route, il fut violemment pris à parti par des policiers qui, le suspectant d'être un voleur, le menèrent poings liés devant un magistrat. L'aventure s'acheva heureusement à son avantage. Mais elle se poursuit aujourd'hui encore sur tout le territoire des îles Britanniques qui comptent sans doute, à elles seules, plus d'herborisateurs que tout le reste de l'Europe. Comme chacun sait, l'Angleterre est un jardin et les Anglais aiment herboriser...

Banks a vingt-trois ans lorsqu'il embarque, avec un de ses amis capitaine de vaisseau, à destination de Terre-Neuve. Premier voyage en mer, premières expériences : il en rapporte une foule d'échantillons divers qui viennent enrichir sa collection naissante.

En 1760, le jeune George III monta sur le trône d'Angleterre et d'Irlande. Il n'avait que vingt-deux ans et allait régner pendant soixante ans : un record ! Le royaume était au sommet de sa puissance et le monarque, « pur dans ses mœurs et simple dans ses goûts », avait compris qu'une découverte utile pouvait honorer un règne tout autant que des conquêtes. Aussi songeait-il à aborder des pays nouveaux dans un esprit qu'on dirait aujourd'hui « humanitaire ». Le temps des conquistadores s'achevait ; Jean-Jacques Rousseau était passé par là et, avec lui, les Lumières. Dès son avènement, George III dépêcha quelques vaisseaux dans les mers du Sud. Le commodore John Byron s'y rendit en 1764, suivi de deux autres officiers, le capitaine Wallis, puis le capitaine Carterey en 1766. Le 15 août 1767, Wallis accosta sur une île dont il prit possession au nom du roi ; elle fut appelée « île du roi George » : c'était Tahiti que les Français de Bougainville allaient redécouvrir un an plus tard.

Puis une quatrième expédition fut décidée sous la conduite du capitaine James Cook. Par ce voyage et les deux autres qui suivirent, Cook a sans doute plus contribué à faire connaître le globe qu'aucun des précédents navigateurs ne l'avait jamais fait. Comme l'expédition de Godin à laquelle participa Joseph de Jussieu en Amérique latine, la première expédition de Cook faisait converger les intérêts de la géographie, des sciences naturelles et ceux de la Couronne, sans oublier ceux de l'astronomie : elle visait notamment à observer le passage de Vénus devant le disque solaire dans la nuit du 3 au 4 juin 1769. Joseph Banks demanda à en faire partie et à y consacrer une partie de sa fortune. Il engagea un élève de Linné, le docteur Solander, installé depuis peu en Angleterre, deux peintres dont la tâche consisterait à représenter tout ce qui ne pourrait pas se conserver, ainsi que plusieurs hommes de service. Toute l'équipe embarqua sur l'*Endeavour* du capitaine Cook, le 26 août 1768 à Plymouth.

Première escale : Madère. Premières herborisations. La vie à bord s'organise : aux escales on explore, en mer on trie, on décrit, on classe les échantillons végétaux et animaux récoltés.

L'escale suivante, à Rio, est moins agréable : le vice-roi portugais ne pouvait comprendre que des hommes pussent entreprendre d'aussi pénibles excursions sans y être poussés par l'appât du gain ou quelque autre obscur dessein. Pourtant, Banks et Solander, malgré l'interdiction de débarquer, réussirent à tromper les gardes et à parcourir les îles de la baie.

Puis l'on met les voiles vers la Patagonie. Là, à l'extrême pointe de l'Amérique du Sud et en plein été austral, Banks décide une expédition risquée en montagne. C'est le premier « grand frisson » de la légendaire équipée du capitaine Cook et de ses compagnons. De fait, nos naturalistes sont bientôt saisis par le froid. Solander exhorte la petite troupe à marcher obstinément, car s'asseoir, s'endormir, c'est risquer de ne plus jamais se relever. Pourtant, lui-même finit par s'étendre sur la neige, de même que les deux serviteurs noirs qui les escortent. On allume alors un feu auprès duquel on traîne les malheureux ; pourtant, malgré ces précautions, le lendemain matin, les deux domestiques noirs sont morts.

Trois mois plus tard, le 11 avril, Tahiti est en vue. Comme Bougainville et Commerson avant eux, nos navigateurs ne tardèrent pas à se faire des amis parmi les naturels de l'île. Banks fut l'invité de la reine Oberea qui, l'ayant logé tout près d'elle, lui fit voler ses vêtements pendant la nuit. Sans doute fut-ce la première fois qu'il n'eut soin de se faire rendre justice, car, on en conviendra, il eût été peu galant de le faire. En revanche, il exerçait une sorte d'autorité naturelle, d'une douceur et d'une aisance qui n'appartenaient qu'à lui, ne cessant pourtant d'aller de l'avant, présidant aux marchés, aux négociations, aux discussions, etc. C'est toujours à lui qu'on s'adressait lorsque quelque embarras surgissait et venait contrarier la coexistence entre navigateurs et autochtones. Ayant l'oreille et l'amitié des habitants, il repérait sans difficulté les voleurs et essayait de retrouver les objets disparus. Il en fut ainsi du fameux quart-de-cercle, subtilisé par un insulaire et qu'il retrouva opportunément, faute de quoi le but premier de l'entreprise – l'observation du passage de Vénus sur le disque solaire – eût été manqué ! On le vit encore se laisser peindre en noir de la tête aux pieds afin de participer incognito à une cérémonie funèbre à laquelle il n'aurait pu assister autrement.

Les traits de caractère qui rendent si attachante la personnalité de Joseph Banks trouvaient à s'exercer généreusement dans ces îles lointaines où il veillait à offrir aux habitants des outils pour l'agriculture, des graines de plantes potagères, des animaux domestiques dont il avait eu soin d'approvisionner l'*Endeavour* au départ. Il y a chez lui une force d'âme exceptionnelle, un souci constant de faire le bien et de le faire bien. Ainsi, loin de vouloir piller les ressources des indigènes – ce que beaucoup firent avant et après lui –, il entendait au contraire les abonder d'apports nouveaux en provenance d'Europe. Un signe fort, après deux siècles de conquêtes et de pillages.

Le 13 juillet 1769, l'*Endeavour* hissa les voiles et quitta Tahiti. Dans le mois qui suivit, Cook prit possession de plusieurs îles de l'archipel de la Société avant de mettre le cap plein sud, puis plein ouest. L'équipe entrait à présent dans la seconde phase de sa mission, à la recherche de la fameuse *Terra australis incognita*.

Le 7 octobre, ils abordèrent bien une terre, mais qui n'était point inconnue : la Nouvelle-Zélande que le Hollandais Tasman avait déjà décrite en 1642, sans toutefois l'avoir explorée.

Cook entreprit alors de faire un tour complet de l'île, constatant qu'en fait il y en avait deux, en quelque sorte juxtaposées bout à bout, séparées par un détroit que Banks dédia au capitaine et qui reste aujourd'hui le détroit de Cook. Banks et Solander multiplièrent les observations en Nouvelle-Zélande, constatant une exceptionnelle richesse de la faune et une diversité ornithologique sans pareille. Ils découvrirent un perroquet carnivore vivant exclusivement sur ces terres : le Kéa, et un autre, plus petit et plus coloré, le Loriquet de Swainson. La riche faune ornithologique de la Nouvelle-Zélande est aujourd'hui protégée, en particulier dans le Parc national du Fjordland, à l'extrême sud de l'archipel, où vit notamment le Notornis, un oiseau aptère au magnifique plumage bleu et vert, que l'on croyait disparu et qui fut retrouvé en 1948 dans une vallée perdue du parc : on en dénombre actuellement environ cent vingt spécimens adultes. Encore plus menacé d'extinction, un perroquet nocturne, vert et aptère lui aussi, le Kakapo, dont il reste moins de dix individus actuellement dénombrés. Banks et Solander ne semblent point avoir repéré ces oiseaux. Ils ne semblent pas avoir rencontré non plus le Sphenodon[1], sans doute l'un des reptiles les plus anciens de la faune actuelle, contemporain des dinosaures et dont la plupart des individus vivants habitent la Nouvelle-Zélande.

Quant à la flore, ils eurent la surprise de lui trouver une physionomie typique des régions tempérées, qui n'allait pas sans évoquer l'Angleterre. La Nouvelle-Zélande s'étend, il est vrai, entre le 35e et le 47e degré de latitude sud. Eu égard aux rigueurs plus sévères du climat de cet hémisphère, cette latitude correspond approximativement aux latitudes centre et nord-européennes. Les paysages montagneux, couverts de vastes forêts de conifères et de feuillus, donnent volontiers le change avec les nôtres. Mais si l'allure de la végétation ne nous dépayse guère, la flore dont elle est constituée diffère sensiblement. Les conifères, en particulier, appartiennent à des espèces spécifiques de l'hémisphère Sud. Ils sont dominés par

---

1. *Sphenodon punctatus.*

le magnifique Kauri[1], abondant dans les forêts de l'île du nord. Ce puissant conifère dont le tronc peut atteindre un diamètre record de sept mètres, est l'un des grands monuments du règne végétal. Il fournit une abondante résine qui se solidifie après exsudation et peut former des gisements fossiles exploités pour la fabrication de vernis et de peintures. Ces Kauris poussent dans la partie septentrionale de la Nouvelle-Zélande, là où les gelées sont quasi inexistantes et le climat de type subtropical humide.

Solander découvrit aussi des hêtres étranges qui se distinguent des nôtres par plusieurs caractères, notamment la cupule. Cet organe, propre aux arbres de la famille des Cupulifères, entoure le fruit – comme le gland chez le chêne – qu'il recouvre plus ou moins. Chez nos hêtres, cette cupule enferme les faines et se hérisse de nombreux piquants. En revanche, les hêtres néo-zélandais ont des cupules dépourvues d'épines. Hormis ce caractère, la ressemblance avec les nôtres est frappante. Cet arbre a été classé ultérieurement dans le genre *Nothofagus*, en d'autres termes « le faux hêtre ». Mais d'aucuns prétendent qu'il faudrait écrire *Notofagus*, faisant ainsi référence à une autre racine grecque, *notos*, qui signifie « sud » (alors que *nothos* signifie « faux »). En fait, ces *Nothofagus* se rencontrent exclusivement dans les zones tempérées de l'hémisphère Sud, en Nouvelle-Zélande, en Australie du Sud et en Amérique méridionale. Ainsi, hêtres et faux hêtres se disposent-ils symétriquement de part et d'autre de l'équateur, sans aucun représentant dans la bande intertropicale ; ils représentent typiquement ce que les botanistes appellent un *couple de vicariance* : dans des milieux homologues mais distincts et séparés, deux genres ou deux espèces occupent les mêmes habitats sous le même climat. Tout comme le vicaire remplace le curé, les *Nothofagus* remplacent dans l'hémisphère Sud les hêtres qui ne croissent que dans l'hémisphère Nord.

La Nouvelle-Zélande – dans l'île du sud, notamment – offrit donc à nos explorateurs ses merveilleux paysages dominés par

---

1. *Agathis australis*, Araucariacées.

plusieurs *Nothofagus*, en particulier le « hêtre argenté », le « hêtre de montagne » et le « hêtre rouge ». Ces essences épousent le terrain et, alors qu'elles se dressent verticalement en plaine, elles revêtent un aspect noueux et rabougri dès que l'altitude dépasse les mille mètres (phénomène que l'on observe également pour le hêtre dans les régions sommitales des Vosges, par exemple). Au-dessus de la limite de présence des arbres, ce sont les étages d'arbrisseaux subalpins et les herbages de montagne dont la flore évoque celle de nos propres latitudes, avec des renoncules, des digitales, des lys, etc.

L'étape suivante comportait l'exploration de la fameuse « Nouvelle-Hollande » : l'Australie. Les Hollandais – notamment le célèbre navigateur Tasman, qui laissa son nom à l'île de Tasmanie – avaient découvert le cinquième continent au début du XVIIIe siècle. Le 28 avril 1770, l'*Endeavour* mouilla dans une baie que Cook baptisa *Botany Bay* (« baie de la botanique »). Là, pendant huit jours, Banks et Solander découvrirent quantité de végétaux inconnus, en particulier des eucalyptus dont la hauteur, dépassant les cent mètres, faisait d'eux les arbres les plus hauts du monde ! Ainsi venaient-ils de découvrir un nouveau genre de plante, spécifique du continent australien et qui ne compte pas moins de 450 espèces caractérisées par une abondante sécrétion d'essence qui leur confère une odeur balsamique prononcée. De l'exploration fructueuse de Botany Bay vinrent aussi plusieurs espèces d'acacias, plus connues sous le nom de mimosas, qui suivirent ultérieurement le chemin des eucalyptus en venant peupler, au début du XIXe siècle, notre littoral méditerranéen. C'est aussi à Botany Bay que Banks et Solander repérèrent de magnifiques Protéacées immortalisées par le fils de Linné sous le nom de *Banksia*. Très riches en nectar, elles fournissent un miel largement utilisé par les aborigènes. Les *Banksia* illustrent la présence habituelle des représentants de la vaste famille des Protéacées dans l'ensemble de l'hémisphère Sud, ainsi que nous le verrons à propos de la végétation du Cap où les premiers représentants de ce groupe furent découverts.

Le 6 mai, l'*Endeavour* quitta Botany Bay en direction du nord. À quelques kilomètres de là s'ouvrait une autre baie que l'équipage de Cook ne visita pas mais où devait s'établir ultérieurement la ville de Sydney. Quelques jours plus tard, il s'engageait dans une zone très périlleuse, située entre la côte et la grande barrière de corail. Le 11 juin, en pleine nuit, le bateau heurta un récif et s'y encastra ; une voie d'eau s'ouvrit et mit l'équipage en péril. Cook réussit à se tirer de cette situation scabreuse et, au bout de neuf jours, le navire fut piloté jusqu'au bord d'une rivière que Cook baptisa « Endeavour ». Aussitôt, les réparations commencèrent ; elles durèrent plus d'un mois. Banks et leurs compagnons en profitèrent pour explorer l'intérieur des terres ; ils parcoururent des forêts d'eucalyptus géants, observèrent des termitières hautes de deux à trois mètres, et tombèrent sur un arbre encore inconnu jusque-là : le Filao. Les botanistes le baptisèrent *Casuarina*, car ses touffes d'aiguilles molles et retombantes ressemblent à la crête d'un casoar, mais aussi au plumet rouge et blanc qui orne le shako de nos saints-cyriens. Par ses feuilles en aiguilles allongées et incurvées cet arbre ressemble à certains conifères ; il peuple aujourd'hui généreusement toutes les plages de sable tropicales, et représente dans ces régions le seul arbre dont on puisse faire un arbre de Noël à peu près crédible de par sa ressemblance avec le traditionnel sapin de l'hémisphère Nord.

Le 22 juin 1769 devait rester une date mémorable dans les annales de l'expédition. Des hommes partis au tir aux pigeons déclarèrent avoir observé un animal singulier, de la taille d'un lévrier, d'une constitution élancée, au pelage évoquant par sa couleur celui des souris, et à la progression extrêmement rapide ; il ressemblait à un quadrupède que Solander avait déjà aperçu de son côté dans un bois, le 1er mai, à Botany Bay. Descendu à terre le 24 juin, Cook eut la chance d'en voir un autre de ses propres yeux. Le 14 juillet, un de ces animaux fut abattu : il pesait 14 kilos. Un autre, beaucoup plus grand, fut abattu peu après, qui pesait 42 kilos. Interrogeant les indigènes, Cook crut comprendre qu'ils baptisaient cet étrange animal *kangaroo*. Mais les indigènes, ne maîtrisant pas la langue de Shakespeare, n'avaient pas, dit-on, compris la question du captitaine, et dans leur idiome, *kangaroo* aurait signifié « Je ne comprends pas[1] ». Cette histoire classique, liée à la légende du kangourou, est malheureusement suspecte ; il en existe en effet plusieurs variantes, et l'on aurait ultérieurement démontré qu'un mot aborigène à consonance identique désigne bien une espèce de kangourou...

On crut pendant longtemps que Cook et Banks avaient été les premiers Européens à avoir aperçu des kangourous. Jacques Brosse rétablit la vérité historique en rappelant que ceux-ci avaient été « découverts cent cinquante ans plus tôt par le capitaine hollandais Pelsaert qui, ayant échoué en 1629 près des îles Wallabies, dans le golfe de Carpentari, au nord de l'Australie, y rencontra un kangourou femelle de la petite espèce, appelé depuis *wallaby*, et trouva dans la poche de la mère un petit, minuscule, suspendu à une tétine. Mais le rapport de Pelsaert passa inaperçu et fut vite oublié[2]. » Jacques Brosse ajoute que l'Anglais Dampier y avait rencontré aussi, dès le XVIIe siècle, un kangourou à l'occasion d'une prospection rapide des côtes. Mais c'est à Banks qu'il convient d'attribuer l'introduction des kangourous en Europe ; il en envoya même un spécimen à Auguste Broussonnet, naturaliste français natif de Montpellier. Cet envoi eut lieu en 1789, année durant laquelle les préoccupations du peuple français s'éloignaient considérablement des kangourous : quelque deux jours après son arrivée, la Bastille tomba et l'on prêta fort peu d'attention à l'arrivée en France du premier marsupial.

Étranges animaux, en vérité ! On vient d'apprendre que chez certains d'entre eux, les chétifs nouveau-nés cachés dans la poche de leur mère réussissent à respirer par la peau, leurs poumons n'étant que partiellement fonctionnels quand ils sont encore à un stade de développement quasi fœtal. Une particularité unique chez les Mammifères, que l'on croyait spécifique à certains Amphibiens comme les grenouilles, évidem-

1. Jean-François Bouvet, *Du fer dans les épinards et autres idées reçues,* Seuil/ Science ouverte, 1997.
2. Jacques Brosse, *op. cit.*

ment bien moins gourmands en oxygène en tant qu'animaux à sang froid. Autre étrangeté : chez ces Marsupiaux, les femelles possèdent deux utérus et deux vagins accordés à l'étrange pénis bifide des mâles : une singularité qui n'appartient qu'à eux !

On s'est longuement interrogé sur la disparition massive de plusieurs espèces de grands Marsupiaux australiens, il y a environ cinquante mille ans. Après avoir imputé ce désastre écologique à quelque mystérieuse catastrophe climatique, force est aujourd'hui de constater que cette décimation semble due à l'arrivée sur le cinquième continent du plus redoutable des Mammifères placentaires : l'homme. En brûlant la brousse australienne, il aurait détruit les habitats de ces animaux fragiles, précipitant la disparition de dix-neuf espèces de Marsupiaux, spécialement celles dont les individus dépassaient les 100 kilos.

De cette exploration australienne, Banks devait également ramener le mouton mérinos dont on sait combien il contribua à la promotion de la production et du commerce de la laine.

Le 10 octobre 1769, l'*Endeavour* mouilla dans le port hollandais de Batavia. Une épidémie de dysenterie sévit à bord et se développa durant les deux mois et demi que dura la traversée de Batavia au Cap. L'*Endeavour* y séjourna un mois, puis, après une escale de trois jours à Sainte-Hélène, atteignit Douvres le 12 juillet 1771, soit six mois après son départ de Batavia. Ce voyage avait été fatal à trente marins, morts de dysenterie ou de malaria ; au total, cinquante-six seulement des quatre-vingt-quatorze hommes embarqués revenaient au pays. Pourtant, dès le départ, Cook avait pris ses précautions ; l'équipage avait résisté en particulier grâce à la choucroute, réputée empêcher l'apparition du scorbut si redouté alors au cours des grands voyages en mer. Mais les marins avaient refusé de consommer cet aliment insolite ; Cook eut l'habileté d'en apprêter tous les jours pour les officiers, laissant aux hommes la liberté de s'abstenir ou d'en consommer à discrétion. Il fallut moins d'une semaine pour que, par mimétisme, tout l'équipage en revendique sa part.

174

Le retour de Cook et de Banks suscita un enthousiasme extraordinaire : l'Université d'Oxford les nomma docteurs *honoris causa*, et le roi George III les reçut en audience. En 1773 parut la relation du voyage de la main du docteur John Hawkesworth, habile compilateur du Journal de bord et des notes prises par Banks et Solander. *Le Voyage de Cook* connut un énorme succès ; il fut traduit dès 1774 en français, puis en allemand et en italien. Hawkesworth s'y émerveillait plus, semble-t-il, que les navigateurs eux-mêmes de ces fameux *bons sauvages* que Bougainville et Commerson d'abord, puis les membres de l'expédition avaient rencontrés à Tahiti. L'exaltation de ce « paradis païen et luxurieux » semblait pourtant contredire les exigences morales du christianisme et l'idée même de progrès, déjà fort répandue à l'époque en Grande-Bretagne. Et c'est un fait que l'opinion publique de ce pays ne réagit pas comme les Français du XVIIIe siècle au fameux mythe rousseauiste.

La moisson de renseignements et de documents rapportés par l'équipe de Cook était incommensurablement plus riche que celle qu'avait récoltée Bougainville. Longtemps, on espéra que Banks et Solander en feraient jouir le public, et on a du mal à discerner ce qui les en empêcha... car il n'en fut rien ! Solander ne mourut qu'en 1782 ; il aurait donc disposé de dix ans pour rédiger sa part des relations scientifiques de l'expédition. Quant à Banks, il ne consigna pas davantage le résultat de ses propres observations ; en revanche, il communiquait volontiers ses trésors scientifiques à quiconque lui paraissait digne d'en faire bon usage. Ainsi, Broussonnet reçut non seulement le kangourou, mais tous les échantillons de poissons. Le botaniste Robert Brown publia en 1810 un ouvrage qui fait toujours autorité, rédigé chez Joseph Banks en personne, au milieu de ses collections, sur les plantes rapportées de « Nouvelle-Hollande ».

Il est difficile de dresser un bilan exhaustif des apports originaux dus à Banks et Solander. On cite l'importation de la canne de Tahiti, plus productive, dont la culture se développa

175

dans les colonies britanniques. De même l'arbre à pain devait-il se répandre à travers toute l'Amérique chaude. Quant au lin de Nouvelle-Zélande, aux fils plus tenaces que ceux d'aucune autre plante, il fut considéré comme une acquisition importante pour la fabrication des cordages nécessaires à la marine. Enfin, les kangourous se répandirent dans les parcs et jardins.

En 1773, le capitaine Cook embarqua pour un second voyage. Banks était bien décidé à l'accompagner de nouveau, de même que Solander. Tous les préparatifs étaient terminés et le bateau avait été aménagé de manière à faciliter le travail des naturalistes installés à bord. Mais, à la dernière minute, Cook refusa de les embarquer. Était-il jaloux d'avoir eu à partager la gloire de son premier voyage ? Était-il habité par quelque mauvais souvenir ou quelque désagrément survenu au cours de celui-ci ? On ne le sait pas au juste. Toujours est-il qu'il fit détruire sur le vaisseau les aménagements que Joseph Banks y avait fait faire. Banks fut remplacé sur le bateau par Johann Rheinold Forster, un Allemand installé à Londres, et par son fils Johann Georg. Mais Cook, au cours de ce second périple, se brouilla également avec eux deux et, du coup, se dispensa de se faire accompagner par quelque naturaliste que ce soit au cours du troisième et dernier voyage. Banks, de son côté, entreprit l'exploration de l'Islande qu'il parcourut un mois durant en 1772 ; devant l'état de malnutrition de la population locale, il fit envoyer à ses frais plusieurs cargaisons de grain au peuple islandais qu'il signala tout particulièrement à l'attention de la Cour du Danemark alors propriétaire de l'île.

À son retour d'exploration, Banks devint un naturaliste de cabinet. On ne disait pas encore « laboratoire » à l'époque. Sa maison était ouverte, avec une égale hospitalité, aux savants anglais et étrangers ; elle devint une sorte d'académie. Sa bibliothèque ne cessa de s'enrichir et fut tenue à la disposition de la Société Royale de Londres, la plus ancienne des académies des sciences. Il allait occuper ce poste quarante et un ans, une durée plus longue que celle d'aucun de ses prédécesseurs, puisque Newton n'avait occupé ce fauteuil que vingt-quatre ans.

Les conditions dans lesquelles Banks fut élu à la tête de cette haute institution méritent qu'on s'y arrête. Écoutons à ce propos le baron Cuvier, dans son *Éloge historique de Monsieur Banks*, prononcé le 2 avril 1821 à l'Académie royale des Sciences :

« À l'époque dont nous parlons, le débat fut d'autant plus vif qu'un incident singulier, j'oserais presque dire ridicule, avait jeté une aigreur extraordinaire dans les esprits. Les physiciens de la Société Royale, consultés sur la forme qu'il convenait de donner à un paratonnerre que l'on voulait placer sur je ne sais quel édifice public, avaient proposé à la presque unanimité de le terminer en pointe ; un seul d'entre eux, nommé Wilson, imagina de prétendre qu'il devait être fait en bouton arrondi, et mit un entêtement incompréhensible à soutenir ce paradoxe. La chose était si claire qu'en tout autre pays ou en tout autre temps, on se serait moqué de cet homme, et l'on aurait fait le paratonnerre comme jusque-là on avait fait tous les autres. Mais l'Angleterre se trouvait alors dans le fort de sa querelle avec les colonies d'Amérique, et c'était Franklin[1] qui avait découvert le pouvoir qu'ont les pointes de soutirer la foudre. Une question de physique devint donc une question de politique. Elle fut portée non pas devant les savants, mais devant les partis : il n'y avait, disait-on, que les amis des Insurgeants qui pussent vouloir des pointes ; et quiconque ne soutenait pas les boutons était évidemment sans affection pour la métropole.

« Comme à l'ordinaire, la foule et même les grands se partagèrent avant d'avoir rien examiné ; et Wilson trouva des protecteurs comme on en trouverait contre le théorème de Pythagore si jamais la géométrie devenait aussi une affaire de partis. On assure même qu'un personnage auguste, en toute autre occasion ami généreux et éclairé des sciences, eut cette fois la

---

1. Franklin avait rédigé avec Jefferson la déclaration d'indépendance donnant naissance aux États-Unis d'Amérique.

faiblesse de se faire solliciteur, et le malheur de solliciter contre les pointes. Il en parla au président d'alors, le baronet John Pringle, savant d'un esprit judicieux et d'un caractère élevé ; Pringle, dit-on, représenta respectueusement que les prérogatives du président de la Société Royale n'allaient pas jusqu'à changer les lois de la nature. Il eût pu ajouter que, s'il est honorable pour les princes, non seulement de protéger les sciences, comme ils le doivent, mais encore d'amuser leurs loisirs en s'informant des discussions qu'elles occasionnent, ce ne peut être qu'à condition de ne pas faire intervenir leur rang à l'appui des opinions qu'ils adoptent. Ni ces réflexions ne furent faites, ni les représentations de Pringle ne furent reçues avec la bonté à laquelle il était accoutumé ; et comme, depuis trois ans, cette malheureuse querelle lui avait déjà procuré mille tracasseries, il crut convenable à son repos de donner sa démission.

« Ce fut à sa place que M. Banks fut élu au mois de novembre 1778. De quel côté s'était-il rangé dans la guerre des pointes et des boutons électriques ? Nous ne le savons pas bien ; mais ce que tout le monde comprend, c'est qu'en pareille circonstance il était impossible que qui que ce fût arrivât à la présidence sans y être accueilli par de grandes inimitiés... »

Puis Cuvier dresse le bilan de la longue présidence de Banks :

« Pendant cette époque si mémorable dans l'histoire de l'esprit humain, les savants anglais, il nous est honorable de le dire – nous à qui l'on ne contestera pas le droit de rendre ce témoignage et qui pouvons le rendre sans crainte pour nous-même – , les savants anglais ont pris une part aussi glorieuse que ceux d'aucune nation à ces travaux de l'esprit communs à tous les peuples civilisés : ils ont affronté les glaces de l'un et de l'autre pôles ; ils n'ont laissé dans les deux océans aucun recoin qu'ils n'aient visité ; ils ont décuplé le catalogue des règnes de la nature ; le ciel a été peuplé par eux de planètes, de satellites, de phénomènes inouïs ; ils ont compté pour ainsi dire les étoiles de la Voie Lactée ; si la chimie a pris une face nouvelle, les faits qu'ils lui ont fournis ont essentiellement contribué à cette métamorphose ; l'air inflammable, l'air pur, l'air phlogistique leur sont dus ; ils ont découvert la décomposition de l'eau ; des métaux nouveaux et en grand nombre sont les produits de leurs analyses ; la nature des alcalis fixes n'a été démontrée que par eux ; la mécanique, à leur voix, a enfanté des miracles et placé leur pays au-dessus des autres dans presque tous les genres de fabrications ; et si, comme aucun homme raisonnable n'en peut douter, de pareils succès proviennent de leur énergie personnelle et de l'esprit général de leur nation beaucoup plus que de l'influence d'un individu, dans quelque position qu'il pût être, toujours faudra-t-il avouer que M. Banks n'a point usé de sa position et que son influence n'a rien eu de funeste. Le recueil même des *mémoires* de la Compagnie, sur lequel on pourrait sans exagération supposer au président une action plus effective que sur la marche des sciences, a pris évidemment plus de richesse ; il a paru plus exactement, et sous des formes plus dignes d'un si bel ouvrage. C'est aussi du temps de M. Banks que la Société elle-même a été mieux traitée par le gouvernement, et qu'elle a occupé dans un des palais royaux des appartements dignes d'un corps qui fait tant d'honneur à la nation... »

Ajoutons que Banks sut aussi donner au jeune Jardin botanique de Kew une impulsion extraordinaire : celui-ci reste aujourd'hui la plus honorable institution moderne dans le monde de la botanique. Mais le plus grand mérite de Banks est sans doute d'avoir su éviter aux scientifiques les malheurs de la guerre. À l'ouverture de la guerre d'Amérique, Louis XVI avait fait donner partout à ses vaisseaux l'ordre de respecter le capitaine Cook et ses compagnons ; Banks ne manqua pas d'exhorter le gouvernement anglais à se conformer au même principe. On verra comme il eut soin de restituer à la France les collections de La Billardière, saisies et transportées en Angleterre. Il envoya même jusqu'au cap de Bonne-Espérance une délégation pour faire acheter des caisses appartenant à Humboldt, qui avaient été prises par des corsaires... Il se sentait étroitement solidaire de toutes les atteintes que ses compatriotes pouvaient porter aux sciences et aux arts. Ses qualités d'altruisme et sa magnanimité lui valurent d'occuper une place prépondérante dans le monde des sciences au tournant du XIXe siècle, bénéficiant d'un respect unanime et d'un prestige sans égal.

Entouré d'une mère d'âge respectable, d'une sœur pleine d'esprit, d'une épouse aimable et compréhensive, Joseph Banks mourut le 19 mars 1820 sans laisser d'enfant. Mais il laissait une riche bibliothèque d'histoire naturelle et des collections représentant un demi-siècle de recherches assidues. Le tout revint au célèbre Jardin botanique de Kew, le Muséum britannique. On préleva sur son héritage des fonds destinés à faire se poursuivre des dessins botaniques en cours d'exécution par l'excellent artiste Bauer.

Banks, dont la vie fut entièrement consacrée à la science et aux scientifiques, mais aussi à l'humanité et aux plus humbles de ses représentants – aborigènes australiens, autochtones tahitiens, Néo-Zélandais, Islandais, etc. –, méritait ce long développement destiné, comme on eût dit jadis, à l'« édification des générations futures »... Sa vie et son œuvre viennent opportunément rappeler à notre peuple, si prompt à réécrire l'histoire en sa faveur, la part que prit le monde anglo-saxon – par États-Unis interposés – à l'émergence de la notion de Droits de l'Homme. S'en souvenir n'ôte rien au mérite qu'eut la Révolution de les faire siens avant de sombrer dans le sinistre épisode de la Terreur. Comme le fera de son côté Alexander von Humboldt, Joseph Banks illustre cet idéal auquel l'humanité entière finira bien un jour par se rallier. Un idéal qu'il sut mettre en pratique dans tous les actes de sa vie publique et privée. Tel n'est pas le moindre de ses mérites face à l'Histoire.

16

La Billardière,
un botaniste révolutionnaire

Les aventures de La Billardière n'ont rien à envier à celles de son illustre collègue britannique. Mais nous avons affaire cette fois à un révolutionnaire bon teint, à l'esprit véhément, qui mena la vie dure au contre-amiral d'Entrecasteaux qu'il accompagna en Australie.

La France de l'Ancien Régime finissant s'inquiétait de la disparition en mer de l'expédition de La Pérouse. À la tête d'une mission commanditée par Louis XVI, celui-ci avait quitté le port de Brest le 1er août 1785. Le roi avait été fort impressionné par les récits des trois voyages du capitaine Cook. Il s'agissait pour lui de relever le défi en assurant la présence française dans les mers du Sud. Les vaisseaux de La Pérouse, *La Boussole* et *L'Astrolabe*, avaient donc entrepris un vaste périple qui, par le cap Horn et l'île de Pâques, les avait menés en Alaska, en Californie, à Macao, puis jusqu'à l'île de Sakhaline et au Kamtchatka. Ils avaient mis ensuite le cap plein sud, jusqu'à Botany Bay qu'ils avaient quittée le 10 mars 1788 sans plus jamais donner de nouvelles ni laisser de traces. Il devint bientôt évident que l'expédition avait fait naufrage. Pour autant, la France révolutionnaire n'oublia pas La

Pérouse : l'Assemblée constituante décida en 1791 d'envoyer une expédition à sa recherche, laquelle fut confiée au chevalier d'Entrecasteaux. Celui-ci devait tenter de retrouver les traces de La Pérouse parmi les centaines d'îles du sud-ouest du Pacifique. Il disposait pour cela de deux navires, *La Recherche* et *L'Espérance*. Comme à l'accoutumée, on associa à l'expédition des naturalistes, La Billardière sur *La Recherche*, Claude Riche sur *L'Espérance*. Très vite, des frictions allaient se faire sentir au sein des équipages, les uns tenant pour les idées de la Révolution, les autres pour celles de l'Ancien Régime. La Billardière devait prendre rapidement de l'ascendant parmi les premiers.

Jacques-Julien Houttou de La Billardière était né en 1755 d'une des familles les plus considérées d'Alençon. Il avait trente-six ans au moment du départ, ainsi qu'une solide formation de médecin et de botaniste, conforme aux traditions de l'époque. À l'issue de ses études médicales, effectuées à Montpellier où il avait été l'élève d'Antoine Gouhan, éminent professeur de botanique et ami de Commerson, il s'était rendu en Angleterre ; là, sous le patronage de l'illustre Banks, il s'était appliqué à observer les végétaux exotiques, encore inconnus des Français, qu'on cultivait déjà à Londres et dans ses environs.

La Recherche et *L'Espérance* quittèrent le port de Brest le 29 septembre 1791. Trois mois plus tôt, le 22 juin, le roi et sa famille avaient été arrêtés à Varennes. Le mouvement révolutionnaire allait désormais bon train et les tensions politiques qu'il engendra au sein de l'expédition finirent, comme on le verra, par la ruiner entièrement.

L'expédition doubla Le Cap et aborda trois mois plus tard la Tasmanie. La Billardière fut saisi par la découverte d'arbres d'une très grande hauteur et dont la circonférence pouvait atteindre huit mètres et demi. Les plus vieux mouraient tout naturellement de leur belle mort et formaient avec les vivants un entrelacs serré, au point de constituer une forêt impénétrable. Il s'agissait d'Eucalyptus, genre nouveau que le botaniste L'Héritier avait décrit quelques années avant le départ de l'expédition au vu des échantillons ramenés par Banks. La Billardière décrivit à son tour six espèces d'Eucalyptus de Tasmanie. Parmi ceux-ci, le gommier bleu *(Eucalyptus globulus)* qui se révéla très aisé à naturaliser : à son retour, il en sema des graines dans le jardin de La Malmaison, en 1804 ; ces eucalyptus connurent ensuite une expansion considérable, et, moins d'un demi-siècle plus tard, prospérèrent généreusement sur la Côte d'Azur. C'est notre classique eucalyptus méditerranéen.

Parmi les nouvelles espèces d'Eucalyptus figure aussi l'*Eucalyptus amygdalina,* considéré aujourd'hui comme le record-man de hauteur du règne végétal, record qu'il enlève aux séquoias californiens dont certains atteignent les cent mètres. Selon des observations effectuées sur des arbres abattus au siècle dernier, sa taille pourrait atteindre jusqu'à 115 mètres (d'aucuns disent même 150 mètres, chiffre qui doit être accueilli avec beaucoup de circonspection). La Billardière note que la plupart des Eucalyptus géants voisins de la mer ont été creusés à leur pied :

« La plupart des gros arbres voisins de la mer ont été creusés par le feu. Ces ouvertures, presque toutes situées au nord-est, sont à l'abri du vent de sud-ouest qui paraît être le vent dominant et le plus impétueux. On ne peut douter qu'elles soient l'ouvrage des hommes, car si le feu avait été mis par accident, l'arbre serait attaqué dans le contour. C'est que l'arbre sert de retraite aux naturels qui viennent y faire leurs repas et y dormir. Les sauvages ne sont pas trop en sécurité sous ces gros arbres minés par le feu : un vent fort peut les abattre : quelques-uns des plus gros arbres creusés par le feu dans toute leur longueur forment une espèce de cheminée et ne continuent pas moins de végéter. Plusieurs grands arbres que nous abattîmes durant notre séjour se trouvèrent, malgré les plus belles apparences, gâtés dans leur intérieur. »

Puis l'expédition contourne le continent australien et la Nouvelle-Guinée pour faire escale à Amboine, aux îles Moluques. Adepte des Droits de l'Homme, La Billardière est fortement choqué par le comportement des Hollandais dans ces colonies. C'est là qu'il découvre notamment le muscadier et le giroflier dont ceux-ci ont réussi, par un habile stratagème, à s'adjuger le monopole. La Billardière s'en explique :

« Le giroflier fait la principale culture d'Amboine et de plusieurs îlots situés dans l'est de cette île, où il réussit on ne peut mieux. Les plus grands que nous vîmes n'avaient pas plus de sept mètres de haut. Les naturels doivent livrer à la Compagnie tous les clous de girofle qu'ils recueillent pour environ la 150ᵉ partie de leur valeur en Europe, et le reste est le revenu de la Compagnie. Autrefois, le muscadier et le giroflier étaient répandus dans les îles de Ternate, de Tidor, de Makian, etc., en bien plus grande quantité qu'à Amboine et à Banda ; mais les Hollandais, voulant s'approprier exclusivement ces arbres précieux, forcèrent les souverains de ces premières îles à en détruire les plantations ; ils tiennent auprès d'eux des agents qui y font des visites rigoureuses, et on ne les cultive qu'à Amboine et sur les autres îles qui sont sous la dépendance immédiate de la Compagnie et où elle peut exercer une surveillance continuelle. Cette inquisition exercée par la cupidité hollandaise est contrariée singulièrement par les oiseaux qui vont déposer les graines des arbres à épiceries dans les îles voisines de celles où ils sont cultivés, ce qui a encore déterminé la Compagnie à y fixer des résidents dont la mission principale est de faire continuellement des recherches pour détruire tous ceux qu'ils peuvent y rencontrer... »

Ainsi les arbres producteurs croissent-ils sous haute surveillance, de peur qu'une nation étrangère ne vienne s'emparer de quelques pieds et briser ainsi le monopole hollandais. On l'a vu, c'est ce tour de force que réussit le Français Pierre Poivre qui parvint à implanter la culture du giroflier à l'île de France (île Maurice).

Le 13 octobre 1792, *La Recherche* et *L'Espérance* quittent Amboine. Ils longent non sans difficulté la côte orientale de l'Australie ; après avoir franchi, à l'extrême sud-ouest du continent, le cap Leeuvin, ils poursuivent le long du littoral méridional. Au fil d'une navigation fort malaisée, *L'Espérance* découvrit une baie abritée à laquelle l'équipage donna le nom du vaisseau, cependant que les îles voisines reçurent le nom d'archipel de la Recherche, qu'elles portent toujours « en souvenir de l'autre bâtiment ».

Tout se passe alors comme si La Billardière était atteint de problèmes de perception spatio-temporelle ! Car sa relation de ce qui se passe durant cette unique escale australienne est aussi confuse dans l'espace que dans le temps...

Dans le temps, d'abord. La Billardière publia en 1800 sa *Relation de voyage à la recherche de La Pérouse*. Huit ans plus tard, Rossel, son coéquipier à bord de *La Recherche*, publia à son tour ses notes et souvenirs. Pour le premier, le séjour à Esperance Bay avait duré du 20 au 28 frimaire de la première année de la République française, soit du 10 au 18 décembre 1792 ; pour le second, du 9 au 17. Pourquoi cette différence de datation ? Notes de voyage imprécises ? ou erreur de transcription ? C'est l'hypothèse la plus probable. Lorsque les deux vaisseaux abordent à Esperance Bay, en décembre 1792, le calendrier révolutionnaire est en vigueur à Paris depuis deux mois. Nos navigateurs n'en savent naturellement rien et continuent à tenir leur Journal de bord selon le calendrier grégorien. En 1800, lorsque La Billardière publie son récit de voyage, le calendrier révolutionnaire est toujours en vigueur, et c'est conformément à ce calendrier qu'il narre son aventure en se trompant d'un jour dans la transposition des dates de l'un à l'autre. Ce que ne fait pas Rossel en 1808, car, cette année-là, le calendrier grégorien et de nouveau en vigueur, ce qui lui évite toute transposition d'un calendrier à l'autre, donc tout risque d'erreur : il conserve les dates d'orgine telles qu'elles figurent dans son Journal de bord, et c'est donc bien du 9 au 17 décembre 1792 qu'eut lieu cette escale historique.

Ce type d'approximations fourmille dans l'œuvre de La Billardière, longtemps tenu pour un botaniste négligent et imprécis. D'autres erreurs résultent de l'adoption du système métrique par la Révolution : d'où certaines fautes découlant de la confusion entre les toises[1] et les mètres, que les traductions françaises de sa *Relation de voyage* en anglais ne pouvaient que

1. Mesure d'Ancien Régime : une toise valait 1,949 m.

favoriser : on note donc tantôt des altitudes trop élevées, tantôt des températures trop basses. Les Eucalyptus géants de Tasmanie avaient-ils 150 pieds, comme il l'écrit, ou 150 mètres, comme on le dit souvent ? 150 pieds, soit environ 50 mètres, c'est bien petit pour un géant ; mais 150 mètres constituent un vrai record sur lequel tout le monde ne s'accorde pas. Décidément, il n'est guère facile d'être un explorateur rigoureux quand le calendrier et les étalons de mesure changent inopinément !

À ces problèmes de chronologie et de mensurations s'ajoutent des difficultés quant à la localisation précise de l'escale à Esperance Bay, la seule que firent nos navigateurs sur le continent australien. Faute d'indications suffisantes, on hésita longuement sur l'endroit où *La Recherche* avait bien pu jeter l'ancre. Il fallut attendre les résultats des investigations toutes récentes des botanistes australiens Stella et Denis Carr, spécialistes des Eucalyptus, pour identifier enfin ce lieu de mouillage. Il s'agit de l'île de l'Observatoire que ces chercheurs australiens découvrirent telle que La Billardière l'avait décrite près de deux siècles auparavant. C'est sur celle-ci qu'il avait recueilli un échantillon d'*Eucalyptus cornuta*, premier eucalyptus à être décrit et cueilli en Australie occidentale.

Dans l'ouvrage qui relate les récoltes botaniques effectuées au cours de ce voyage[1], l'auteur ne précise pas les emplacements où les plantes ont été récoltées, si bien qu'il est impossible d'attribuer telle espèce à la Tasmanie, qu'il revisita par la suite, ou telle autre à la baie de l'Espérance... Plus étrange encore, on voit figurer parmi la liste de ses récoltes une espèce aussi extraordinaire que le très fameux Népenthès d'Albany, le *Cephalotus*[2].

Cette plante carnivore ressemble au népenthès bien connu de tous, dont la nervure des longues feuilles se termine par une urne fermée par un opercule. Que celui-ci s'ouvre, et les insectes curieux qui s'aventurent sur le bord de l'urne tombent

---

1. La Billardière, *Novae Hollandiae Plantarum Specimen*, Paris, 1804-1807
2. *Cephalotus follicularis*, Céphalotacées.

dans un liquide qui ne tarde pas à les digérer. Certains moustiques arrivent cependant à déjouer le piège en développant
une résistance au suc digestif de ces fleurs redoutablement
prédatrices. Mieux encore : de petites algues élisent domicile
dans ces urnes de la mort qui ne leur font aucun mal !

Or le *Cephalotus*, genre unique d'une famille spécifique, les
Céphalotacées, ne pousse que sur la côte ouest de l'Australie,
en aucun cas jusqu'à Esperance Bay, située au sud du continent. Comment expliquer dès lors que La Billardière le signale
au nombre de ses découvertes, puisqu'il ne fit aucune escale
sur la côte où pousse ce végétal ? Sauf à penser, comme cela
est désormais probable, qu'il ait eu connaissance de cette
plante rare et originale en examinant, après son retour,
d'autres herbiers contenant des plantes australiennes. De toute
évidence, La Billardière a mis à profit le matériel collecté par
d'autres botanistes, sans toutefois en dévoiler la provenance. Il
n'a d'ailleurs jamais prétendu que tout le matériel qu'il décrit
avait été récolté par lui personnellement sur le terrain. Ainsi a-
t-il sans doute eu connaissance des échantillons botaniques
réunis par Leschenault de La Tour, le botaniste de l'expédition de Baudin, qui, de 1800 à 1804, sillonna elle aussi les mers
du Sud. On notera que sur une planche d'herbier de *Cephalotus folicularis*, visible à Genève et portant l'inscription de Leschenault de La Tour, La Billardière a fait figurer une mention
de sa main. On la découvrit lors de la publication en Australie
du journal manuscrit de Baudin (en 1974 seulement[1]). Il
paraît dès lors évident que toutes les espèces pour lesquelles
La Billardière a fourni des localisations aberrantes ont pu avoir
été cueillies pendant l'expédition de Baudin, laquelle fit plusieurs escales en Australie occidentale. Le *Cephalotus*, l'une
des plantes les plus extraordinaires « découvertes » par La
Billardière, l'a été en réalité, quelques années plus tard, par
Leschenault de La Tour, embarqué sur la corvette du capitaine
Baudin, *Le Géographe*, partie du Havre le 19 octobre 1800. Si

1. N. Baudin, *Journal of Nicolas Baudin*, traduit par C. Cornell, Libraries
Bord of South Australia, 1974.

Banks a beaucoup trouvé et peu écrit, on pourrait dire, à l'inverse, que La Billardière a peu trouvé et beaucoup écrit... notamment à propos de ce qu'il n'avait pas découvert lui-même !

Le 17 décembre 1792, *L'Espérance* et *La Recherche* quittèrent la baie de l'Espérance et entreprirent un long périple en suivant les côtes australiennes, puis à travers le Pacifique Sud, se rendant notamment au large de l'île de Vanicoro, là où Dumont d'Urville devait découvrir en 1836 les traces du naufrage de La Pérouse. Mais *L'Espérance* et *La Recherche* n'y firent point escale, l'équipage étant à bout de résistance par suite de pluies tropicales incessantes. Le 9 juillet, d'Entrecasteaux décida d'abandonner les recherches et de mettre le cap sur Java : il était atteint de scorbut et de dysenterie. Le 20 juillet, il périt à bord. Son second, Hesmivy d'Auribeau, était lui aussi en fort mauvais état, si bien que le lieutenant Rossel prit la tête de l'expédition. Mais d'Auribeau se remit à la suite d'une courte escale où la consommation de légumes frais fit reculer le scorbut, et il put reprendre le commandement. On finit par retrouver les terres connues, là où s'étendait la zone d'influence de la puissante Compagnie des Indes néerlandaises. Les deux navires arrivèrent à Sourabaya, dans l'île de Java, le 19 octobre 1793. Quelle ne fut pas alors leur surprise d'apprendre que, la guerre ayant éclaté entre la France révolutionnaire et la Hollande, ils venaient de tomber aux mains de l'ennemi ! Ils apprirent du même coup l'exécution de Louis XVI, ce qui exacerba les querelles au sein de l'équipage où deux camps s'affrontèrent ouvertement, les révolutionnaires conduits par La Billardière se révoltant contre l'autoritaire et loyaliste d'Auribeau. Les Hollandais exigèrent la reddition des canons, mais accordèrent aux naturalistes la permission de visiter les alentours. Java était alors fort insalubre et l'expédition, minée par la dysenterie amibienne et le paludisme, subit de lourdes pertes.

À Java se situe une anecdote qui évoque celle de l'amie de Commerson, Jeanne Baret, embarquée en habits d'homme et démasquée par les naturels de Tahiti. Dans son journal de voyage, La Billardière rapporte de la même façon :

« Le major de la place nous apprit la mort du commis aux vivres de *La Recherche*, nommé Louis Girardin. On reconnut que c'était une femme, comme on l'avait présumé depuis le commencement de notre voyage, quoiqu'elle eût tous les traits d'un homme. Il paraît que l'envie de satisfaire sa curiosité l'avait déterminée en grande partie à entreprendre cette campagne. Elle laissait en France un enfant très jeune. »

Mais la tension entre républicains et loyalistes atteint bientôt son paroxysme. Le pire désordre régnant à bord, le départ pour l'île de France est différé. En fait, d'Auribeau n'est nullement pressé de rentrer au pays où il risque la guillotine. Il décide donc de passer à l'émigration en demandant l'aide des Hollandais. Ceux-ci mettent alors en état d'arrestation les meneurs républicains et confisquent à La Billardière toutes ses collections. Le voici donc prisonnier.

En France, la situation des loyalistes est devenue intenable et la cause des émigrés semble perdue. D'Auribeau meurt le 23 août 1794 au moment même où des délégués révolutionnaires viennent de l'île de France réclamer la tête du « traître d'Auribeau ». La rumeur a couru qu'il s'était empoisonné.

La Billardière quitta Batavia le 30 mars 1795 pour l'île de France où il arriva le 4 mai. De retour, il finit par aborder à l'île de Batz le 13 mars 1796.

Les collections de La Billardière furent rapatriées vers la Hollande. Mais, après une relâche au cap de Bonne-Espérance, la flotte hollandaise fut prise à partie par des Anglais qui confisquèrent à leur tour ces collections qui aboutirent donc en Angleterre. C'est là qu'intervient un épisode bien connu de la vie de La Billardière. Il s'adresse par lettre à Sir Joseph Banks, avec qui il avait collaboré dans sa jeunesse, pour obtenir la restitution de ses collections. Quoique très curieux du contenu des caisses qu'il avait en sa possession, puisqu'elles correspondaient à la flore de l'Australie qu'il avait lui-même étudiée, Banks eut la délicatesse de ne pas les faire ouvrir et les fit rapatrier à Paris où La Billardière retrouva ainsi le matériel qu'il avait récolté au cours de sa mission. Le savant anglais aurait craint d'enlever, écrivit-il à Antoine Laurent de Jussieu, « une seule idée botanique à un homme qui est allé les conquérir au péril de sa vie ».

Quatre ans après, La Billardière était donc de retour au pays. Pour un naturaliste comme lui, acharné à récolter en toutes circonstances, « entre les cannibales de Nouvelle-Calédonie et les bons sauvages des îles Tonga qui, un jour, souriaient de toutes leurs dents, candides, et le lendemain volaient et cassaient la tête à n'importe quel expéditionnaire attardé », rentrer à Paris les mains vides aurait été le comble de l'humiliation. *L'Espérance* et *La Recherche* étaient certes restées à Java, mais il disposait à nouveau de ses précieuses collections. Il consacra le reste de sa vie à les étudier. En 1805, il dédia un genre nouveau à un jeune botaniste, Augustin Pyrame de Candolle, âgé de vingt-sept ans, considéré comme un grand espoir de sa discipline. Ce genre, *Candollea*, réunissait six espèces australiennes. Il fallut cependant admettre, selon les lois de la nomenclature botanique, que ce genre avait déjà été décrit par Olof Swartz sous l'appellation de *Stylidium*. Fort loyalement, La Billardière reconnut la priorité de Swartz pour une question de quelques semaines seulement. Sur ces questions de priorité, il est vrai, les naturalistes sont extrêmement chatouilleux, voire sans doute plus exigeants que les modernes automobilistes, ce qui n'est pas peu dire ! La Billardière n'en a pas moins honoré Augustin Pyrame de Candolle qui, dès 1814, préféra la tranquillité de Genève aux incessants sursauts de la France, successivement révolutionnaire, bonapartiste, puis bourbonne. Persévérant – mais persévérant dans l'erreur ! –, il dédia à son jeune confrère un second genre *Candollea* qu'il dut à nouveau lui retirer pour cause d'homonymie avec le premier ! Il lui aurait pourtant suffi de modifier quelque peu la graphie de ce deuxième genre, connu aujourd'hui sous le nom de *Hibbertia*, pour qu'il fût conservé par la nomenclature. Ainsi le genre *Candollea*, dédié par La Billardière à de Candolle, est-il à tout jamais condamné aux limbes de la synonymie...

De ce fait, le pacifique de Candolle échappa au douteux honneur de se voir dédier des plantes on ne peut plus « méchantes », les fameuses *Stylidium*. Ces plantes manifestent un caractère irritable et des réflexes fort dangereux pour les insectes qui s'y aventurent. Pour assurer la fécondation croisée, les fleurs de *Stylidium* déchargent littéralement, sur les insectes qui les visitent, une véritable mitraille de grains de pollen. Les malheureux visiteurs, parfois frappés à bout portant, restent groggy quelques instants... L'arme en cause, revolver ou arbalète, est constituée par les deux étamines qui, après avoir éjecté leur pollen, se rechargent en un quart d'heure environ pour être à nouveau prêtes au tir dès qu'un nouvel insecte se présente. Les *Stylidium*, que les Britanniques appellent « plantes à gâchette », avec leurs cent cinquante espèces réparties dans le Sud-Est asiatique, l'Australie et la Nouvelle-Zélande, se sont révélées assez originales pour que les botanistes leur consacrent une famille spécifique proche des Composées : les Stylidiacées.

Après avoir consacré le reste de son existence à la publication de la relation de son voyage et à la description des plantes de Nouvelle-Hollande, La Billardière déploya de gros efforts pour implanter l'Eucalyptus en Europe. Le souci d'y introduire les arbres d'Australie semble d'ailleurs l'avoir particulièrement préoccupé durant toute la dernière partie de sa vie. Ces végétaux que, jeune encore, il avait admirés si loin de France, il aurait voulu que ses neveux pussent sans aucune peine les admirer à leur tour pour jouir ainsi de leur ombrage et de leur odeur embaumante. C'est en tout cas le thème d'une de ses dernières lettres, adressée le 18 octobre 1833 à Auguste de Saint-Hilaire. Et c'est dans cette disposition qu'il nous quitta aux premiers jours de janvier 1834, à l'âge de soixante-dix-neuf ans.

Il laissa le souvenir d'un homme d'une exceptionnelle indépendance d'esprit. L'un de ses biographes, Christian Mabile, écrira de lui : « À des fonctions officielles, ce républicain fervent préféra l'indépendance. Comme il habitait au septième étage, pour ne pas avoir de visites, on le croyait misanthrope. Mais c'était un ami sûr, dévoué au bien public, et d'un désintéressement absolu. » Telle est l'image qu'en conservèrent ses contemporains et qui fit l'unanimité des propos tenus à son égard.

17

Avec Thunberg, cap sur Le Cap !

Commerson, Banks, La Billardière firent tous escale au Cap, étape obligée dans tout voyage de circumnavigation ou à destination des Indes. Mais quels furent donc les explorateurs de l'Afrique australe ?

La conquête de l'extrême sud africain et le contournement du continent se perdent dans la nuit des temps et des légendes. Les périples du Carthaginois Hannon vers 450 avant Jésus-Christ, et du Phénicien Nékao, sont fort discutés. Si le premier semble avoir caboté assez loin au-delà des Colonnes d'Hercule (Gibraltar), sur la côte ouest de l'Afrique, le second, selon Hérodote, aurait contourné d'est en ouest tout le continent, partant de l'Égypte par la mer Rouge et revenant par Gibraltar. L'Afrique, alors nommée Libye, était considérée comme singulièrement plus petite qu'elle ne l'est en réalité ; on lui prêtait une forme de trapèze dont la base allait approximativement du sud du Maroc au sud de la mer Rouge. Un continent tronqué de plus des deux tiers de sa surface : telle était l'Afrique de l'Antiquité. Mais les informations d'Hérodote sont sujettes à caution en ce ve siècle avant Jésus-Christ où mythes, légendes et superstitions s'imbriquent étroitement. Aussi n'est-il pas exclu que l'auteur des *Histoires* nous ait raconté... des histoires ! Car aucune preuve sérieuse ne vient étayer l'assertion selon laquelle les anciens auraient réussi à faire le tour du continent africain.

Il faut attendre le XVᵉ siècle pour que les informations se fassent plus précises. En 1402, le Normand Jean de Béthencourt conquiert les Canaries, découvertes seulement un siècle plus tôt, et entreprend leur colonisation. Vient ensuite le grand siècle des Portugais dans la foulée de Henri le Navigateur qui, mort en 1460, a ouvert son pays à la passion du grand large. D'expédition en expédition, les Portugais poussent de plus en plus loin la découverte de l'Afrique et de la route des Indes. En 1482 – an 6681 à partir de la création du monde, précise un chroniqueur –, Diogo Cão atteint les côtes de l'Angola, puis, dans un deuxième voyage, en 1485, celles de la Namibie. Il jalonne son parcours de colonnes de pierre surmontées d'une croix, mais rebrousse chemin sans pousser plus avant sa navigation au large des côtes de l'Afrique australe. Il faut encore attendre l'expédition de Bartolomeu Dias, partie de Lisbonne en 1486, pour que soit atteinte la pointe de l'Afrique, le 16 août 1488. Fuyant une forte tempête, Diaz baptise ce qu'il croit être l'extrémité sud de l'Afrique, le cap des Tempêtes. Mais, sur l'insistance du roi Jean II du Portugal, celui-ci est bientôt rebaptisé cap de Bonne-Espérance, car il symbolise l'espoir d'atteindre enfin par voie maritime le sous-continent indien, pays mirifique de la production d'épices, alors largement contrôlée par le commerce arabe. Cet objectif est atteint par Vasco de Gama qui atteint la rade de Calicut, en Inde, le 19 mai 1499 : la route maritime des épices est désormais ouverte à l'Occident chrétien.

Mais, en ces temps de grandes aventures maritimes en vue de conquérir de nouveaux mondes, on se préoccupe peu d'histoire naturelle. La compétition avec les musulmans sur le littoral oriental de l'Afrique et sur les côtes indiennes est autrement plus absorbante. Le petit royaume du Portugal réussit à s'imposer dans l'océan Indien grâce à Afonso de Albuquerque, célèbre conquistador portugais qui s'empare de Goa

en 1510 et devient vice-roi des Indes. La domination lusita-
nienne sur ce territoire va durer un siècle.

Mais les Hollandais, eux aussi vaillants navigateurs, s'intéressent vivement au monde des épices. De 1598 à 1601, ils
accomplissent leur premier périple autour du monde, sans
prendre eux non plus le moindre intérêt aux sciences naturelles. C'est le temps des conquêtes et des rivalités avec
Lisbonne. En 1602, ils créent la Compagnie des Indes néerlandaises qui finira par évincer le Portugal. Cette compagnie
légendaire crée plusieurs établissements, notamment au Cap,
étape indispensable sur la route des Indes et d'où partiront
enfin les premiers explorateurs de l'Afrique australe.

La toute première mention de plantes de la région du Cap
remonte à 1644, lorsque Vernius décrit quatre espèces, dont
un joli lys rouge très ornemental[1], ainsi qu'une sorte d'aloès,
plante emblématique de la flore d'Afrique du Sud, avec ses
fleurs en longs tubes rouges ou jaunes dans lesquels pénètre le
bec non moins long des oiseaux pollinisateurs. L'aloès s'identifie aisément par ses feuilles allongées, épaisses et succulentes,
terminées par un dard piquant, et partant toutes de la base ; de
là émerge un axe central dressé et non ramifié, porteur d'une
belle hampe de fleurs en tube, toutes orientées vers le bas. Le
suc des feuilles, desséché au soleil, est un excellent laxatif, mais
aussi un puissant cicatrisant, ce qui le faisait jadis classer en
tête des médicaments vulnéraires, ceux qui soignent les blessures.

Mais il faut encore attendre plus d'un siècle pour que la flore
d'Afrique australe soit enfin passée au peigne fin. Telle fut en
effet l'œuvre de Carl-Peter Thunberg, élève de Linné et l'un
de ces « apôtres » que le maître dépêchait de par le monde pour
récolter bêtes et plantes. Comme son maître, Thunberg avait
d'abord entrepris des études de théologie, puis de droit et de
philosophie à l'université d'Uppsala, en Suède, son pays d'origine. Il avait aussi appris, non sans difficulté, le latin, comme il
était d'usage à l'époque, ne fût-ce que parce que toutes les des-

1. *Hemanthus,* Liliacées.

criptions des plantes s'effectuaient exclusivement dans cette langue, la langue internationale des botanistes. En la matière, néanmoins, il fit mieux que son maître Linné qui resta sa vie durant un piètre latiniste, ce qui lui valut d'ailleurs bien des critiques. Thunberg décrocha à vingt-sept ans son doctorat en médecine. Linné ne tarda pas à repérer les dons du jeune homme pour les sciences naturelles et, dès lors, l'aida puissamment. Il l'envoya à Amsterdam, où Linné lui-même avait passé son doctorat, et le mit en contact avec les Burmans, botanistes de père en fils qu'il impressionna fort en déterminant, sans référence aucune, une riche collection d'herbiers. L'on s'avisa vite de tout le profit que l'on pourrait tirer d'un expert aussi compétent : avec l'accord de Linné, Nicolas Burmans fit embaucher Thunberg par la Compagnie des Indes néerlandaises.

Mais il lui faut d'abord faire un stage d'un an à Paris où il étudie au Jardin du Roi. Thunberg tient un journal dans lequel il consigne ses impressions, parfois avec beaucoup d'humour et de naïveté. Il trouve déconcertant, dit-il, que « le français, tenu en si grande estime par l'aristocratie de Suède et d'ailleurs, soit parlé en France par tout le monde, y compris par les classes les plus pauvres » ! Il note encore avec la même incongruité que « l'élément marin a permis à la Hollande de développer sa flotte... », ce dont on se serait douté !

De retour à Amsterdam, Thunberg apprend que la Compagnie des Indes néerlandaises le destine au Japon où il aura pour mission de récolter des plantes destinées à l'horticulture. Une grande maison hollandaise lui servira de « sponsor » ; il l'honorera plus tard en dédiant certaines plantes à son nom, par exemple les *Deutzia*[1]. Linné encourage vivement ce voyage. Tranquillement installé à Uppsala, il écrit à son disciple :

« N'hésitez pas à vous exposer quelque peu au danger ; quiconque vise à la gloire doit vivre dangereusement... Cette traversée ne présente pas autant de dangers que d'aucuns ici vou-

---

1. *Deutzia*, arbuste de la famille des Hortensias qui peuple tous les jardins (Hydrangéacées).

draient nous le faire accroire. La côte norvégienne constitue la partie la plus dangereuse de ce voyage ; les vents favorables vous porteront de Suède en Chine, et, une fois passée la côte hollandaise, le danger est bien moindre... »

Du pur Linné, lui qui craignait tant de bouger de chez lui ! Mais les Japonais étaient extrêmement suspicieux à l'égard des étrangers ; seuls les commerçants chinois et hollandais étaient autorisés à pénétrer dans leur pays, et encore, sous contrôle très strict. Or Thunberg n'est pas hollandais. Pour éviter toute surprise désagréable, on décide donc qu'il se familiarisera avant son départ avec la langue de Vermeer. Et, pour ne pas perdre de temps, afin de profiter au maximum de ses talents tout en aiguisant sa curiosité, la Compagnie des Indes le nomme au Cap.

Il embarqua en 1772 sur le *Schoonzicht*, bâtiment hollandais commandé par un capitaine suédois comme lui. Ainsi qu'il était souvent d'usage à l'époque, l'équipage avait été recruté par les moyens les plus douteux : la Compagnie saoulait les hommes et les attirait à bord, puis on mettait les voiles et, une fois en mer, ils n'avaient plus qu'à accepter leur sort ! Il faut croire que leur état de santé au départ devait être déplorable, car cent quinze hommes d'équipage recrutés de la sorte moururent au cours du voyage qui dura trois mois.

Le hasard voulut que, par pure coïncidence, un autre élève de Linné, Anders Sparrman, arrivât au Cap en même temps que lui par un autre vaisseau, suédois celui-ci. Sparrman manifesta un vif plaisir à retrouver son camarade d'étude, mais Thunberg, qui redoutait toute compétition dans les recherches qu'il allait mener sur la flore d'Afrique australe, ne put dissimuler sa déception. Aussi fut-il prompt à se débarrasser de ce collègue encombrant, l'abandonnant, si l'on peut dire, à ses chères études de géographie.

C'est précisément à ce géographe que l'on doit la découverte de l'extrême sud du continent africain, le cap des Aiguilles, à environ 200 kilomètres au sud-est du cap de Bonne-Espérance, par 34°52′ de latitude sud. Si Sparrman est néanmoins resté célèbre dans les annales de la botanique, c'est parce que le fils de Linné lui dédia un genre, le *Sparmannia*, d'après son patronyme que les caprices de la nomenclature ont dépouillé d'un « r » et enrichi d'un « n »... *Sparmannia africana* est un arbuste de la famille du tilleul, souvent cultivé en serre, dont les étamines, très irritables, sont disposées en grappes. Effleurées par un insecte, elles se déploient comme les tentacules d'une anémone de mer et déposent un abondant pollen sur le visiteur, manière infaillible de s'assurer une généreuse pollinisation. En fait, le *Sparmannia* est, par ses étamines, ce que le *mimosa pudique* est par ses feuilles : une plante sensible au moindre choc et qui réagit alors à une vitesse toute... animale !

Si Sparrman collecta bon nombre de plantes d'Afrique du Sud, Thunberg devait rester trois ans au Cap, séjour durant lequel il effectua trois longues expéditions à l'intérieur des terres, représentant au total plus de cinq mille kilomètres... Il voyageait dans une charrette couverte tirée par des bœufs et se lia d'amitié avec les Hottentots en leur prodiguant de généreuses distributions de tabac. Les multiples avanies qui émaillèrent ses voyages, soigneusement relatées dans son Journal, sont légendaires. Ses parcours, imaginés par des guides facétieux, furent souvent rocambolesques : il fait naufrage, corps et biens, dans des oueds en crue ; il a de redoutables face-à-face avec des taureaux furieux ou des lions : il grimpe alors aux arbres et y demeure jusqu'à l'abandon de ses adversaires. Aucune épreuve ne l'aura épargné, mais sa petite taille et sa robustesse physique lui permettent de réchapper à toutes les embûches. Au Cap, il escalade pas moins de quinze fois la célèbre montagne de la Table, si caractéristique du paysage local. Il exerce la médecine pour payer ses expéditions aux deux sens du terme : expéditions sur le terrain, expéditions d'animaux et de plantes à son maître Linné. C'est lui qui décrit en particulier la belle antilope bleue, aujourd'hui éteinte.

Débarrassé de Sparrman, Thunberg, pour ses deuxième et troisième voyages à l'intérieur du continent africain, a dû accepter la compagnie d'un botaniste anglais du Jardin de

Kew : Francis Masson. Ils firent équipe sans que ce dernier lui portât ombrage.

Thunberg est l'élève de Linné et, comme lui, sévèrement puritain. Ce qui ne l'empêche pas d'être étrangement troublé, ainsi que cela transparaît dans son Journal de voyage, par le commerce illégitime avec les femmes, qu'il refuse mais qui semble pourtant le fasciner. Tout donne à penser que, comme son maître, Thunberg avait un subconscient quelque peu chargé.

Mais qu'a-t-il vu, qu'a-t-il découvert au juste durant ce séjour de trois ans et au fil de ses trois longues expéditions en terre africaine ? L'Éden, tout simplement : le paradis de la botanique ! Car les botanistes s'accordent à reconnaître à l'Afrique australe la plus belle flore du monde. Une flore d'une très grande diversité et d'une très grande beauté. La seule montagne de la Table, dont la haute plate-forme domine si majestueusement la rade du Cap, compte pas moins de 2 250 espèces de plantes à fleurs : bien plus que la flore de toutes les îles Britanniques !

Aussi l'extrême sud de l'Afrique est-il considéré comme un véritable laboratoire de l'évolution, le plus petit et le plus typé des « empires floristiques » (empires qui sont au nombre de six et qui représentent des zones écologiquement, climatiquement et donc floristiquement homogènes). Celui du Cap ne dépasse pas en superficie quelques départements français, mais la flore y est si originale qu'elle ne ressemble à aucune autre au monde. Par comparaison, l'« empire holarctique » s'étend quant à lui sur toute l'Amérique du Nord, toute l'Europe et toute l'Asie du Centre et du Nord ; de Brest au détroit de Béring et du Maroc à la Chine du Nord, la flore conserve un air de famille : on y trouve partout des plantes à la physionomie familière pour un Européen, si bien qu'un Français est peu dépaysé quand il débarque à l'aéroport de Vladivostok, alors qu'il l'est complètement quand, au-delà du Sahara, il découvre la luxuriance de l'« empire paléo-tropical » : la somptueuse flore des tropiques.

C'est l'extrême richesse et originalité de la flore de la région du Cap qui lui ont valu une aussi spectaculaire promotion au sein des six « empires floristiques » qui se partagent le monde et dont il est le petit benjamin, ce dont les Sud-Africains ne sont pas peu fiers. L'histoire géologique explique cette singularité : l'extrême sud de l'Afrique n'a subi aucun accident glaciaire depuis 115 millions d'années. Une stabilité extraordinaire qui, associée au relief accidenté, explique la variété et la densité des peuplements botaniques. L'évolution s'y est en effet poursuivie sans interruption climatique ou géologique notoire. La flore n'y a donc jamais été décimée. Ce qui a permis, en raison des variations de relief déterminant une multitude de milieux aux climats variés, une extraordinaire diversification des espèces animales et végétales.

C'est au total 8 500 espèces de plantes à fleurs – le double de la flore française –, dont pas moins de 6 000 endémiques, que compte le minuscule « empire floristique » du Cap. Un record en matière de bio-diversité végétale : bien mieux que les forêts tropicales sud-américaines de l'« empire néotropical », pourtant réputées fort « biodiverses » !

Les tout premiers explorateurs hollandais ne manquèrent pas de tomber sur les plantes les plus emblématiques de cette région du monde, que l'on a classées par la suite dans l'étrange famille baptisée par Linné *Protéacées*. Comme le dieu marin Protée, qui changeait de forme à volonté et qui leur a donné son nom, les Protéacées regroupent des plantes aux allures extraordinairement diverses, l'ensemble formant une famille à première vue très hétérogène. Pourtant, les fleurs y ont toutes la même architecture, reposant sur le chiffre 4 : quatre pétales et quatre étamines. Mais le mode de regroupement de celles-ci varie à l'infini, donnant un large échantillonnage d'inflorescences fort distinctes les unes des autres.

Les *Proteas* sont tout à fait spécifiques de la région du Cap où l'on en dénombre pas moins de 85 espèces endémiques, qui n'existent nulle part ailleurs au monde. Les fleurs minuscules, serrées les unes contre les autres, sont entourées de grosses pièces brunes et raides, le tout constituant ces inflorescences massives, à allure de têtes d'artichaut, que l'on trouve si couramment aujourd'hui dans les bouquets secs. Ces fleurs produisent un nectar abondant : le *Protea mellifera*, particulièrement bien nommé, sue littéralement du sucre et fait le régal de ses pollinisateurs. Car les Protéacées ont su attacher à leur service une variété extraordinaire de pollinisateurs allant des insectes aux oiseaux, mais aussi, ce qui est beaucoup plus rare, des Mammifères mammaliens comme les souris ou encore les marsupiaux d'Australie (là où les Protéacées, famille typique de l'hémisphère Sud, sont également très abondantes et où nous les avons déjà rencontrées). Parmi les oiseaux, les « sucriers » se sont spécialisés dans le nectar des Protéacées, comme aussi le superbe Souimanga, un magnifique oiseau d'un vert malachite, au bec allongé et légèrement incurvé, qui pompe le nectar avec une habileté confondante ; ce volatile aussi est endémique de la région du Cap, comme d'ailleurs cinq autres espèces d'oiseaux.

Les Protéacées de cette région forment une végétation originale, le *fynbos*, homologue austral de nos garrigues. Ces buissons aux feuilles linéaires et revêtues de cuticule épaisse limitent par ce stratagème leur transpiration durant le long été austral, sec et chaud, parfaitement semblable aux plus beaux de nos étés méditerranéens. Car le climat du Cap est celui de la Côte d'Azur, mais dans une version améliorée, dotée de surcroît d'une richesse floristique infiniment plus grande que celle de notre littoral méditerranéen, jadis très touché par les glaciations quaternaires mais récemment « réhabillé » par des plantes ornementales en provenance de tous les pays du monde.

Le cycle du *fynbos* intègre le feu comme facteur écologique indispensable à sa régénération périodique : un phénomène naturel déclenché par la foudre mais qui n'a fait que s'amplifier avec l'arrivée de l'homme. Le feu détruit la végétation très sèche et libère les graines de *Proteas* de leurs fruits dont elles seraient incapables de se détacher toutes seules. Celles-ci trouvent sur le sol brûlé un espace ensoleillé et riche en cendres, favorable à leur germination. Après le passage du feu, les jeunes Protéacées poussent à la manière d'un « regain » après fauchage. Parmi elles, les *Hakea,* introduites d'Australie pour former des haies, sont très favorisées et ont tendance à devenir envahissantes : leurs graines ailées sont éjectées des fruits par le feu et dispersées au loin par le vent. S'ensuit de puissantes régénérations qui peuvent faire ombrage à des plantes moins compétitives et dès lors menacées par ces dangereuses rivales.

Les bruyères et les rhododendrons constituent une autre spécialité du *fynbos.* Ils illustrent ici le généreux domaine des Éricacées. Alors qu'il n'existe que quelques douzaines d'espèces d'Éricacées en Europe, on en compte pas moins de sept cents espèces du seul genre Bruyère en Afrique du Sud, dont six cents sont endémiques de la petite région montagneuse du Cap, vrai paradis des bruyères ! Certaines ressemblent aux bruyères naines de l'hémisphère Nord et possèdent les mêmes petites fleurs violacées. D'autres sont des arbustes pouvant atteindre deux mètres de haut. D'autres encore possèdent de minuscules fleurs peu colorées : elles sont pollinisées par le vent. D'autres, au contraire, portent de magnifiques fleurs blanches, roses, rouges ou jaunes, et sont pollinisées par les oiseaux ; leurs longues corolles tubuleuses sont adaptées au bec de ceux-ci, parmi lesquels on trouve le fameux Souimanga dont les mâles arborent un magnifique plumage aux reflets verts et violets.

En fait, nous sommes ici dans le berceau du genre *Érica* (bruyère), là où il s'est constitué dans la nuit des temps géologiques. Le petit contingent d'espèces vivant hors d'Afrique du Sud jalonne une route orientée vers le nord, et qui, par les Rhodésies et l'Abyssinie, atteint la Méditerranée, l'Europe occidentale, puis les Canaries et les Açores. Là s'arrête le voyage. Comment les bruyères ont-elles pu gagner ces climats méditerranéens du nord de l'Afrique, homologues de celui du Cap, alors qu'elles ne supportent absolument pas les climats tropicaux qu'il leur a bien fallu traverser d'une manière ou d'une autre ? Il apparaît que ce voyage sud/nord ne fut en rien le fait de l'homme ; il s'est produit au cours des temps géologiques, ainsi qu'en témoigne la carte des aires de répartition des différentes espèces de bruyère. On remarque qu'en région tropicale, chaque massif montagneux emprisonne en altitude une ou plusieurs espèces de bruyère qui lui sont endémiques. Pour monter du sud au nord, les bruyères ont dû, là où il faisait décidément trop chaud, grimper dans les montagnes pour y trouver refuge, leurs ancêtres des plaines ayant disparu pour inadaptation au climat tropical. On le voit : à l'inverse du platane, les bruyères se sont moquées comme d'une guigne des grandes glaciations de l'hémisphère Nord, puisque leur demeure d'origine était installée au sud. Quelques-unes, cependant, hardies pionnières du genre, ont réussi à monter jusqu'à la Norvège ou à conquérir le centre de l'Europe, jusqu'en Hongrie ; elles ont réussi la belle performance de traverser l'Afrique chaude en se réfugiant de massifs montagneux en massifs montagneux, migrant du sud au nord comme elles auraient gravi les barreaux d'une échelle.

Carl-Peter Thunberg adressa à Linné des lots copieux de Protéacées et de Bruyères. Il vit aussi et récolta des fleurs superbes, déjà découvertes au XVIIᵉ siècle par des explorateurs européens et qui allaient connaître une extraordinaire expansion dans les jardins et sur les balcons : les géraniums. Ceux-ci sont des cousins des petits géraniums appartenant à la flore sauvage de nos prairies et de nos montagnes. Les premiers géraniums sud-africains furent décrits sous le nom de *malves* par le commandant Jan van Riebeeck, gouverneur du Cap, dans son Journal en date du 24 novembre 1659. Le terme *malve*, ou *malva*, appartient à la langue afrikaander et peut prêter à confusion avec la famille des Malvacées. En fait, ces *malves* sont bien des Géraniacées. Les premiers géraniums du Cap entrèrent en Angleterre vers cette époque. En 1687, le Jardin botanique de Leyde en détenait déjà dix espèces. Puis, en 1700, nouvel arrivage, grâce au très honorable gouverneur du Cap, Wilhelm Adriaan van der Stel. En 1753, Linné publie son fameux *Species plantarum*, qui est à la botanique ce que la Genèse est à la Bible : l'ouvrage, on l'a vu, marque en effet le point de départ de la nomenclature botanique pour les plantes à fleurs, instaurant définitivement la nomenclature binaire, chaque espèce étant définie par le nom du genre auquel elle appartient, suivi de son nom d'espèce. Vingt espèces de géranium figurent chez Linné. Puis L'Héritier de Brutelle créa le terme *Pelargonium* pour distinguer les plantes à corolles régulières, symétriques, « actinomorphes », comme celles de nos flores européennes, qui restent parées du nom de géraniums, et d'autres, à corolles irrégulières, « zygomorphes », baptisées *Pelargonium*. Il suffit d'observer nos « pelargoniums » de jardin ou de balcon pour constater cette irrégularité caractéristique dans la disposition des pétales. Dans son ouvrage publié en 1789, tous les géraniums du Cap devinrent ainsi des *Pelargonium*, genre nouveau dont L'Héritier assume la paternité. Mais le terme linnéen de géraniums, synonyme non pertinent des *Pelargonium* de L'Héritier selon la nomenclature botanique, s'est maintenu dans le langage courant, et c'est bien d'eux dont nous parlons à propos des balcons fleuris, même si tous sont bel et bien des *Pelargonium* ! Durant les dernières années du XVIIIe siècle et les deux premières décennies du XIXe, l'exportation des *Pelargonium* fit l'objet d'un intense commerce et connut une vogue sans précédent. Quant à Thunberg, fidèle à son maître Linné, il en resta au terme de géranium, ignorant la nouvelle nomenclature, donc le nom de *Pelargonium* publié par L'Héritier en 1789, et ça, bien qu'il eût commencé d'écrire cinq ans plus tard, en 1794 ; mais il travaillait en Suède, et sans doute ignorait-il jusqu'à l'œuvre de L'Héritier.

On dénombre au total pas moins de deux cent quatre-vingts espèces de *Pelargonium*. Les unes se sont imposées par leur feuillage extrêmement odorant, contenant des huiles essentielles fortement répulsives pour les insectes ; l'arôme varie d'une espèce à l'autre au gré de mille nuances évoquant le citron, la menthe, le camphre, le gingembre, la muscade, etc. D'autres *Pelargonium*, à l'issue de multiples croisements et hybridations, ont connu une extraordinaire carrière en tant que plantes d'ornement. Que seraient nos maisons et nos villages fleuris sans ces « géraniums » venus tout droit d'Afrique du Sud ? Souvent mêlés aux pétunias, originaires du Pérou, ils forment des ensembles décoratifs que ne connurent ni les Grecs, ni les Romains, ni nos ancêtres du Moyen Âge.

Enfin, la végétation de la région du Cap éblouit le simple amateur de beautés naturelles par l'extraordinaire luxuriance des représentants de la famille des Aizoacées, qui compte ici 600 espèces, dont 507 endémiques. Nous entrons là dans le domaine des plantes grasses. Alors que l'Afrique ignore totalement les Cactées, toutes d'origine américaine (à l'exception d'une seule), l'Afrique du Sud abrite en revanche une formidable palette de ces fameuses Aizoacées qui poussent très loin l'adaptation à la sécheresse de leurs fleurs et de leur appareil végétatif. Ces fleurs très colorées et d'une extrême beauté ressemblent beaucoup aux grandes fleurs des Cactus. Elles sont parfois de si grande taille qu'elles évoquent les inflorescences de nos Composées, du type marguerite. Mais la marguerite n'est pas une fleur : c'est une république de fleurs, une société complexe distribuant à sa périphérie des fleurs stériles à longs pétales blancs, exclusivement destinées à attirer les insectes, et, en son centre, un tapis jaune et circulaire de toutes petites fleurs fertiles dont la minuscule corolle en tube allongé ne risque pas, comme les corolles de la périphérie, d'être effeuillée au rythme du fameux « Je t'aime, un peu, beaucoup, à la folie, pas du tout ». Bien que présentant cette même disposition – périphérie très colorée et centre où tranche nettement une aire circulaire –, les fleurs de nos Aizoacées sont bel et bien des fleurs simples : leur périphérie est constituée de multiples pétales très colorés, et leur centre de non moins nombreuses étamines entourant un pistil. Les feuilles sont toujours charnues et épousent les formes les plus diverses ; elles sont tantôt littéralement emboîtées les unes dans les autres, tantôt en forme de cailloux non repérables parmi les cailloutis du désert, mais que le brusque épanouissement de la fleur à une heure précise de la journée fait brusquement éclater, marquant ainsi la frontière jusquelà masquée entre le règne minéral et le règne végétal. La fleur unique de ces étranges « plantes-cailloux » peut atteindre plusieurs centimètres de diamètre ; elle est souvent plus grande que le pseudo-caillou qui l'a engendrée. Ces « plantes-cailloux » illustrent admirablement l'image mythique du désert qui fleurit.

Un désert où savent survivre encore d'autres Aizoacées qui ont inventé à cette fin d'innombrables stratagèmes plus étonnants les uns que les autres : enfoncement partiel dans le sol destiné à limiter la transpiration ; stockage de l'eau dans des glandes spécialisées, des « glaciales[1] », qui confèrent à ces feuilles un étrange aspect cristallin ; feuilles offrant en plein soleil des sortes de fenêtres qui tamisent la lumière et évitent une insolation trop accusée ; brusque dispersion des graines qui explosent littéralement hors du fruit sous l'effet des moindres gouttes de pluie, etc. Autant d'habiles adaptations qui font de cette famille une illustration spectaculaire des multiples bricolages que les plantes ont su mettre au point afin de résister à la sécheresse. On conçoit que, dans ce paradis botanique, les explorateurs s'en donnèrent à cœur joie. Ne rapporte-t-on pas qu'en une seule journée, en 1895, le docteur Rudolph Marloth rapporta de sa promenade pas moins de vingt espèces nouvelles pour la science ? Pourtant, beaucoup d'autres étaient déjà passés par là avant lui !

Par contraste avec ce véritable paradis botanique qu'est la région du Cap, le promeneur s'étonnera de n'y rencontrer qu'un nombre limité d'animaux endémiques. Il ne trouvera pas ici de gros Mammifères, comme dans d'autres réserves africaines, et aura peu de chances de rencontrer un léopard, pourtant assez répandu mais qui passe le plus clair de son temps à dormir, bien dissimulé dans la journée. Sa proie privilégiée est le *daman des rochers*, qui vit en bande dans les rocailles. Il subsiste encore quelques zèbres de montagne, menacés d'extinction en raison de la chasse dont ils font l'objet depuis le XVIIᵉ siècle ; les quelques rescapés survivent, parqués dans des réserves. Il faudra aussi aux pro-

1. *Mesembryanthemum cristallinum.*

meneurs beaucoup de chance pour rencontrer la très étrange « tortue géométrique » dont la carapace semble littéralement peinte à la manière des peintures de guerre des Indiens, avec des dessins en effet tout à fait géométriques. Cette tortue est devenue aujourd'hui fort rare et strictement protégée. Il y a longtemps que les rhinocéros noirs, qui prospéraient sur la montagne de la Table, ainsi que les lions, les éléphants et les hippopotames, rencontrés lors de son séjour au Cap en 1652 par le Hollandais Jan van Riebeeck, ont disparu. Le dernier lion a été abattu près de la ville du Cap en 1850. Le *couagga*, un zèbre aujourd'hui disparu, et l'hippopotame bleu se sont éteints à peu près à la même époque. Mais les célèbres antilopes australes – *Steinbock* et *Springbock* – continuent à gambader joyeusement dans les plaines...

Une flore prospère et une faune en grande partie décimée : telle est l'image que nous offre aujourd'hui la région du Cap.

Lorsque Carl-Peter Thunberg quitte le sud de l'Afrique pour le Japon, en mars 1775, il a récolté suffisamment d'échantillons pour nourrir son œuvre majeure, *La Flore du Cap*, qu'il publiera au soir de sa vie. Cet ouvrage lui vaudra le titre de « père de la botanique sud-africaine ». À ce titre allait s'ajouter celui, tout aussi flatteur, de « fondateur de la botanique du Japon ». Car c'est au Japon, où il restera un an et demi, d'août 1775 à décembre 1776, qu'il va désormais poursuivre sa carrière d'explorateur, et dans des conditions au moins aussi scabreuses qu'inopinées...

Le Japon est alors sur la défensive ; soucieux de préserver ses traditions religieuses et culturelles, il est particulièrement suspicieux envers les étrangers. Seuls les Hollandais, on l'a vu, y sont tolérés, mais leur activité commerciale est strictement surveillée. Les commerçants sont assignés à résidence, sans leur famille, sur l'île de Deshima, au large de Nagasaki, à l'extrême sud de l'archipel. Thunberg n'en jouit pas moins d'une relative liberté. Il sut s'attacher la faveur des interprètes grâce à son habileté à traiter la syphilis par une thérapeutique mercurielle. On le considéra dès lors comme un intellectuel, sans le soupçonner, comme la plupart des autres commerçants, de s'adonner à la contrebande ou à quelque autre trafic. Il menait de surcroît une vie irréprochable, ce qui était loin d'être le cas des Hollandais tolérés au Japon. Avec l'aide des interprètes qui lui apportaient des plantes en provenance des jardins des environs de Nagasaki où il ne pouvait se rendre, et sous couvert de pratique médicale, il multipliait les récoltes. Prisonnier dans son île, il analysait aussi la composition du fourrage que les Japonais apportaient pour nourrir le bétail parqué sur Deshima et en extrayait des échantillons pour son herbier. La visite rituelle au Shogun, le chef de l'exécutif, à Edo (Tokyo), fut l'occasion d'un voyage durant lequel Thunberg n'hésita pas à butiner à droite et à gauche de la route pour enrichir ses récoltes, à la surprise amusée mais bienveillante des interprètes, déconcertés par son manège. Trop tard, cependant, pour se prévaloir de la découverte de l'arbre fétiche du Japon, le *ginkgo*, véritable fossile vivant, déjà décrit en 1736 par le père Charlevoix sous le nom de « noyer à feuilles de capillaire ». C'était bien vu pour ce qui est des feuilles, qui épousent bien la forme triangulaire de celles des capillaires, mais non pour les fruits. Comment, il est vrai, ce religieux aurait-il pu deviner que ces « fruits » sont en fait de gros ovules, souvent non fécondés, qui font de cet arbre ancestral le seul végétal – à l'instar des Reptiles dont, par son apparition, il est le contemporain – à pondre des œufs !

Même ardeur à collectionner lors du passage de Thunberg à Batavia, au début de 1777, sur le chemin du retour. L'ère des voyages se termine et il va consacrer le reste de son existence à mettre par écrit le résultat de ses découvertes. Il subit diverses avanies du fait du fils de Linné qui a succédé à son père à la chaire de botanique d'Uppsala ; mais la précoce disparition de cet éphémère Linné junior lui permet d'accéder, encore relativement jeune, au poste de son illustre maître, qu'il va occuper quarante-quatre ans. À sa mort, le 8 août 1828, à l'âge de quatre-vingt-cinq ans, il laisse une œuvre colossale : deux ouvrages sur la flore du Cap et un sur celle du Japon, pas moins de 160 articles scientifiques et 294 mémoires. Il était membre de soixante-six sociétés savantes. Son collègue et contemporain André Jean Retzius lui dédia le genre *Thunbergia*, genre tropical regroupant une centaine d'espèces dont plusieurs très ornementales, cultivées en serres.

18

Avec les Michaux dans les forêts d'Amérique du Nord

Mais qu'en était-il du continent nord-américain ? Lorsque Christophe Colomb embarque, le 3 août 1492, il espère bien découvrir la route occidentale menant aux épices. Après une courte escale aux Canaries, il entreprend la traversée du « grand océan » et débarque le 13 octobre sur un îlot des Bahamas. Il lui a fallu, pour cela, évoluer parmi les grandes algues flottantes de la mer des Sargasses, premier contact marin avec la flore du Nouveau Monde. Huit jours après son débarquement, Colomb écrit : « Ici les arbres sont aussi différents des nôtres que le jour l'est de la nuit ; il en est de même des fruits et des plantes. » Malgré cette observation, il ne semble pas avoir collecté le moindre échantillon intéressant l'histoire naturelle. En revanche, il ramena, dit-on, une collection de légumes locaux à l'issue de son second voyage.

Colomb a cru découvrir le Paradis. Il écrit à Ferdinand et Isabelle, roi et reine d'Espagne :

« Je suis convaincu que là est le Paradis terrestre, où personne ne peut arriver si ce n'est par la volonté de Dieu. Je crois que cette terre dont Vos altesses ont ordonné maintenant la découverte sera immense, et qu'il y en aura beaucoup d'autres dans le Midi, dont on n'a jamais eu connaissance [...]. Et je dis que si ce n'est pas du Paradis terrestre que vient ce fleuve [l'Orénoque], c'est d'une terre infinie et donc située au sud du Midi, et de laquelle jusqu'à présent il ne s'est rien su. Toutefois, je tiens en mon âme pour très assuré que là où je l'ai dit se trouve le Paradis terrestre. »

Il désigne par là la luxuriance prodigieuse du monde des tropiques où il vient d'aborder. Mais il n'en rapporte ni épices, ni or, ce qui lui vaut une relative disgrâce. Un quatrième voyage lui est cependant accordé, qui lui permet la découverte de l'Amérique centrale. Il rentre en 1504, affirmant qu'il doit néanmoins s'agir de l'Asie... Et il meurt deux ans plus tard sans avoir vraiment vu clair dans la réalité géographique des découvertes qui portent son nom. Peut-être est-ce pour cette raison que l'Amérique ne s'est point appelée Colombie ?

Mais Colomb avait ouvert la voie dans laquelle s'engouffrèrent conquistadors et missionnaires. Parmi les seconds figure, dès le XVIᵉ siècle, le père Sagard, auteur d'une *Histoire du Canada*, « avec les voyages que des frères mineurs y ont faits pour la conversion des infidèles ». Mais le père Sagard n'est guère plus naturaliste que le père Thévet. Aussi a-t-il été vivement attaqué pour l'inexactitude de ses descriptions et sa crédulité. Il découvrit néanmoins une très belle plante que les Hurons appelaient « écaille de tortue » et dont la feuille ressemble à la carapace d'un homard. Fermée en cornet à la base, et creuse comme une coupe, on peut, si besoin est, y boire la rosée qui s'y dépose. Cette plante qu'il admirait tant était sans nul doute la « plante-pichet », une espèce de *Sarracenia* qui occupe, dans le club relativement fermé des cinq cents espèces de plantes carnivores, une place de choix par l'importance et l'efficacité de ses pièges. De fait, ses feuilles, repliées en tubes évasés, forment une sorte de trompette à l'intérieur de laquelle se trouvent des replis et des poils. La face interne de ces feuilles en tubes (ou ascidies) est revêtue dans sa partie supérieure de glandes nectarifères, très attractives pour les insectes. Mais, en dessous, la surface devient glissante et possède des appendices dirigés vers le bas, qui entraînent les malheureux visiteurs dans une course fatale vers le fond du cornet, là où s'effectuera leur digestion par des enzymes protéolytiques. Ces *Sarracenia* représentent donc une notable contribution nord-américaine au monde étrange et inquiétant des plantes carnivores.

Naïf, Sagard n'en est pas moins perspicace ; il décrit la manière dont les Indiens tirent de l'huile des graines de tournesol et il s'interroge : « Comment se fait-il qu'un peuple sauvage puisse avoir des connaissances lui permettant de faire une huile que nous ne connaissons pas ? À moins que ce ne soit à l'aide de la Divine Providence, qui donne à chacun de nous les moyens de nous conserver, et sans laquelle, n'ayant pas l'instruction, les peuples resteraient misérables... ? » Le tournesol fait partie de ces plantes des grandes prairies domestiquées environ mille ans avant Jésus-Christ au sein de cette région qui constitue sans doute l'un des plus anciens foyers où prit naissance l'agriculture.

Il est malaisé d'identifier les premières plantes américaines rapportées en Europe. On raconte traditionnellement l'épisode au cours duquel Jacques Cartier, durant son deuxième voyage (hiver 1535-1536), fut victime avec son équipage d'une épidémie de scorbut ; un arbre, l'*annedda*, enraya le développement de l'épidémie et sauva l'équipage de l'anéantissement. Aussi Cartier jugea-t-il bon d'introduire cette essence dans son pays. Il s'agit en fait du *Thuya occidentalis* que Belon devait décrire quelques années plus tard, signalant sa présence en 1545 dans le parterre du roi à Fontainebleau. Jacques Cartier avait promis, s'il revenait sain et sauf, de faire un pèlerinage à Rocamadour, là où précisément des thuyas s'agrippent aujourd'hui aux murailles et aux falaises. La carrière de cette plante a dépassé toutes les espérances : les haies de thuyas prolifèrent à temps et à contretemps, occupant l'espace avec insistance, protégeant comme des cache-misère, dans les lotissements, du regard de voisins trop proches.

Puis l'on passe le cap du siècle pour arriver en l'an 1601, date à laquelle la plupart des auteurs, avec une belle unanimité, mentionnent l'arrivée à Paris du robinier faux-acacia, notre classique acacia. Cette espèce, d'origine américaine, a fourni à Paris ses plus vieux arbres. Le plus ancien n'est plus qu'un tronc largement réempierré et cimenté, envahi par le lierre, à proximité de la petite église Saint-Julien-le-Pauvre, proche de Notre-Dame. Un autre est composé d'un ensemble de rejets fort étayés, en bordure du Jardin des Plantes, près de la rue Buffon.

L'histoire de ces arbres est confuse et a fait l'objet d'une tentative de clarification par les soins de Robert Bourdu[1]. Les choses se seraient passées de la façon suivante : peu avant 1600, l'Anglais John Tradescan a sans doute reçu de Virginie, dont il connaît bien les ressources végétales, le fameux acacia. Il en confie des semences ou des boutures à son ami Jean Robin qui a obtenu en 1586 d'Henri III le titre d'« herboriste, simpliciste et botaniste du Roi ». Celui-ci en plante dans un jardin de l'île de la Cité. Linné donne à ces acacias le nom latin de *Robinia* (le « robinier de Robin »). Bientôt, on les transplante, encore très jeunes, dans les jardins de l'ex-quartier des Apothicaires. C'est là que subsiste, seul, celui de Saint-Julien-le-Pauvre ; les autres, qui encombraient des surfaces convoitées par les promoteurs, disparaissent ; l'un d'eux a cependant été replanté plus tardivement, lors de la création du Jardin des Plantes, en 1635, date à laquelle Vespasien Robin, fils de Jean, fut nommé par le roi Louis XIII « sous-démonstrateur des plantes », autrement dit « bras droit » du fondateur du Jardin, Guy de La Brosse. On l'y voit toujours, rue Buffon, croulant sous le lierre, entre deux bâtiments du Muséum.

L'hypothèse de Robert Bourdu, grand spécialiste des arbres anciens, est plausible, mais n'élimine pas toutes les zones d'ombre. Un certain mystère entoure encore ces plus vieux arbres de Paris, toujours là mais qui ont voyagé dans leur jeunesse. Entre-temps, les robiniers faux-acacias, couramment nommés « acacias », ont envahi avec une célérité surprenante

1. Robert Bourdu, « La troublante histoire d'un arbre : l'acacia », *Hommes & Plantes*, n° 21, 1997.

toute l'Europe, formant boqueteaux et forêts qu'ils garnissent de leurs belles grappes de fleurs blanches.

Bientôt, cependant, les apports américains se multiplient. Le catalogue de Guy de La Brosse, publié en 1636, contient déjà cinquante plantes d'origine américaine cultivées dans le Jardin du Roi, parmi lesquelles figurent la vigne-vierge et le sumac. Nous ne sommes pourtant qu'à vingt-huit ans de la fondation de Québec par Champlain.

Puis apparaît la première figure de botaniste authentiquement canadien : Michel Sarrasin, né en 1659 à Nuits, en Bourgogne. Après un premier séjour au Québec, il revient émerveillé, suscitant la curiosité des savants en même temps que sa vocation de naturaliste. Il décide alors de faire médecine, obtient son doctorat, puis, pressé par ses amis, retourne au Québec en 1697 avec le titre de médecin du Roi. De 1698 à 1717, ses envois de spécimens à Paris se succèdent à un rythme accéléré. Car Sarrasin herborise ; il retrouve dans les tourbières cette plante curieuse qui avait déjà attiré l'attention du père Sagard et dont les feuilles en forme de trompette constituent de redoutables pièges à insectes. Il l'envoie à Paris et Linné la baptisera plus tard à partir de son nom : *Sarracenia*. Il fournit également les premières précisions sur la coulée de l'érable à sucre.

Après le mémoire du père Lafiteau consacré au ginseng du Canada[1], espèce très proche du ginseng chinois et coréen, il fait de nouvelles récoltes, accompagnées de ce commentaire destiné à son ami et protecteur l'abbé Bignon, personnage de la Cour : « J'envoie au Jardin royal des racines vivantes de ginseng ; je prie Monsieur Vaillant de vous envoyer des racines desséchées afin de vous rajeunir, si vous êtes âgé, et de bien soutenir votre jeunesse si vous êtes assez heureux de l'être encore. »

Pendant des années, toutes les lettres de Sarrasin se terminent par un plaidoyer en faveur de l'augmentation de son traitement. À leur tour, intendants, gouverneurs, abbés de cour

---

1. *Panax quinquefolius*, Araliacées.

sollicitent pour lui l'octroi de 200, 300 livres... Tantôt le roi acquiesce, mais, plus souvent, le ministre assure son correspondant que la chose sera « prise en considération ». Financièrement coincé, Sarrasin doit vivre d'expédients. Devenu un notable de la Colonie, il réussit à se faire nommer au Conseil supérieur de celle-ci dès 1707. Mais, comme la signature du roi n'apparaît pas au bas du document officiel, le Conseil du Québec refuse de l'admettre à ses délibérations. Du fait des lenteurs de la navigation, il faudra des mois pour réparer cette banale lacune. Qu'importe : les formes l'emportent sur l'esprit de la loi ! On a beaucoup reproché à Versailles et à la Cour d'avoir perdu le Canada ; force est de constater que l'élite de Nouvelle-France s'en serait certainement bien chargée...

C'est en 1760 que la France perd le Canada, devenu colonie anglaise. Voulant désormais éviter toute influence étrangère dans ce territoire, Londres prit soin d'empêcher tout contact entre notre pays et son ancienne colonie : plus de relations intellectuelles, plus d'explorateurs, plus de voyageurs français ! Toutefois, en 1792, une dérogation fut accordée à André Michaux afin qu'il pût traverser le Québec, en route pour la baie d'Hudson. Ancien fonctionnaire royaliste, séjournant aux États-Unis en tant qu'émigré, il était devenu par là moins suspect à l'Angleterre. Mais, hormis ce cas isolé, la science française était désormais coupée du vaste champ d'exploration que représentait le Canada anglais.

Il n'en est pas de même aux États-Unis qui accèdent à l'indépendance en 1783. La France n'y est pas tout à fait étrangère, et l'on sait l'enthousiasme du jeune La Fayette pour cette nouvelle nation, dont témoigne son célèbre discours de Metz. Contrairement au Canada, maintenu « sous cloche » par la cour d'Angleterre, la jeune Amérique fait appel à des savants français. En 1784, Thomas Jefferson rencontre Louis XVI et se rend au Jardin du Roi ; il est émerveillé : « Il faut absolument, dit-il, à la jeune Amérique un botaniste français... » Le choix se porte sur Michaux.

André Michaux est né en 1746 à Saint-Aury, dans une ferme dépendant du domaine de Versailles. Le père, botaniste, travaillait pour le roi Louis XIV, si bien que le jeune garçon apprit très tôt les rudiments de l'agronomie et de la botanique, et devint un fort habile jardinier. Mais Michaux rêve de voyages. Il débarque aux États-Unis en 1785, accompagné de son fils François-André, âgé de quinze ans. Très vite, il est saisi par l'importante diversité des arbres nord-américains ; la flore y est visiblement plus riche en espèces que celle des forêts européennes. Il note dans celles du New Jersey, proches de New York, que le froid est déjà très sévère en ce 17 novembre 1785 : « Ce pays, écrit-il, est presque aussi froid que la Russie. » Il sera donc difficile d'expédier des exemplaires en France sans les avoir au préalable préparés en pépinière. Mais Michaux est étranger et doit donc obtenir la permission de posséder des terres. Les autorités de l'État du New Jersey lui accordent, le 3 mars 1786, l'autorisation d'y établir un jardin botanique. Il achète donc un terrain situé de l'autre côté de l'Hudson, en face de la 60e rue de New York. Mais si la végétation est riche, le climat est hostile. Michaux entreprend alors d'explorer les forêts situées plus au sud, où l'on trouve, dit-il, « cent arbres pour dix dans le nord ». Aussi acquiert-il, en 1786, un nouveau terrain proche de Charleston, en Caroline du Sud. C'est là, désormais, qu'il s'installe avec son fils, botaniste et jardinier en herbe. Il confie à Paul Saunier, ouvrier jardinier âgé de dix-sept ans, le jardin du New Jersey qui, grâce à ce dernier, deviendra rapidement le « Jardin français », lieu de détente en vogue parmi les premiers habitants de New York. Paul Saunier resta aux États-Unis jusqu'à sa mort en 1818 ; pendant les trente-trois années de son séjour, il ne cessa d'agrandir et d'embellir « son » jardin.

Dix ans durant, André Michaux et son fils travaillent d'arrache-pied pour développer la pépinière de Charleston et le jardin d'essai qui lui est contigu. Au total, il a envoyé à Paris pas moins de 60 000 plantes et 90 caisses de graines. Mais nous sommes ici sous des climats tempérés qui évoquent ceux de la France. L'intérêt des Michaux se porte donc tout naturellement sur les arbres susceptibles d'être acclimatés, hypothèse carrément exclue pour les arbres d'origine tropicale. Les chasseurs de plantes qui herborisèrent sous les basses latitudes s'en sont tous prudemment tenus à l'exportation d'herbes et d'arbustes susceptibles d'être cultivés en serre, les grands arbres tropicaux étant réfractaires à toute tentative d'acclimatation.

Chez les Indiens Cherokee, André Michaux découvre six espèces différentes de Magnolia, ainsi que de nouveaux Rhododendrons. Mais c'est surtout aux grands arbres américains qu'il va attacher son nom. Il est frappé par le gigantisme du Nouveau Continent où les arbres adoptent des dimensions nettement plus affirmées que celles de leurs cousins européens. L'affection d'André Michaux pour les grands arbres enflamma la fin du siècle et lança la mode de l'*arboretum*, équivalent du jardin botanique pour les espèces ligneuses. On devint collectionneur d'arbres comme on l'était de plantes. Ainsi rapporte-t-il des frênes, des tilleuls, des sassafras et pas moins de vingt-sept espèces d'érables, sans oublier les yuccas qui peuplent aujourd'hui si généreusement notre Côte d'Azur.

En 1796, Michaux est de retour à Paris. La Révolution est passée par là. Desfontaines a été élu par ses pairs directeur du Muséum national d'histoire naturelle, ex-Jardin du Roi, et va le diriger pendant quarante-cinq ans. Michaux ne retrouve plus son jardin avec ses espèces familières ; il se désole des saccages perpétrés dans les plantations royales. Thouin a bien tenté de sauver tout ce qui pouvait l'être, mais les pertes se révèlent considérables. En fait, Michaux ne se sent plus chez lui dans la France de la Révolution. Le gouvernement, qui lui doit pourtant sept annuités de traitement, ne lui accorde à son retour qu'une faible indemnité, bien qu'il ait fourni sept mille pieds d'arbres aux pépinières de Rambouillet, dont la plupart ont du reste péri. Michaux en conçoit une grande amertume. Ne pouvant obtenir une nouvelle mission en Amérique, il rédige *l'Histoire des chênes de l'Amérique septentrionale*, publiée par les soins de son fils en 1801, qui répertorie au total vingt espèces et seize variétés. Néanmoins il songe toujours à partir. Aussi accepte-t-il le poste de botaniste dans l'expédition que s'apprête à mener autour du monde le capitaine Baudin. Il embarque au Havre sur *Le Naturaliste*, le 19 octobre 1800. Mais il a en tête un rêve qu'il ne livre à personne : il est fasciné, comme tant d'autres avant lui, par la flore de Madagascar. Aussi décide-t-il à l'île Maurice de quitter l'expédition pour entreprendre une nouvelle exploration de la Grande Île, le paradis des botanistes. Son ambition est d'y fonder un jardin botanique prestigieux qui pourrait être le pendant du célèbre Jardin des Pamplemousses, établi par Pierre Poivre à l'île de France. Le voici donc débarquant à Tamatave, seul. En décembre 1802, deux ans après son départ de Paris, on le retrouvera mort dans sa petite maison de bois, sans aucune note ni document.

François-André Michaux, son fils, qui a vu combien son père regrettait le triste état des pépinières de Rambouillet, décide de repartir pour poursuivre l'œuvre paternelle. La petite histoire raconte qu'à son retour d'Amérique, en 1807, il fut le premier voyageur français à prendre le bateau à vapeur, *Le Clermont*, construit selon les plans de l'ingénieur Fulton, qui pleura d'émotion en recevant le prix de son passage, six dollars : car c'était le premier avantage financier qu'il retirait de son invention !

François-André Michaux retrouva avec joie Paul Saunier, toujours à son jardin du New Jersey dont il parlait avec respect et affection : « Paul, raconte-t-il, était tellement absorbé par les soucis de son métier qu'il ne pensait uniquement qu'aux arbres et aux plantes. Jusqu'à sa mort, il considéra sa petite résidence comme la propriété de son royal maître, et, ignorant les vicissitudes de la Révolution, il avait peine à croire à la décapitation de son généreux mais infortuné roi... » Obsédés que nous sommes par le mythe des grands hommes, nous ne faisons que peu de cas d'autres qui laissèrent pourtant des traces indélébiles, tel ce « Jardin français » de Paul Saunier. On pourrait en dire autant de beaucoup d'autres chez qui l'on retrouve ces qualités si fréquentes chez les jardiniers et les horticulteurs : patience, douceur, humilité, simplicité, savoir-faire et généralement beaucoup de délicatesse et d'aménité. Mais les « accros » des jardins, aujourd'hui innombrables, sont

plus épris de savoir-faire que de faire savoir. Ils tranchent singulièrement sur les « accros » du petit écran qui occupent tous
les horizons de la modernité, de la pub et des médias. Il est vrai
qu'ici, il y a de l'argent à la clef. Les jardiniers, en revanche,
qu'ils cultivent les jardins botaniques ou développent des collections, pratiquent le service gratuit et le libre échange des
graines. L'obtention de nouvelles variétés ne donne pas lieu à
brevets, la communauté jardinière restant très attachée à la tradition de l'universalisme scientifique et de la gratuité des
échanges de savoir. Univers totalement ignoré de celui, fébrile-
ment ultralibéral, des hautes technologies engendrées et
« dopées » par les États-Unis d'Amérique, justement, où, sur
les pas de son père, débarquait François-André Michaux...

François-André est forestier. Au cours de ses trois séjours
aux États-Unis, il s'intéresse particulièrement à l'exploration
des vastes forêts de l'Est américain. Mais il faudra attendre le
XXe siècle pour que soit reconnu l'intérêt des essences nord-
américaines pour la production forestière européenne. Certaines espèces d'outre-Atlantique se singularisent en effet par
une croissance plus rapide que leurs homologues européennes, par des bois de qualité souvent remarquable et par
leur aptitude à prospérer dans des milieux marginaux où
aucune essence d'origine européenne ne se maintient.

Les préoccupations écologiques n'étaient pas étrangères à
François-André Michaux. L'Amérique que découvrirent les
colons européens était couverte, dans toute sa partie tempérée,
de très vastes forêts qui s'étendaient de l'Atlantique aux prairies situées au-delà du Mississippi. Les colons abattirent les
arbres pour se chauffer, certes, mais les détruisirent pour
dégager des espaces cultivables. Pour cela, le plus simple était
d'en faire la proie des flammes. Aujourd'hui, nous nous indi-
gnons de telles pratiques ! Pourtant, on les comprend mieux si
l'on se reporte à d'autres lieux et à d'autres temps. Comme le
suggère Vaughan, observateur attentif du milieu forestier
américain au début du XIXe siècle, « un étranger peut juger la
méthode imprévoyante, mais, s'il était transporté sur les lieux
mêmes, il cesserait rapidement de s'en étonner ».

François-André Michaux fut le témoin de ces pratiques. Très tôt, il recommanda aux futurs forestiers américains d'envisager pour l'avenir des replantations massives de certaines espèces, quitte à en supprimer d'autres. On ne parlait pas encore en ce temps-là de « biodiversité » ! Cependant, il ne s'en prit jamais de front aux déboiseurs, si intempestifs que pussent être leurs agissements. Il lui arriva même de s'accommoder du sort de certaines espèces qu'il considérait, déjà à son époque, comme menacées. Il en fut ainsi du cyprès chauve dont il écrit :

« Il serait inutile de recommander la conservation et la multiplication de cyprès dans les districts maritimes de la Caroline et de la Georgie. Bien que sur une étendue de plus de 900 miles, il n'y ait ni pierre ni ardoise pour la construction, il devient de jour en jour plus profitable, pour la population croissante, de convertir les marais en rizières qui assurent une subsistance et augmentent la masse des produits exportés... Il est très probable que, dans ces conditions et dans moins de deux siècles, le cyprès aura disparu des États du Sud... »

Le cyprès chauve a néanmoins subsisté. Arrivé en Europe en 1640, donc bien avant la naissance de François-André, il est fréquemment employé pour l'ornementation des parcs, en bordure des étangs et des plans d'eau, dès lors que les hivers ne sont pas trop rigoureux. Cet arbre est extrêmement original par son système racinaire d'où émergent des expansions appelées pneumatophores. Ces organes, comme leur nom l'indique, font office de pseudo-poumons et manifestent la parfaite adaptation de cet arbre aux lieux marécageux qu'il habite. Ils oxygènent en effet ses racines par ces étranges productions qui ressemblent à des genoux ou à des moignons dressés émergeant de la vase littorale.

S'accommodant de ce qui lui paraissait nécessaire, François-André s'élevait néanmoins contre les abus par trop criants. Le gaspillage du bois pour la fourniture d'écorce tannante le consternait, les troncs pourrissant sur le sol après désécorçage. Il s'inquiétait aussi de l'énorme consommation de combustible requise dans les poteries, tuileries et fours à briques, ainsi que dans les distilleries, les évaporateurs de sources salines, les raffineries de sucre (y compris de sucre d'érable), etc. Abordant la question du châtaignier américain[1], il fait l'éloge des fours en fer de Pennsylvanie, régulièrement approvisionnés en châtaignier – qui donne un excellent combustible – grâce à un système de rotation de seize ans dans l'exploitation du taillis. Il recommande ce système aux forges de Virginie et de Caroline. Ainsi, avec près de deux cents ans d'avance, se dessine le concept aujourd'hui encore trop mal perçu de *développement durable,* qui consiste à n'utiliser une ressource que dans des conditions telles qu'elle puisse être indéfiniment renouvelée. Deux siècles après Michaux, une économie conforme à cette façon de voir reste à inventer. Elle exigera une judicieuse utilisation du bois, grâce à un renouvellement constant de la forêt tel que nos forestiers, précurseurs et apôtres du « développement durable », le pratiquent déjà depuis des décennies, même si les écologistes trouvent à dénoncer ici et là quelques bavures.

Enfin, il arrive parfois à François-André de s'indigner carrément. Traitant du chou palmiste[2], il observe :

« La base des feuilles constituant le stipe est blanche, compacte et tendre ; elle se mange avec de l'huile et du vinaigre, et a le goût de l'artichaut ou du chou, d'où le nom de chou palmiste. Mais détruire un palmier qui a mis un siècle à croître, pour obtenir trois ou quatre onces de substance ni spécialement nutritive, ni particulièrement agréable au palais, ne pourrait se pardonner que dans un désert destiné à rester inhabité pendant des siècles. C'est avec une telle prodigalité des produits de la nature que les premiers pionniers du Kentucky tuèrent le buffle, animal pesant douze à quinze cents livres, pour le plaisir d'en manger la langue, et abandonnèrent les carcasses aux animaux du désert... »

Des préoccupations du même ordre se font jour dans l'œuvre du Français Jacques-Gérard Milbert. Arrivé aux

1. *Castanea dentata,* Fagacées.
2. *Sabal palmeto,* Palmiers.

États-Unis en 1815, celui-ci, en bon collectionne⟨ur⟩
qu'il était, rassembla en Amérique du Nord vingt-⟨cinq⟩
d'échantillons, vingt-cinq caisses de graines et ⟨⟩
espèces de plantes, ainsi que six cents arbres viva⟨nts⟩
impressionnante collection d'animaux, dont « un aig⟨le,⟩
un bison, une tortue et un crocodile ». À l'instar de François-
André Michaux, explorant comme lui les États-Unis au début
du XIXe siècle, il portait un vif intérêt aux forêts qui, selon lui,
avaient absolument besoin d'être conservées ou reconstituées,
en Europe comme en Amérique. Dans l'introduction de son
compte-rendu de mission aux États-Unis, Milbert lance un
émouvant appel en faveur de la conservation des forêts dont il
a constaté la destruction autour des grandes villes qu'il a visi-
tées. Il se souvient d'avoir vu des régions de France, autrefois
couvertes de forêts giboyeuses, où le déboisement a entraîné
l'érosion des pâturages, laissant la roche à nu ; il déplore l'éli-
mination des arbres qui agissaient comme pare-brise en protégeant les arbres fruitiers et les cultures, dans les plaines avoi-
sinantes, contre les vents déchaînés. En outre, il relève que le
déboisement a changé de beaux cours d'eau en torrents impétueux ou, à d'autres périodes de l'année, les a desséchés pour
ne laisser que des lits remplis de cailloux, réduisant ainsi l'eau
qui, autrefois, avait irrigué des plaines fertiles. Une sensibilité
si actuelle, si moderne qu'on a peine à réaliser qu'elle ait pu
être exprimée il y a cent soixante-dix ans... Ainsi, à l'aube du
XIXe siècle, l'écologie déjà pointait l'oreille. Seul le mot restait à
inventer, ce qu'allait faire le zoologiste allemand Ernst Haeckel
en 1866.

Le 15 janvier 1824, François-André Michaux, désirant
témoigner à l'American Philosophical Society sa reconnaissance pour l'aide que son père et lui-même avaient trouvée
auprès des « philosophes » de Philadelphie, offrit à ladite
société le cahier contenant le Journal de voyages de son père.
Puis, par testament du 4 septembre 1855, soit un mois et demi
à peine avant sa mort, il légua des sommes importantes à cette
société en vue de la promotion d'une bonne gestion forestière
aux États-Unis. Dès 1873, des revenus du legs furent investis

dans la plantation de cent variétés de chêne, d'origines diverses, dans le parc de Fairmont. En 1877, une autre partie de ces revenus fut affectée à la création d'une série de cours « contribuant à l'extension et aux progrès de la sylviculture ». Ces cours connurent un engouement extraordinaire. Alors que les tout premiers s'étaient tenus, malgré une bonne information diffusée dans la presse, en présence du seul concierge et de deux autres auditeurs, on dénombrait quelques années plus tard quatre cents participants réguliers, comprenant notamment de nombreux professeurs.

Ainsi, par son legs, François-André Michaux avait donné le coup d'envoi au développement de la forestrie scientifique aux États-Unis. En 1953, on a créé le Quercetum Michaux, une collection de chênes de tous pays, développée à l'Arboretum Morris de l'Université de Pennsylvanie, qui est continuellement enrichie par de nouveaux apports. Elle témoigne du souvenir toujours vivant du passage des Michaux aux États-Unis d'Amérique.

D'eux, il nous reste ici de nombreux arbres plantés en pépinières, en parcs ou en forêts. Le cas des peupliers américains mérite qu'on s'y arrête. Le *Populus deltoïdes*, répandu dans tout l'Est américain, a été importé en Europe sous forme de boutures. Il s'ensuit que ce peuplier ne s'y multiplie que par cette voie, formant en quelque sorte un gigantesque clone. Ces peupliers clonés ont vécu au voisinage d'individus de l'espèce européenne *Populus nigra*, qui compte des pieds mâles et femelles. Ils se sont hybridés entre eux, fournissant des intermédiaires hybrides parfois fort vigoureux, qui ont donc été propagés : ce sont les fameux « euraméricains », extrêmement répandus aujourd'hui en Europe du fait de leur forte productivité et de leur croissance rapide.

Parmi les nombreuses espèces de chêne dont peu ont été cultivées, on mentionnera le chêne rouge, *Quercus rubra* ; l'embrasement automnal de son feuillage en fait un arbre d'une extrême élégance, se regénérant rapidement après un incendie, et résistant dans sa jeunesse à l'appétit des lapins et autres rongeurs.

L'Amérique nous a valu aussi une sorte de marronnier, le *Pavia rubra*, fort recherché par les horticulteurs. Au voisinage du marronnier d'Inde, originaire d'Europe orientale, est né un hybride, le marronnier à fleurs rouges, aujourd'hui abondant dans les plantations d'ornement. Ce marronnier, on le voit, a connu la même aventure que le platane déjà évoqué : il résulte en effet d'un croisement entre le type américain et le type est-européen.

Mais les grandes découvertes devaient venir de l'Ouest américain où le jeune naturaliste écossais David Douglas herborisa de 1824 à 1834 au cours de deux missions successives, interrompues par un séjour de deux ans en Grande-Bretagne. Il aura donc fallu attendre la fin du premier tiers du XIXe siècle pour découvrir l'extraordinaire magnificence des grandes forêts ouest-américaines. Douglas était commandité par la Société d'Horticulture de Londres pour effectuer le travail de chasseur de plantes. Son correspondant à Londres était l'éminent botaniste William Hooker qui conçut et mena sa carrière comme un véritable sacerdoce (il avait visité les Galapagos en 1824, onze ans avant Darwin).

D'emblée, Douglas fait mouche : il repère un sapin qui, depuis lors, porte son nom, le Douglas, dont la rapidité de croissance bat nettement celle de nos conifères européens. Le Douglas, aujourd'hui omniprésent dans nos forêts européennes, est considéré comme une essence dont les forestiers ne pourraient plus se passer. Il répond en effet à la plupart des critères dont ceux-ci tiennent compte pour le repeuplement : sa croissance est rapide, son bois est de grande qualité pour des applications aussi diverses que l'étayage des mines, les charpentes et la menuiserie ; enfin, il protège le sol par un humus de bien meilleure qualité que celui du pin sylvestre, par exemple. Avec lui, la régénération naturelle est donc facile, et il assure dans de bonnes conditions la permanence de la forêt. Néanmoins, cette remarquable réussite ne se manifeste pleinement qu'avec des individus parfaitement adaptés au climat européen. Des essais comparatifs montrèrent qu'une seule région d'origine était vraiment intéressante pour la France :

celle que les Américains appellent la « Douglas fire region », qui se trouve de part et d'autre de la frontière USA/Canada, entre les premières pentes des monts Cascades et l'océan Pacifique. Les plus beaux peuplements de Douglas rencontrés en France viennent précisément de cette région.

Le premier botaniste anglais à étudier la flore de l'Ouest de l'Amérique du Nord fut le docteur Menzies, médecin et botaniste. C'est lui qui rapporta les premiers échantillons de « Douglas », nommés alors *Pseudotsuga taxifolia*, alors que le jeune David Douglas fut le premier à entrevoir tout le profit que la culture forestière européenne pourrait tirer de cette espèce. Malheureusement, celle-ci ayant été récoltée avant lui par Menzies, porte le nom de ce dernier, en vertu des règles de la nomenclature internationale de la botanique, bien qu'il soit couramment désigné comme le « sapin de Douglas » ou encore plus simplement le « Douglas ». Les Douglas sont des conifères à l'échelle du gigantisme américain, dépassant facilement les 80 mètres de haut.

De ses fameuses expéditions, David Douglas rapporta une impressionnante collection d'arbres forestiers ; on lui doit au total 340 nouvelles espèces de plantes. Mais il fallut encore attendre plusieurs expéditions pour que nous arrivent de l'Ouest américain : le *Chamaecyparis Lawsoniana*, un somptueux arbre ornemental, très courant aujourd'hui dans les jardins, qui se caractérise par ses couleurs tantôt bleutées, tantôt dorées ; l'*Abiès concolor*, dont on utilise beaucoup les formes horticoles à feuillage bleuté ; et, naturellement, les séquoias.

La première mention d'un séquoia nous vient d'Archibald de Menzies qui l'observa dans la région côtière de la Californie septentrionale et centrale, sous un climat tempéré humide et à des altitudes de l'ordre de 700 à 800 mètres. Il s'agissait du plus haut des séquoias, *Sequoia sempervirens*, qui dépasse les cent mètres. Habituellement, cet arbre toujours vert forme des bois mixtes, touffus, dominant les Douglas et autres conifères qui croissent en sous-strates malgré leur hauteur déjà impressionnante.

Il a fallu attendre le voyage de l'Anglais Lowe en 1840, soit six ans après la mort de Douglas, pour qu'un autre séquoia soit découvert : *Sequoiadendron giganteum*. Celui-ci, en effet, pousse davantage à l'intérieur des terres, sur une aire relativement restreinte constituée par le versant ouest de la sierra Nevada, et à des altitudes variant entre 1 500 et 2 400 mètres. Un peu moins élancé que le *Sequoia sempervirens*, *Sequoiadendron giganteum*, l'« arbre mammouth » des Américains, est l'être vivant le plus massif de la nature. Les premiers échantillons, âgés d'environ mille cinq cents ans, ont un diamètre à la base de plus de 10 mètres, pour une circonférence pouvant dépasser les 30 mètres. Cet extraordinaire monument de la nature se distingue du précédent par son écorce rouge brun, qu'il est aisé de bourrer de coups de poing sans encourir le moindre préjudice. Le même exercice serait plus hasardeux sur les écorces nettement plus ligneuses et rugueuses de *Sequoia sempervirens*... *Sequoiadendron giganteum* est donc le supergéant du règne et le détenteur de tous les records : c'est l'arbre le plus gros et le plus trapu, dont le poids peut atteindre deux mille tonnes, à comparer aux cent cinquante tonnes des plus grosses baleines.

À l'inverse, les graines de séquoia sont minuscules et leur poids ne dépasse guère les 5 milligrammes ; aussi, pour donner un adulte, doit-elle multiplier ce poids par 250 milliards – autre record qui n'appartient qu'à cet arbre... On a aussi calculé qu'en le débitant finement, il pourrait fournir quelque 50 milliards d'allumettes... Il est somme toute assez surprenant que l'être vivant le plus gros et le plus lourd de la nature ait été l'un des derniers à être découvert, il y a à peine un siècle et demi !

Mais la nature ne concentre jamais tous les records chez une seule espèce. Ainsi, les énormes *Sequoiadendron giganteum*, s'ils sont généralement beaucoup plus trapus, sont moins hauts que leurs cousins *Sequoia sempervirens*. Et ni l'un ni l'autre ne détient le record de longévité absolue qui, avec près de 5 000 ans, appartient à un autre conifère de Californie, le « pin à longue vie », *Pinus longaeva*. Les séquoias cultivés dans

227

nos parcs et jardins d'Europe n'atteignent bien sûr jamais cet âge ni ces mensurations, même si leur port majestueux l'emporte bien souvent sur celui des autres arbres forestiers poussant en leur compagnie.

Si l'on devait esquisser un bilan, il apparaîtrait que peu d'espèces de l'Est américain sont véritablement entrées dans l'exploitation forestière en Europe. C'est l'Ouest, notamment avec le Douglas et quelques autres essences, qui a été plus généreux, bien que ces espèces aient été découvertes plus tardivement. En fait, l'Amérique du Nord nous a livré pour l'essentiel des arbres ornementaux ou forestiers, ce que n'a fait aucune autre région du globe. Et elle l'a fait tardivement, voire très tardivement pour ce qui concerne la côte ouest dont les arbres géants n'ont été véritablement repérés et nommés qu'au début du XIXᵉ siècle.

Chateaubriand a célébré dans *Atala* la beauté et la grandeur de la forêt américaine. Il semblait avoir une inclination toute particulière pour les arbres exotiques, qu'il repérait dans les châteaux qu'il visitait, mais aussi dans les jardins de matelots des environs de Saint-Malo. En 1863, il se rendit en Italie et, pénétrant dans Milan, revit « la magnifique allée de tulipiers dont personne ne parle ; les voyageurs les prennent apparemment pour des platanes. Je réclame contre ce silence, en faveur de mes ouvrages, c'est bien le moins que l'Amérique donne des ombrages à l'Italie. » Le tulipier était arrivé en Europe en 1688, avant le magnifique *Magnolia grandiflora* acclimaté en 1737.

À notre alliée d'Outre-Atlantique que nous aimerions pouvoir considérer comme une belle et grande sœur de la jeune Europe, et non comme un moderne et redoutable Big Brother, comment mieux faire que rappeler les paroles de Thomas Jefferson, son Président de 1801 à 1809 ? Il sut définir avec sobriété et éloquence l'esprit scientifique qui inspira ses contemporains dans les échanges des échantillons botaniques. Il était fier de cultiver dans son propre jardin une « espèce de chicorée » dont les graines avaient été rapportées de France en hommage à Washington, et qu'il avait à son tour reçues de ce dernier :

« Je mentionne ce fait, écrivit-il le 19 février 1809, car il démontre la nature des relations entretenues entre les sociétés fondées sur un objet humanitaire qui consiste à faire connaître dans toutes les parties du monde les découvertes utiles qui peuvent être effectuées par l'une quelconque d'entre elles. Ces sociétés sont toujours en paix, même quand les pays où elles se trouvent sont en guerre. Comme la République des Lettres, elles forment une grande fraternité qui s'étend sur la Terre entière, et aucune nation civilisée n'interrompt leurs communications... »

Ces propos, qui font pendant à ceux de l'Anglais Joseph Banks, définissent une certaine approche de la science, on ne peut plus menacée aujourd'hui par les appétits effrénés des grandes multinationales et le culte exclusif du profit prôné par l'ultralibéralisme. Il n'est plus une plante, transgénique ou non, un organe, un gène, fût-il humain, qui ne fasse l'objet d'une appropriation par quelque firme en quête de nouveaux brevets... Nous sommes bien loin de l'idéal de Jefferson dans un pays qu'il marqua pourtant si fortement de son empreinte !

19

Alexander von Humboldt et Aimé Bonpland en Amérique équinoxiale

Le XVIIIe siècle restera celui où, d'au-delà les océans, à travers les continents, les chasseurs de plantes auront fourni du grain à moudre aux Tournefort, Linné et Jussieu, pères des premières classifications végétales. Cependant, au terme de ce siècle, des idées nouvelles émergent et si le souci de collecter des échantillons destinés aux collections des muséums persiste, d'autres préoccupations se font jour. L'écologie, en particulier, apparaît déjà à l'horizon avec ce brillant précurseur que fut Alexander von Humboldt.

Né à Berlin le 14 septembre 1769 d'une riche et noble famille de Poméranie, Frédéric, Charles, Guillaume, Henri Alexander von Humboldt bénéficia pour son éducation des meilleurs précepteurs de son pays et de son temps. À l'université de Göttingen, il étudia la philosophie, l'histoire et les sciences naturelles. Il rencontra George Forster, qui avait accompagné Cook en tant que naturaliste lors de son second voyage autour du monde. De cette rencontre allait naître chez le jeune Alexander un ardent désir de voyager. Il s'intéressait à tout et son esprit universel manifestait une insatiable curiosité tant pour les choses de la nature que pour celles de la société.

231

Mais cela ne lui conférait aucun métier. Aussi sa mère l'orienta-t-elle en 1790 vers l'Académie des Mines de Freiberg. C'est là qu'il rédigea en 1793, alors qu'il n'avait que vingt-quatre ans, un premier mémoire sur les plantes fossiles. Il s'intéressa passionnément à la physiologie naissante ; il alla même jusqu'à se faire des blessures dans le dos de manière à laisser les muscles à nu pour y appliquer un métal propre à exciter des contractions, et il consacra son deuxième ouvrage, publié en 1796, à des expériences sur la stimulation nerveuse et musculaire. Cette curiosité qui le portait vers les sciences naturelles s'exacerba davantage encore sous l'influence de Goethe, ami de la famille, qui exerça sur le jeune Alexander une profonde influence. Dès lors, à travers ses écrits, l'inspiration directe du grand poète germanique, qui fut aussi, on l'oublie souvent, un grand naturaliste et un grand botaniste, se fit sentir. Tant et si bien que le jeune ingénieur des mines ne se sentit plus la vocation d'exercer cette profession ; il donna sa démission et partit pour cette France qu'il aimait et qui venait de donner au monde la première Déclaration des droits de l'homme.

Dans la capitale, il fréquente savants et beau monde, et devient bientôt un habitué du salon du vieux Bougainville où se rencontre le tout-Paris. Ses idées font sensation. Alors que la science française s'installe déjà dans la spécialisation disciplinaire, von Humboldt est, avant la lettre, le type même de l'esprit interdisciplinaire qui tente de mettre au jour les liens que les sciences entretiennent entre elles en vue de mieux comprendre le fonctionnement de la nature : « Les sciences physiques, déclare-t-il, se tiennent par ces mêmes liens qui unissent les phénomènes de la nature. » Sur la botanique, il tient un discours décapant, brocardant ces « misérables archivistes de la nature » que sont les simples collectionneurs de plantes. Puis il se lance dans une grande envolée, sorte de discours-programme ouvrant à la botanique des perspectives entièrement neuves :

« L'harmonie générale dans la forme ; le problème de savoir s'il y a une forme de plante originelle qui se présente sous des

milliers de gradations ; la répartition de ces formes sur la surface de la Terre ; les diverses impressions de joie et de mélan-
colie que le monde des plantes produit chez les hommes sensibles ; le contraste entre la masse rocheuse morte, immobile,
et même entre le tronc des arbres, qui semble inorganique, et
le tapis végétal vivant qui revêt en quelque sorte délicatement
le squelette d'une chair plus tendre ; l'histoire et la géographie
des plantes, c'est-à-dire la description historique de l'extension des végétaux sur la surface de la Terre [...] ; l'investiga-
tion de la plus ancienne végétation primitive dans ses monuments funèbres (pétrification, fossilisation, charbon,
minéraux, houille) ; l'habitabilité progressive de la surface du
globe, les migrations et les trajets des plantes, plantes sociales
et plantes isolées, avec des cartes à ce propos ; quelles sont les
plantes qui ont suivi certains peuples ; une histoire générale de
l'agriculture ; une comparaison des plantes cultivées et des
animaux domestiques [...] ; les confusions générales qui se
sont produites dans la géographie des plantes à la suite des
colonisations : tels sont, à mes yeux, les objets qui me
paraissent dignes d'attention et presque entièrement non
abordés... »

Tout est dit en quelques lignes. Humboldt part d'une
approche typiquement goethéenne du monde des plantes,
dont les formes sont soumises à métamorphoses ; il s'aventure
dans leur histoire et leur géographie, intègre dans sa vision
l'étude des origines de l'agronomie, et parle déjà, en bon écologiste, de plantes sociales et de plantes isolées, de migration et
de trajet des plantes, enfin de l'action de l'homme au cours des
colonisations.

Ce discours, nouveau pour l'époque, enflamme de ferveur
et de curiosité le jeune botaniste Aimé Bonpland qu'il rencontre chez Bougainville. Et celui-ci se prend à rêver : il sui-
vrait ce jeune Allemand jusqu'au bout du monde ! Ainsi naît
entre les deux hommes une amitié qui les lia leur vie durant.
Non seulement Alexander, qui a assisté à Paris en 1790 à la
Fête de la Fédération, est épris de l'idéal des Lumières et des
Droits de l'Homme, mais le voici de surcroît qui jette les bases

d'une approche neuve de la nature, qui marquera profondément ses successeurs tout au long du XIXe siècle.

Quand il rencontre Humboldt, Aimé Bonpland a vingt-cinq ans et étudie avec son frère cadet la botanique au Muséum. Les deux frères sont inséparables : ils fréquentent les mêmes cours, habitent le même hôtel, ne paraissent jamais l'un sans l'autre. Bien entendu, on glose sur leur patronyme qui semble tout naturellement les destiner à la botanique. Un nom qui viendrait de leur grand-père, lequel se serait écrié à la naissance de leur père, alors qu'il taillait ses vignes dans la région de La Rochelle : « Ce garçon sera un bon plant ! » Très tôt amoureux des plantes, Aimé avait décidé de se faire médecin et d'exercer son art dans la marine ; mais, à Paris, il a découvert les plantes exotiques dans les serres de Thouin, au Jardin du Roi ; et la flore des tropiques est devenue sa passion exclusive.

Alexander et Aimé échafaudent des projets de voyages. Mais le temps des grandes expéditions financées par le roi s'est achevé avec la Révolution française où d'aucuns ont osé proférer cette phrase provocante : « La République n'a pas besoin de savants ! », et on a guillotiné Lavoisier. Heureusement, Humboldt jouit d'une fortune personnelle ; il prendra donc les frais à sa charge. Les deux compères décident de partir pour l'Amérique latine, et consacrent une année à étudier les manuscrits se rapportant aux expéditions de Joseph de Jussieu, de La Condamine et de Dombey.

En fait, ils ont d'abord songé à rejoindre Bonaparte, parti en Égypte à la tête de la plus formidable expédition militaro-scientifique de l'époque. Ce projet ayant échoué, ils iront donc bien outre-Atlantique. Mais l'accès de l'Amérique équinoxiale passe par l'Espagne. À leur arrivée à Madrid, les deux naturalistes sont reçus avec les égards dus à leur rang ; le roi Charles IV leur accorde la permission de voyager dans toutes les colonies espagnoles d'Amérique, puis de visiter les îles Marianne et les Philippines sur le chemin du retour.

« J'obtins nos passeports, raconte Humboldt, et jamais permission plus étendue n'avait été accordée à deux voyageurs, jamais étranger n'avait été honoré de plus de confiance de la part du gouvernement espagnol... Le passeport stipulait [...] que j'étais autorisé à me servir librement de mes instruments de physique et de géodésie, que je pouvais faire dans toutes les possessions espagnoles des observations astronomiques, mesurer la hauteur des montagnes, recueillir des productions du sol et exécuter toutes les opérations que je jugerais utiles à l'avancement des sciences. »

Fort de ces autorisations bienveillantes, Humboldt rassemble tout l'appareillage nécessaire à ses travaux : télescopes et microscopes, balances et magnétomètres, thermomètres, baromètres, hydromètres, chronomètres, sans oublier les quadrants et les sextants... Bref, le matériel le plus sophistiqué de son temps, financé sur ses propres thalers !

Le 5 juin 1799, le *Pizzaro* lève l'ancre à La Corogne à destination de La Havane. Von Humboldt écrit :

« Je collecterai des plantes et des fossiles et me livrerai à des observations d'astronomie. Mais là n'est pas le but premier de mon expédition : je m'efforcerai de découvrir l'interaction des forces de la nature et les influences qu'exerce l'environnement géographique sur la vie végétale et animale. En d'autres termes, il faut explorer l'unité de la nature... »

Comment ne pas voir dans ces quelques lignes la définition première de l'écologie, dont le mot ne sera forgé que soixante-sept ans plus tard ? Dès à présent, il est question d'interactions, d'environnement, d'unité de la nature : autant de notions nouvelles pour l'époque qui vaudraient sans nul doute au baron von Humboldt de pouvoir prétendre au titre envié de « père de l'écologie ».

Cette « vision large » ne se limite pas à la nature, il l'a aussi de la société. Dès le départ, il a été décidé qu'il communiquerait un bilan complet de ses recherches aux grandes puissances de l'époque : l'Allemagne, sa patrie, l'Espagne et la France, qui disposeraient des collections botaniques, mais aussi l'Angleterre. Car Humboldt croit autant à l'universalité de la science, qu'il croit à l'unité de la nature. Et l'Angleterre, c'est Sir Joseph

Banks, le botaniste du premier voyage autour du monde de Cook, qui a ouvert à Humboldt sa maison et sa bibliothèque.

Première escale à l'île de Ténériffe, aux Canaries, et première escalade au pic du Taïdé qui domine majestueusement l'Atlantique de ses 3 715 mètres. Pour atteindre le cratère du volcan, nos botanistes traversent successivement le long plan incliné de la vallée de la Orotava, avec ses riches cultures, puis la forêt de pins et de bruyères arborescentes, ensuite un paysage très ouvert marqué par les boqueteaux, de forme parfois hémisphérique, d'un magnifique genêt spécifique de ces îles, enfin les rocailles arides des pentes du volcan lui-même où pousse à plus de 3 500 mètres, là où ne subsiste plus aucune espèce de plante à fleurs, une petite violette[1] visible nulle part ailleurs au monde. La vallée de la Orotava a gardé le souvenir de cette visite : on la découvre dans toute sa majestueuse beauté du fameux « Belvédère de Humboldt ». Et il n'est pas douteux que la zonation altitudinale si caractéristique de ce parcours ait amplement stimulé les réflexions originales et déjà écologiques d'Alexander sur les liens étroits unissant les zones de végétation et la répartition des végétaux avec l'évolution des conditions climatiques liées à l'altitude.

Le 17 juillet 1789, notre équipage débarque à Cumana, port vénézuélien situé à l'est de Caracas. Le dépaysement est prodigieux : « Quelle contrée fabuleusement prodigue ! écrit Humboldt à son frère Guillaume... Des plantes fantastiques, des anguilles électriques, des tatous, des singes, des perroquets et beaucoup, beaucoup de vrais Indiens à demi sauvages. Bonpland ne cesse de me dire qu'il va perdre la raison si les merveilles ne s'arrêtent pas bientôt... » Ils expriment le sentiment que le monde qu'ils découvrent n'est plus à l'échelle de l'Europe, que c'est la végétation qui y aurait domestiqué l'homme, et non l'inverse, que tout, dès lors, doit être repensé autrement. Mais nos deux explorateurs ne s'avachissent pas longtemps dans les torpeurs du climat tropical ; ils pénètrent à

1. *Viola cheiranthifolia*, Violacées.

l'intérieur des terres et entament un interminable parcours de pas moins de dix mille kilomètres.

Deux épisodes particulièrement marquants restent gravés en lettres de feu ou de glace dans leurs récits de voyage.

Le premier est la traversée du Cassiquiare, bras d'eau qui était resté jusqu'alors énigmatique pour les géographes européens. Pour certains, il était censé relier l'Orénoque au bassin de l'Amazone par le Río Negro ; pour d'autres, une telle aberration géographique était impensable : on n'avait jamais vu les bassins de deux grands fleuves communiquer entre eux par une voie d'eau naturelle. Il fallait donc tirer l'affaire au clair. Quittant le Río Negro dont les eaux, comme son nom l'indique, sont brun foncé, nos explorateurs s'engagent sur les eaux claires du Cassiquiare, qui semblent bien d'une autre provenance. La remontée des 320 kilomètres du Cassiquiare est un véritable martyre ; la végétation de part et d'autre est d'une luxuriance inouïe, d'où l'impossibilité d'aborder où que ce soit pour faire halte ; les moustiques sont féroces et trouver de quoi faire du feu dans ces forêts humides, qui ne livrent pas de bois combustible, est une gageure. Le 21 mai 1800, après onze jours d'une navigation des plus pénibles, l'expédition arrive sur les bords de l'Orénoque. Il faut donc se rendre à l'évidence : en ce point même, le grand fleuve des Guyanes jette ses eaux en partie dans le Cassiquiare et, de là, dans le Río Negro et l'Amazone, cependant que le plus gros débit poursuit sa course jusqu'au delta. C'est le seul exemple au monde où deux bassins sont reliés par un canal issu d'un même grand fleuve.

En 1968, Douglas Botting refit le parcours de von Humboldt et de Bonpland et décrivit un Cassiquiare toujours aussi désolé et sauvage. Les moustiques y étaient toujours aussi éprouvants, les jaguars aussi audacieux, la végétation des rives aussi dense, suscitant la même sensation de claustrophobie qui avait tant oppressé nos deux explorateurs. Il n'y rencontra ni missionnaire, ni Indien, et considéra ces lieux comme les plus solitaires et les plus inhospitaliers de la planète. C'était bien là le fameux « enfer vert » des chroniqueurs espagnols. Ceux-ci n'avaient point de mots assez sombres pour le décrire : « vipères sautantes » qui se jetaient sur les hommes, serpents mortels, hurlements de bêtes se répandant par toute la forêt jusqu'à créer une cacophonie indescriptible, hordes de moustiques qui semblaient militairement organisées, armées de fourmis rouges, abeilles énormes au miel empoisonné, manque d'air et de lumière entre ces impénétrables murailles végétales seulement accessibles à coups de machette, dans une buée épaisse aux senteurs entêtantes et putrides... Autant de dangers qu'il fallait oser braver, sans compter le pire de tous : ces fameuses flèches empoisonnées qu'avait déjà signalées en 1494 Pietro Martire d'Anghiere.

C'est à proximité d'Esmeralda, sur l'Orénoque, que Humboldt et Bonpland assistent à la fabrication du plus fameux des poisons, le curare. Un sorcier leur dit : « Je sais que les Blancs ont le secret de fabriquer du savon et cette poudre noire qui a le défaut de faire du bruit et de chasser les animaux si on les manque. Le curare, que nous préparons de père en fils, est supérieur à tout ce que vous savez faire ; c'est le suc d'une herbe qui "tue tout bas". » Cette « mort volante » et silencieuse par flèche empoisonnée était la terreur des Espagnols. Humboldt et Bonpland eurent le mérite d'identifier les plantes intervenant dans la fabrication du poison, mais il fallut encore plus d'un siècle pour que celui-ci devienne médicament. Utilisé en chirurgie, il produit ce que les spécialistes appellent le « silence abdominal », c'est-à-dire une parfaite relaxation de l'intestin, propice aux interventions. De retour en Europe, Humboldt publiera une longue étude sur le toxique qui « tue tout bas ».

Le second épisode majeur de ce long périple à travers l'Amérique équatoriale est l'escalade du Chimborazo, volcan culminant à 6 310 mètres, considéré à l'époque comme la plus haute montagne du monde. Humboldt et Bonpland s'étaient déjà « fait la main », si l'on peut dire, en escaladant le volcan Purace, qui culmine à 4 910 mètres. Mais, ici, en raison de l'altitude, l'épreuve était bien plus sévère encore : « Nous saignâmes des lèvres..., nous sentîmes tous un malaise, une débilité, une envie de vomir qui certainement provient autant du manque d'oxygène de ces régions que de la rareté de l'air. Une crevasse affreuse nous empêcha de parvenir à la cime même du Chimborazo, pour laquelle il ne nous manquait que 236 toises... » En effet, à l'altitude de 5 877 mètres, face à une crevasse infranchissable, ils durent rebrousser chemin, ayant néanmoins atteint l'altitude la plus haute à laquelle fût jamais parvenu jusqu'alors un être humain. Cette performance ne manqua pas de contribuer à la renommée internationale de von Humboldt, qui en tirera une immense gloire. Mais cette escalade joua aussi un rôle décisif dans l'élaboration de la pensée scientifique et écologiste du grand explorateur. Il reproduisit en effet avec soin, dans son *Atlas sud-américain*, toutes les plantes qu'il avait rencontrées au fur et à mesure qu'il s'élevait en altitude, comparant cette zonation altitudinale à la zonation de la végétation en latitude entre l'équateur et les pôles. Il avait repéré successivement de vastes échantillons de végétations : tropicale dans les plaines, tempérée à mi-hauteur, quasi arctique au sommet du volcan.

En fait, cette zonation en fonction de l'altitude si caractéristique des végétaux, n'avait pas échappé à ses prédécesseurs : Commerson l'avait déjà notée à propos de l'île de France et de l'île Bourbon. Il avait remarqué que les Créoles distinguaient avec précision les étages successifs de la végétation lorsqu'ils parlaient de « leurs chasses ou courses en détachement contre les Noirs marrons » ; ils disaient alors : « J'ai été jusqu'à la hauteur des nattes, des taurrouges, des calumets, des tamariniers des hauts... », chacune de ces espèces caractérisant une strate de végétation, donc une altitude.

Joseph Dombey devait lui aussi décrire avec soin les zonations altitudinales de la végétation dans la cordillère des Andes où elle est à coup sûr la plus spectaculaire. Mais c'est à Alexander von Humboldt que revint le mérite de développer ces notions qui fondèrent ultérieurement une science dont il est sans conteste le père : la biogéographie. Car il pousse beaucoup plus loin que ses prédécesseurs l'analyse de la répartition des végétaux en fonction des altitudes, mais aussi des latitudes :

« En comparant les proportions numériques des familles végétales dans plusieurs zones déjà soigneusement explorées, j'ai été conduit à reconnaître la loi d'après laquelle les plantes qui composent une famille augmentent ou diminuent numériquement de l'équateur aux pôles par rapport à la totalité des Phanérogames qui végètent dans chaque contrée. La belle famille des légumineuses, par exemple, décroît à mesure que l'on s'avance de la zone équinoxiale au pôle nord. Au contraire, les Graminées et les Amentacées (arbres à chatons) vont en diminuant vers la zone torride. »

C'était exprimer avec beaucoup de pertinence des faits d'expérience courante pour un botaniste. Mais celui-ci ne reconnaîtra jamais qu'une infime partie de la flore existante s'il se contente d'herboriser en Europe où il sera appelé à ne fréquenter que les familles dominantes sur ce continent : à savoir les arbres à chatons et les Graminées, précisément. D'autres familles n'y sont que chichement représentées alors qu'elles dominent les flores tropicales : les Rubiacées, par exemple, représentées chez nous par les modestes *Galium* ou l'aimable Aspérule, là-bas par les Orchidées dont les vingt mille espèces sont pour l'essentiel tropicales.

Tout au long du voyage, Humboldt et Bonpland se répartissent méticuleusement les tâches : tandis que le premier mesure tout ce qui peut l'être à l'aide de ses multiples instruments, le second collectionne et met en herbiers. Dès la fin de 1799, Bonpland fait parvenir à Paris, au Muséum, la plus belle des collections jamais reçues d'Amérique latine. Y figurent en particulier une cinquantaine d'espèces de Fleur de la passion, chez laquelle les missionnaires avaient cru déceler les symboles de la Passion du Christ. Ces fleurs magnifiques ont en effet élaboré une architecture particulièrement propice à la pollinisation par les oiseaux : l'ovaire est porté par un long pédoncule, organe rarissime chez les fleurs, qui l'éloigne de la base des pétales où s'élabore le nectar. L'oiseau qui aspire le nectar ménage ainsi l'ovaire. Celui-ci, ainsi perché, évoque l'éponge trempée dans du vinaigre, tendue au Christ au bout de la tige de roseau. Les styles de cet ovaire, aux trois stigmates épais, évoquent les trois clous : les deux des poignets et celui des pieds. Les cinq étamines suggèrent les cinq blessures : celles des pieds, des deux mains, du cœur percé par la lance, de la tête couronnée d'épines que suggère à son tour la forme de la corolle, souvent tachetée de rouge. La légende veut que ce soit en décortiquant des fleurs de la passion que les premiers missionnaires instruisirent les indigènes, par cet habile moyen mnémotechnique, des souffrances infligées au Christ par ses tortionnaires.

Bonpland expédia aussi d'extraordinaires collections de fuchsias, de cinéraires, de zinnias et naturellement d'orchidées qu'il suspectait, d'une manière très anthropocentrique, de nourrir de mauvaises intentions les unes envers les autres en se volant leurs habitats et en se détruisant ainsi mutuellement.

Le voyage s'achève. La réputation de Humboldt et, dans une moindre mesure, de Bonpland s'est répandue dans le monde entier. À Mexico où ils séjournent, ils reçoivent une invitation du président des États-Unis, Thomas Jefferson. Ils se rendent aussitôt à Washington où un accueil triomphal leur est réservé. Ils y resteront deux mois avant de rentrer en Europe. Ils débarquent à Bordeaux le 3 août 1804. Le 13, ils sont à Paris. Désormais, la vie va les séparer, chacun poursuivant son chemin sans que jamais leur vieux compagnonnage soit remis en cause.

Après un court séjour à Berlin, Humboldt revient à Paris où il demeure vingt ans, refusant les offres les plus mirifiques du gouvernement prussien. Il va dès lors s'employer à publier les comptes rendus minutieux de son voyage de cinq ans. Ses écrits se succèdent : étude des civilisations primitives du Mexique et du Pérou, suivie d'un recueil d'observations de zoologie et d'anatomie comparées, puis d'un essai politique sur le royaume de la Nouvelle Espagne ; puis un recueil d'observations astronomiques, un autre de physique générale et de géologie, enfin l'essai auquel va rester à jamais attaché son nom : *La Géographie des Plantes*. Au total, sept publications successives, constituant le plus gros thesaurus jamais produit sur l'Amérique équatoriale.

Au printemps de 1929, Humboldt, qui entre dans sa soixante-troisième année, est invité par le tsar de toutes les Russies à entreprendre en son nom un voyage dans les provinces orientales de l'Empire, du côté de l'Asie centrale. Cette mission vise à faire avancer la connaissance géologique et celle des ressources naturelles de cet immense pays. En six mois, Humboldt va y parcourir près de 8 000 kilomètres.

En avril 1835, il a la douleur de perdre son frère Guillaume, qui s'éteint dans ses bras. Autant qu'Alexander, Guillaume avait contribué à la réputation internationale de la famille en tant qu'écrivain, philosophe et homme politique de grand renom. Alexander lui survécut vingt-quatre ans et consacra le reste de sa longue vie à l'élaboration d'une description physique du monde, dédiée au roi de Prusse, sous le titre de *Cosmos*. Il s'éteignit le 6 mai 1859, à Postdam où il habitait, âgé de quatre-vingt-dix ans.

De son vivant, il était resté le fidèle ami et protecteur d'Aimé Bonpland, lequel avait perpétué, durant tout leur voyage, la tradition des botanistes collecteurs de plantes. Sa collection est venue enrichir le Muséum d'environ 6 000 espèces, dont la moitié étaient encore inconnues des botanistes. Tandis que Humboldt poursuit sa brillante carrière, une sorte de parcours sans faute, Bonpland, lui, se sent désemparé. En réalité, son cœur est resté aux Amériques. Le monde tropical lui manque, et il se prend à regretter la luxuriance des tropiques.

Il se trouve qu'il en va alors de même d'une jeune Antillaise, Joséphine de Beauharnais, épouse de l'Empereur. Lorsqu'il visite ses jardins de La Malmaison, il est surpris d'y retrouver sous serres une réplique miniature de la flore des Antilles. Bien qu'il n'ait recueilli que les miettes de gloire qu'a bien voulu lui laisser l'étincelant savant allemand, Bonpland devient le jardinier et le protégé de l'impératrice. Il parviendra à faire du jardin de La Malmaison un grand parc botanique.

Voici donc qu'a sonné, pour Bonpland aussi, l'heure de la renommée. Il échange avec les jardins de toute l'Europe des plantes rares, des graines, des spécimens uniques, cependant que, parmi les grands pépiniéristes de l'époque, le nom de Vilmorin commence à s'imposer. Désormais, l'acclimatation des plantes revêt une ampleur nouvelle, quasi industrielle.

Les orchidées restent néanmoins un luxe de milliardaires. Bonpland et Joséphine s'en éprennent et demeurent des heures à les contempler... Mais le bonheur n'a qu'un temps. En 1809, Joséphine, restée sans enfants, est répudiée par l'Empereur. Bonpland a quarante ans. À nouveau le voici seul. Il songe alors à se marier, mais l'union qu'il contracte n'est point heureuse. Il pense se consoler en répondant à l'invitation de Joseph Banks, auquel il va rendre visite à Londres. Mais il faut rentrer et, à nouveau, le voici désemparé. Il songe aux Amériques, à ce monde tropical qui est toute sa vie. Il veut le retrouver, et Humboldt va l'y aider.

Alexander rencontre en effet Simon Bolivar qui vit en exil à Paris. Ce Colombien de trente-trois ans s'est fait le champion de l'indépendance des colonies espagnoles d'Amérique latine ; avec lui s'achève l'ère des Conquistadores et commence celle des Libertadores. Bonpland s'enthousiasme pour cette nouvelle cause ; il est las de l'Europe, las aussi de poursuivre la publication de ses travaux communs avec Humboldt, ce qui ne va pas sans quelques frictions entre eux... Bref, il décide de partir et embarque à la fin de l'année 1816 pour Buenos Aires, la tête pleine de projets, ses malles pleines de graines et de boutures. Avec l'argent que lui a laissé Joséphine, il achète une propriété digne de ses grands projets ; il va enfin être son propre maître, pouvoir réaliser ses propres desseins. La gloire de Humboldt lui faisait de l'ombre ; désormais, il va pouvoir respirer.

Son objectif est de poursuivre le recensement de la flore américaine, mais aussi d'acclimater en Amérique des plantes européennes. Le climat de l'Argentine s'y prête, mais ce pays est malheureusement dans un état lamentable, en proie à des troubles politiques incessants. Il prend donc ses distances et s'installe dans la province de Corrientes, à l'extrême nord du pays, près de la frontière du Paraguay. Dans cette région au

climat tempéré, il peut acclimater facilement les espèces sub-
tropicales ainsi que les légumes ou les fruits venus d'Europe. À
l'inverse, les serres sont indispensables pour acclimater à Paris
avocatiers ou bananiers, caféiers ou ananas dont il envoie
régulièrement des échantillons en France.

En 1821, cinq ans après son retour en Amérique, il possède
la plus belle plantation de maté d'Argentine. Il s'intéresse particulièrement à cette fameuse *yerba*, une herbe du Paraguay
avec laquelle les habitants de La Plata préparent une boisson
stimulante, semblable au thé : le maté. Cette herbe, découverte
en 1763 par Bougainville et Commerson, n'a plus jamais été
observée par qui que ce soit ; pourtant, les marchés en
regorgent. Il finit par la découvrir grâce à l'observation de la
pratique de la médecine par les indigènes : le père d'un enfant
qu'il a soigné lui montre l'endroit où elle pousse. Il s'agit d'une
sorte de houx, qu'il baptise *Ilex Humboldtiana* et qui restera
dans les annales de la botanique sous le nom d'*Ilex paraguariensis*, le houx du Paraguay. Il entend bien cultiver cette herbe
et, qui sait, faire ainsi fortune... Mais il a toutes les peines du
monde à en faire germer les graines, revêtues comme les
feuilles d'une épaisse cuticule. Comment réussir à ramollir
cette cuticule sans tuer le germe ? Il cherche en vain à résoudre
cette difficulté, bien connue des jardiniers de tous les jardins
botaniques du monde, toujours en peine de favoriser quelque
germination. Mais voici que la solution lui tombe du ciel sous
forme de fientes d'oiseaux contenant des graines débarrassées
de leur cuticule ! L'acidité gastrique de ces sortes de grive
aboutit au résultat qu'il recherche depuis des mois : la graine,
débarrassée de sa cuticule, se décide à germer. Il apprendra
plus tard que les jésuites avaient déjà découvert ce secret et faisaient manger des graines à des dindons avant de les planter.
Quant à lui, il finit par obtenir le même résultat en trempant
ses graines dans un lait de potasse.

Mais les troubles politiques reprennent : le 17 décembre
1821, quatre cents soldats paraguayens franchissent la frontière, investissent la plantation et emmènent Bonpland, après
avoir mis le feu à toutes ses installations et massacré ses

Indiens. Il devient alors le prisonnier du despote Francía qui règne en maître sur le Paraguay et entend bien s'arroger le monopole du maté. Celui-ci voit en Bonpland un espion à la solde de l'Argentine ; il en fait donc un otage, destiné à contraindre les colons occidentaux et américains à reconnaître son propre régime. Bonpland reste désormais en résidence surveillée, sous la férule de Francía. Sous cette férule, néanmoins, le pays prospère, bien qu'il ait fermé ses frontières. Francía s'est bel et bien assuré l'exclusivité de la production de la *yerba*.

Bonpland n'est pourtant pas un inconnu et son rapt suscite un vif émoi en Europe. Simon Bolivar s'entremet, mais sans succès. Humboldt s'active à Berlin, et les Anglais envoient des plénipotentiaires. Bref, tout le monde civilisé s'indigne de sa disparition. Mais Francía n'entend pas céder d'un pouce. Bonpland, lui, ne bronche pas : il exerce modestement la médecine dans un village isolé, sous surveillance constante. Sa réputation gagne tout le pays ; il est humble, dévoué, aimé. Alors l'incroyable se produit : Francía, jaloux de lui, décide de le libérer et de le faire reconduire à la frontière. Mais il se reprend à la toute dernière minute et le retient encore pendant vingt mois. Il finit néanmoins par le libérer, le 2 février 1831, soit neuf ans, un mois et onze jours après son enlèvement.

Il a cinquante-huit ans et décide de tout recommencer. Il se remarie, remet en état son ancienne propriété de Santa Anna. Mais il continue à herboriser et présente chaque année un certificat de vie à l'Académie des Sciences pour toucher sa pension. Il pourvoit ses correspondants en cactus dont la mode se répand en Europe ; mais il ne néglige pas pour autant ses plantations, qui prospèrent.

Le successeur de Francía lui ouvre à nouveau les frontières du Paraguay où il repart herboriser ; il y retrouve le fameux *Victoria regia*, ce nénuphar géant dont les feuilles sont considérées – à tort – comme capables de porter un homme... Disons un bébé, tout au plus ! Il l'avait déjà découvert lors de ses herborisations avec Humboldt, mais ne l'avait plus jamais revu depuis lors. Le botaniste anglais

Lindley le dédia à la reine Victoria et il connut dès lors une vogue sans égale sur les plans d'eau aménagés dans les serres tropicales où les Gorce en Angleterre et les Vilmorin en France le propagèrent à l'envi.

Humboldt souhaite cependant accélérer son retour en France afin de l'amener à publier les résultats de ses recherches. Mais Bonpland est trop attaché à sa plantation pour vouloir la quitter. Sa femme, en revanche, le quitte, puis succombe en 1855. Nul ne semble plus guère s'intéresser à ses travaux ; aussi se retire-t-il dans deux pièces de sa maison où il va mener une vie d'ascète. Il meurt le 11 mai 1858, âgé de quatre-vingt-six ans.

Son prestige est tel que les autorités locales décident de l'embaumer et d'exposer son corps pendant quelques jours. Alors se produit un événement incroyable : un Indien ivre s'approche de la dépouille et salue respectueusement celui qu'il reconnaît et croit voir dormir. Il le salue, mais le défunt ne répond pas... Une fois, deux fois... Pris de rage, l'Indien tire alors son couteau et porte plusieurs coups au mort. Tel est l'ultime épisode de la légende d'Aimé Bonpland, relaté par ses biographes.

Humboldt mourut l'année suivante. Leur prestigieux compagnonnage témoignait de l'approche bienveillante que ces savants du XVIIIe siècle portaient aux civilisations anciennes et à leurs descendants, les Indiens. Ceux-ci ne leur avaient-ils pas livré leurs secrets, qu'ils avaient pourtant obstinément refusés aux Espagnols ? Cette confiance, ils la leur avaient bien rendue. En revanche, cet exemple ne fut guère suivi d'effets. Avec le XIXe siècle prenait fin l'ère des grandes explorations commanditées par les princes et les savants. L'humanisme, l'influence des encyclopédistes et de la philosophie de Rousseau s'estompaient. La bourgeoisie, les commerçants, les hommes d'affaires accédaient à leur tour au pouvoir avec des préoccupations assurément plus intéressées et plus matérialistes : l'économie prenait le pas sur le politique, la colonisation s'annonçait.

De ce point de vue, l'épopée d'Alexander von Humboldt et

d'Aimé Bonpland s'inscrit à la fracture entre deux époques : celle des Lumières et celle des affaires ! Elle marque aussi l'apogée d'un certain universalisme de la science dont Humboldt est sans doute le plus illustre et le dernier des représentants. Après lui commence l'ère des spécialisations toujours plus poussées et des disciplines toujours plus séparées. À cet égard, Humboldt fut sans doute le dernier des Encyclopédistes.

Mais l'histoire retiendra qu'en fondant la biogéographie, il fut aussi sans doute le premier des écologistes. L'extrême diversité des espèces vivantes, la variabilité de leurs formes et de leurs conditions de vie ne sont jamais pour lui que l'arbre qui cache la forêt. Derrière cette diversité – on ne parlait pas encore de « biodiversité » –, la vision perspicace du savant décèle l'unité. Dès son retour d'Amérique, il écrivait : « Que ce fût dans la forêt amazonienne ou sur les hauts sommets des Andes, j'ai toujours eu conscience qu'un seul souffle insuffle une seule et même vie aux roches, aux plantes, aux animaux et à la poitrine de l'homme. » Intuition goethéenne dont on aimerait qu'elle inspirât toujours l'écologie contemporaine !

La géographie honorera à son tour le baron prussien qui l'honora si bien : une ville porte son nom aux États-Unis, où il ne séjourna pourtant que quarante-deux jours, sans compter un glacier de Humboldt au Groenland, des montagnes de Humboldt en Chine, puis une mer de Humboldt... sur la Lune ! Sans omettre non plus le fameux courant froid qui longe les côtes d'Amérique du Sud, auquel le savant prussien dut aussi laisser son nom en dépit de ses protestations : il estimait en effet n'avoir fait que mettre en évidence un phénomène déjà connu depuis des siècles.

Quant à Aimé Bonpland, son nom, par-delà leur histoire commune, reste étroitement associé au génie de son illustre compagnon. Lui aussi laisse une œuvre considérable, aussi dispersée que le fut son existence. L'un de ses petits-fils tenta de rassembler tout ce qu'il pouvait récupérer des travaux de son aïeul en Argentine, et le légua à la faculté de médecine de

Buenos Aires. Récemment, Philippe Foucault a découvert dans cette faculté un coffre oublié depuis des décennies, contenant précisément toutes ses archives. Ce qui lui permit de consacrer, en 1990, une biographie à Aimé Bonpland : *Le Pêcheur d'orchidées*[1].

---

1. Philippe Foucault, *Le Pêcheur d'orchidées, Aimé Bonpland (1773-1858)*, Seghers, 1990.

20

Charles Darwin,
les orchidées et les pinsons

Charles Darwin était encore un tout jeune homme lorsqu'il embarqua, le 27 décembre 1831, sur le *Beagle* pour effectuer le tour du monde. Il avait vingt-deux ans. Le commandant de bord, Fitz-Roy, lui-même âgé de vingt-six ans, n'était que de peu son aîné ; redoutant la solitude intellectuelle pendant ce long voyage en mer, il avait sollicité la présence d'un naturaliste à bord. D'un tempérament passionné mais souvent morose, Fitz-Roy devint pour Charles un ami très proche, même si, parfois, de vives polémiques les opposèrent. Ainsi, par exemple, à Bahia, au Brésil, lorsque Fitz-Roy fit l'éloge de l'esclavage ; profondément choqué, Charles prit fait et cause pour les esclaves, ce qui mit le capitaine dans une colère épouvantable.

Étranges destins, en vérité, que ceux de ces deux compagnons de voyage qui partagèrent sur le *Beagle* la même table de travail pendant cinq ans ! Tandis que celui de Fitz-Roy s'interrompit brutalement par un suicide à la Sénèque, saigné à blanc dans un bain chaud, Charles Darwin connut une carrière exceptionnelle et une renommée posthume plus extraordinaire encore... Au point que l'on peut dire aujourd'hui, en forçant le trait, que Darwin est à la biologie ce que Jésus est au christianisme ! Il en est en effet de la première comme du second, avec un « avant Darwin » suivi d'une ère darwinienne qui dure et perdure depuis un siècle et demi. Car Darwin a marqué et marque encore d'un sceau indélébile l'histoire de cette discipline, mais aussi l'histoire des sciences et, davantage encore, celle de la philosophie des sciences.

Il avait de qui tenir : son grand-père, Erasmus Darwin, avait publié en 1794 un ouvrage, *Zoonomia*, qui avait connu un succès considérable. On trouve, abordés dans ce court traité, des sujets aussi divers que la fécondation croisée entre les plantes, la coloration adaptative et protectrice des animaux vis-à-vis de leurs prédateurs, l'hérédité et la domestication des animaux... – autant de thèmes que Charles reprendra dans ses propres ouvrages. On y lit par exemple : « La cause finale de cette lutte entre mâles semble être que l'animal le plus fort et le plus actif devrait propager l'espèce, qui serait ainsi améliorée. » Propos consigné bien avant la naissance de Charles et que l'on pourrait aussi bien mettre sous sa plume comme fondement de la théorie de la sélection sexuelle ! Le savant anglais Coleridge forgea d'ailleurs le mot *darwiniser* pour décrire la théorie d'Erasmus qui avait déjà, comme son petit-fils le fera avec un brio hors du commun, proposé une vision évolutive de la nature. En fait, son approche s'apparentait aux vues de Lamarck, publiées quelques années plus tard, et évoquait déjà sa théorie originale de la « génération », baptisée ultérieurement « hérédité des caractères acquis ».

Charles Darwin s'est toujours défendu avec énergie d'avoir subi la moindre influence de son grand-père ou de Lamarck. Dans une lettre au grand géologue Charles Lyell, datée de 1859, il écrit n'avoir tiré de l'œuvre du second « ni un fait, ni une idée ». Quant à son aïeul, il lui reprochait une « irrépressible tendance à théoriser et à généraliser ». Il niait aussi que l'idée d'évolution eût été déjà dans l'air à son époque, car, selon lui, « les faits innombrables et bien observés » manquaient pour l'étayer.

Aujourd'hui, avec plus d'un siècle de recul, en remettant les faits en perspective, on pourrait résumer comme suit les similitudes et les différences entre Erasmus Darwin et son petit-fils Charles. Erasmus était le héraut d'une époque enthousiaste où plantes et animaux inconnus affluaient en Europe de toutes les régions du monde. On assistait alors à une forte montée en puissance de l'histoire naturelle où les vieilles catégories intellectuelles se trouvaient bousculées. Dans le tumulte des idées nouvelles qui bouillonnaient en France sous la plume d'un Buffon, d'un Jussieu ou d'un Lamarck, l'intuition de l'évolution commençait à percer, remettant en cause les anciens dogmes. Deux générations plus tard, le rationalisme triomphe : Charles a une approche infiniment plus méthodique, minutieuse – « pointue », dirait-on aujourd'hui – du concept déjà existant d'évolution, encore nommée à l'époque « transformisme ». Il va y greffer celui de sélection naturelle, s'employant non seulement à confirmer la thèse de l'évolution, mais à en démontrer aussi les modalités. Observateur perspicace, toujours soucieux de s'en tenir aux faits, il annonce une nouvelle lignée de scientifiques et inaugure à sa manière la biologie moderne qui se reconnaît autant dans ses idées que dans sa méthode.

Très tôt, le petit Charles, fils et petit-fils de médecins célèbres, découvre sa passion pour les sciences naturelles. La lecture du récit de voyage de Humboldt l'éblouit. Il s'efforce de trouver les noms des plantes, de collectionner toutes sortes de coquillages, de minéraux, d'insectes, mais aussi des pièces de monnaie, des cachets postaux et des sceaux divers... Comme il le constate lui-même, sa passion de la collection était de toute évidence « innée, car aucun de mes frères et sœurs n'eut jamais ce goût ». Naturellement, son père le destine à la médecine, malgré sa propre répugnance à la vue du sang, qui semble l'avoir gêné durant toute sa carrière. Le jeune Darwin partage cette répugnance et finit par se détourner des études médicales. Au demeurant, toutes les études l'ennuient, les cours le barbent, car ils n'ont à ses yeux, par rapport à la lecture, « aucun avantage et beaucoup d'inconvénients ».

Mais, comme il ne parvient pas à surmonter son dégoût des dissections, qu'il ne sait point non plus dessiner, qu'il éprouve une étrange incapacité à maîtriser une langue étrangère, sa famille et lui-même finissent par s'interroger sur son orientation. Au bout de deux années passées à l'université d'Édimbourg, son père finit par conclure qu'il ne sera jamais médecin et décide que Charles deviendra pasteur, idée que le jeune homme accepte sans manifester la moindre opposition, bien qu'il semble n'avoir jamais eu ce qu'on appelle la « vocation ».

Comme il se doit pour un futur pasteur, Charles est alors inscrit au Christ's College, à Cambridge, où il se lie d'amitié avec son professeur de botanique, un religieux, J.S. Henslow. Une amitié qui démontre au jeune homme que l'état ecclésiastique n'est en rien incompatible avec la passion de l'histoire naturelle. C'est en tout cas par Henslow qu'est transmise à Charles, en août 1831, la proposition de partir pour un grand voyage autour du monde. Malgré les réticences de son père, qu'il finit par vaincre, il accepte avec enthousiasme. Ce projet allait faire de lui au bout de cinq ans, aux yeux de la postérité, le plus grand naturaliste de tous les temps.

Pourtant, il faillit bien ne pas faire ce voyage ! Car Fitz-Roy, convaincu que le visage exprimait le fond du caractère, avait tiqué sur la configuration de son nez. À l'instar de celui de Cléopâtre, ce nez faillit bien changer lui aussi la face du monde ! En fait, ce fut la tête de Darwin qui changea, au figuré comme au propre : à son retour, son père croira constater que la forme de sa tête s'est bel et bien modifiée !

Darwin s'engagea à payer de ses deniers son voyage, refusant de dépendre en quoi que ce fût de l'Amirauté. Il entendait ainsi être le seul détenteur des collections qu'il allait constituer. Ce trait manifeste bien son indépendance d'esprit, puisqu'il vécut sa vie entière de ses revenus et de ses livres sans jamais dépendre d'aucun organisme public ou privé. Une liberté que lui envieraient sans doute maints chercheurs contemporains...

Le bel enthousiasme du départ ne dura pas, car, à peine embarqué, Darwin souffrit abominablement du mal de mer, et ce, semble-t-il, durant toute la durée de son périple sur le

Beagle. Après l'escale traditionnelle de Ténériffe, aux Canaries, où le fait qu'une épidémie de choléra sévissait en Europe lui interdit de débarquer, puis une seconde escale au cap Vert, le *Beagle* entra le 28 février 1832 dans la baie de Bahia, au Brésil. Comme l'avaient fait trente-deux ans plus tôt Humboldt et Bonpland, Darwin y découvrit l'extraordinaire luxuriance de la forêt tropicale. Partagé entre l'enchantement et la perplexité, entre l'émotion du cerveau droit et la fébrile curiosité du cerveau gauche, il regarde, il observe, il collecte. Puis, c'est la Terre de Feu où il examine son premier « sauvage », un Fuégien nu, doté d'une longue chevelure flottant au vent et au visage orné de peintures multicolores : « Il se tenait au sommet d'un rocher, il gesticulait, il poussait des cris gutturaux en comparaison desquels ceux des animaux domestiques sont de loin plus compréhensibles... » Il ajoute : « C'est en tout cas le spectacle le plus insolite que j'aie vu au cours de mon voyage ; jamais je n'aurais pensé que la différence entre un homme sauvage et un homme cultivé puisse être aussi grande... »

À compter de ce jour, Charles commence à s'interroger sur les origines de l'homme au sujet desquelles il publiera, en 1871, un ouvrage célèbre, *L'Ascendance de l'homme et la Sélection naturelle*.

L'étape suivante, l'archipel des Galapagos, sous l'équateur, allait marquer à jamais la vie et l'œuvre de Darwin. Il y découvrit une multitude d'espèces animales et végétales, proches et pourtant différentes d'une île à l'autre. Ainsi observe-t-il des espèces d'iguanes terrestres et marins, ces derniers se nourrissant exclusivement d'algues arrachées aux rochers immergés et différant des premiers par des pattes en partie palmées et par leur aptitude à rester longtemps immergés. Il s'attacha aussi à observer les oiseaux, car il était encore à cette époque un grand chasseur, habitude à laquelle il renonça plus tard. Parmi ces oiseaux, les pinsons attirèrent particulièrement son attention ; il en distingua plusieurs espèces, différentes par leur taille, leur plumage et surtout par la forme de leur bec : les uns ont un gros bec semblable à celui des perroquets ; d'autres, au contraire, un bec fin comme celui des fauvettes ;

d'autres encore, des becs intermédiaires entre ces deux types ; d'autres, enfin, un bec droit, horizontal et pointu. Et Darwin d'écrire : « En considérant cette gradation et cette diversité de conformation dans un petit groupe d'oiseaux très voisins les uns des autres, on pourrait réellement s'imaginer qu'en conséquence d'une pauvreté originelle d'oiseaux dans cet archipel, une seule espèce s'est modifiée pour atteindre autant de fins différentes... »

Mais quelles fins ?

Là encore, Darwin se comporte en observateur perspicace : la variété de conformation des becs reflète une spécificité de chaque type de pinsons en fonction de sa nourriture. Un bec massif et conique comme un bec de perroquet correspond à des oiseaux terrestres, mangeurs de graines, passant la plus grande partie de leur vie à sautiller sur le sol. À l'inverse, les espèces dont le bec est long et fin se nourrissent d'insectes et vivent dans les branches des arbres. Quant au pinson à bec droit, il grimpe verticalement le long des troncs, tel un pic, et introduit des épines de cactus dans les crevasses pour en extraire des insectes ! Pourtant, tous ces oiseaux sont des pinsons : ils effectuent exactement les mêmes parades sexuelles et possèdent le même chant. Mais, représentés à la suite en fondu enchaîné, ils peuvent constituer une séquence morphologique presque parfaite en termes de forme de bec, de taille et de plumage. L'ornithologue Stephen Jay Gould classera plus tard ces pinsons dans treize espèces différentes.

Une idée germa alors dans l'esprit de Darwin : et si ces oiseaux étaient liés par une ascendance commune les rattachant à une espèce ancestrale originelle ? Au cours de sa vie, Charles Darwin revint à plusieurs reprises sur ces pinsons des Galapagos dont il n'avait pas compris d'emblée la distribution et la signification. Il lui faudra attendre des décennies, alors que d'innombrables faits nouveaux seront venus éclairer sa réflexion, pour trouver le fin mot de l'histoire : ces pinsons, descendant d'une espèce primitive, sans doute en provenance d'Amérique du Sud, auraient évolué sur les îlots de l'archipel des Galapagos de manière à éviter entre eux une trop grande compétition dans la quête de nourriture ; chacun se serait alors adapté à un type de nourriture spécifique, ainsi qu'en rend compte la forme de son bec. Du coup, chacun occupe ce qu'on appellera beaucoup plus tard une « niche écologique » particulière. Ainsi, le nombre total de pinsons se trouve notablement augmenté par la diversification de leurs mœurs alimentaires, fruit de cette évolution.

Mais, aussi satisfaisante soit-elle, une telle explication ne démontre pas comment et par quel mécanisme elle a pu se produire. C'est ici qu'interviennent la pensée originale de Darwin et son apport majeur à la science. Des variations aléatoires se seraient produites concernant la forme de ces becs : une mutation qui aboutit à l'accroissement du bec favorise l'adaptation de l'animal à un régime granivore ; une mutation en sens inverse favorise au contraire le recours à un régime insectivore. Pour qu'une mutation soit conservée, elle doit être en adéquation avec un milieu qui la conservera, la *sélectionnera*, dit Darwin. Ainsi, une mutation qui amincirait le bec serait évidemment fatale à un animal qui vivrait dans un milieu pauvre en petits insectes, comme ce fut le cas par exemple au début de l'ère primaire (il est vrai qu'il n'y avait pas encore d'oiseaux à cette époque...). Mais que le milieu soit en accord avec les mutations (Darwin disait les « variations », sans d'ailleurs parvenir à s'en expliquer l'origine, mais en les attribuant au hasard), alors de nouvelles espèces peuvent naître, fruits d'une harmonie entre une forme morphologique ou physiologique et un milieu approprié. D'où la multiplication, à travers toute l'évolution, des niches écologiques, des types spécifiques toujours plus nombreux. Par conséquent, un constant phénomène d'expansion de la vie, mais qui peut être inversé lorsque le milieu devient très défavorable à telle ou telle espèce et que les adaptations ne se produisent pas assez rapidement : l'espèce est alors condamnée à disparaître, ne laissant d'autres souvenirs que ses fossiles.

En 1844, près de dix ans après son retour, Darwin écrit à son ami J.D. Hoocker :

« Enfin me sont apparues quelques lueurs et je suis maintenant à peu près convaincu, contrairement à ce que j'avais cru encore longtemps, que les espèces ne sont pas – c'est là pour moi comme l'aveu d'un meurtre – immuables. »

Telle est, brièvement résumée, la philosophie qui sous-tend la théorie darwinienne de l'évolution, de ses fins et de ses mécanismes. Pour parvenir à ce constat, ne pouvant apporter de démonstration probante de l'apparition d'une nouvelle espèce dans la nature, il avait longuement observé les méthodes de sélection mises en œuvre pour la production d'animaux domestiques. Mais des observations ultérieures allaient étayer ses thèses de nouveaux arguments. Ainsi de l'histoire de la phalène du bouleau telle que la rapporte Kettlewell en 1959[1].

Cet auteur note sur de longues durées les variations de la couleur d'un papillon de nuit, la phalène du bouleau. Ce papillon était jadis de couleur claire, teinte adaptée aux troncs des bouleaux sur lesquels il vivait et où il passait ses journées au repos. Mais la pollution industrielle est passée par là, noircissant la surface des arbres et des rochers où vivait le papillon. Sa couleur claire, qui l'avait jusque-là protégé, par mimétisme avec son support, de l'appétit des oiseaux voraces, devint alors un handicap. Sur la couleur devenue sombre du support, il perdait son camouflage et devenait une proie aisément repérable. La sélection naturelle joua alors en faveur des mutants sombres de la même espèce, qui devinrent très communs en Angleterre au fur et à mesure que se développaient l'industrialisation, et, avec elle, la pollution. La variété claire se trouva pratiquement évincée des secteurs particulièrement pollués.

Ces observations empiriques demandaient néanmoins une confirmation expérimentale ; c'est ce que réalisa Kettlewell en testant le taux de survie de populations des deux variétés, claire et sombre, lâchées dans des régions boisées de type opposé. D'une forêt non polluée, Kettlewell réussit à recapter deux fois plus de papillons clairs que de papillons sombres,

1. Kettlewell, *Scientific American,* n° 201, 1959.

alors qu'il avait lâché un nombre égal de l'un et de l'autre. Au contraire, dans une forêt très polluée, près de Birmingham, il captura beaucoup plus de papillons sombres que de papillons clairs. Ainsi était démontré un cas spectaculaire de mélanisme industriel où l'adaptation chromatique au milieu apparaît comme un facteur de survie déterminant, la mutation claire ou sombre constituant un avantage ou un inconvénient selon la nature claire ou sombre du substrat sur lequel vivent ces papillons. On voit ici fonctionner la sélection naturelle en temps réel.

Il s'agit néanmoins de mutations ponctuelles portant sur un seul gène déterminant la couleur des insectes. Dans ce cas de figure, la théorie darwinienne s'applique certes avec rigueur, mais comment expliquer des phénomènes de mimétisme infiniment plus sophistiqués, comme celui qui, chez les orchidées du genre *Ophrys*, transforme un des pétales – le labelle – en une sorte de pseudo-insecte, au point que le vrai insecte homologue confond ce labelle avec une femelle de son espèce, s'y précipite, tente une copulation, s'agite frénétiquement, décroche du coup les masses polliniques qui se fixent sur sa tête et qu'il transporte sur une autre fleur, attiré par celle-ci grâce au même processus mimétique ? Ici se pose une question : quelles mutations ont donc bien pu se produire pour modifier à ce point un pétale et lui donner la forme, l'odeur, la couleur et même la pilosité d'une femelle d'insecte ?

À cette question, Darwin ne donne aucune réponse, pour la bonne raison qu'il ne se l'est jamais posée. Pourtant, il a consacré des années à observer la pollinisation des *Ophrys*, mais sans jamais s'interroger sur ce phénomène de mimétisme extrêmement poussé, qui, étrangement, ne l'a pas frappé.

Dans l'ouvrage qu'il consacre à la fécondation des Orchidées[1], où l'on reconnaît l'observateur minutieux et pointilleux des mécanismes biologiques, il s'étend longuement sur la manière dont ces fleurs sont pollinisées par des insectes trans-

---

1. Charles Darwin, *De la fécondation des Orchidées par les insectes*, Reinwald, Paris, 1870.

portant leurs masses polliniques de l'une à l'autre. Parlant de l'*Ophrys mucifera* (Ophrys mouche) qui, comme son nom l'indique, possède un labelle étrangement semblable à une mouche, il écrit cette phrase étonnante : « Comme les visites des insectes sont indispensables à la fertilisation de cet *Ophrys*, il est surprenant que la nature ne l'ait pas rendu plus attrayant pour ces petits animaux ! » En somme il n'a pas compris que ce labelle à forme d'insecte constitue en fait un attrait suprême ! Plus loin, parlant de l'*Ophrys apifera* (Ophrys abeille), qui possède un labelle ressemblant à une abeille, il écrit : « Robert Brown a imaginé qu'elle ressemble aux abeilles afin que les insectes ne songent pas à leur faire visite ; je ne suis pas de cette opinion. La ressemblance... de la fleur de l'Ophrys abeille à un insecte n'empêche pas quelque insecte inconnu de la visiter : ce qui, dans cette espèce, est indispensable pour la fécondation. » Puis il continue : « J'ajouterai seulement que je n'ai jamais vu un insecte visiter ces fleurs... » Enfin, dans un note infrapaginale, il s'enferre encore : « M. Price a souvent été témoin d'attaques faites par une abeille sur l'Ophrys abeille... Je ne peux pas comprendre ce qu'il veut dire. »

Lors de son voyage à bord du *Beagle*, Darwin avait pourtant découvert le mimétisme au Brésil. Fasciné par la férocité des araignées géantes, il avait remarqué que certains insectes, afin de tromper leurs prédatrices, « simulaient des feuilles vertes ou mortes, des rameaux desséchés, des lichens, des fleurs en bouton, des épines, de la fiente d'oiseau ou même d'autres insectes... ». Bref, il avait eu la révélation d'un mode de comportement, le mimétisme, que, trente ans plus tard, il ne reconnaît plus dans ses minutieuses études sur les Orchidées d'Angleterre !

En fait, observant longuement ces Ophrys mimétiques, il semble ne jamais s'être aperçu de la transformation insolite du labelle, qui constitue en quelque sorte une ruse de la fleur pour piéger un pollinisateur en simulant un partenaire sexuel. Il a fallu attendre les observations de Pouyanne, au début du XXᵉ siècle, puis celles du Suédois Külenberg, pour analyser finement ce mode de pollinisation ultra-sophistiqué que

Darwin n'avait ni vu, ni compris. Il avait d'ailleurs signalé, dans le texte cité plus haut, comme il était difficile de voir un insecte se poser sur ces Ophrys ; de fait, il ne s'agit plus ici, pour l'insecte, de butiner une fleur, mais, au contraire, de l'approcher sexuellement, parfois avec une grande brutalité, dans un contact ponctuel et rapide. Or, ces approches guidées par l'instinct sexuel sont plus rares, semble-t-il, que celles pro-voquées par le besoin alimentaire en direction du nectar ; elles supposaient, pour être observées, une très longue patience. Or Darwin a surtout observé la présence ou l'absence de masses polliniques sur des fleurs que des récolteurs bénévoles lui adressaient. Se contentant d'établir des statistiques sur le nombre de fleurs pollinisées ou non, sans doute n'a-t-il pas eu l'occasion de voir directement un insecte piquer sur une fleur d'Ophrys et entreprendre avec elle une tentative de copula-tion. Il n'a donc pu subodorer de quel piège les Ophrys étaient capables pour attirer leurs pollinisateurs !

L'eût-il découvert qu'il se serait sans doute posé la question cruciale autour de laquelle se concentre le débat au sujet du darwinisme : comment un pétale de fleur, le labelle, a-t-il pu se transformer d'une manière aussi surprenante en faux insecte ? Comment imaginer le mécanisme qui a produit au cours de l'évolution une telle transformation dès lors qu'aucun inter-médiaire entre un labelle non transformé et un labelle trans-formé n'existe dans la nature ? Nous sommes ici dans le cas de figure inverse de celui des pinsons : il n'y a plus de fondu enchaîné entre les espèces décrites. Comment donc la nature a-t-elle réussi un tel « saut » ? Peut-on imaginer toute une série de mutations allant systématiquement dans le même sens pour aboutir, *in fine*, à une telle morphologie ? Mais alors, pourquoi aucun témoin intermédiaire n'a-t-il été conservé ? Et comment imaginer que des mutations ponctuelles aient pu, du fait du hasard, s'enchaîner de manière aussi étrange pour aboutir à ce labelle mimétique ? Seule la biologie moléculaire apportera peut-être une réponse à cette question. On sait en effet aujourd'hui que des transferts de gènes sont possibles d'espèce à espèce par voie horizontale (non sexuelle). Une séquence de gènes d'insecte aurait-elle pu être transférée au génome de ces Ophrys, entraînant brusquement des mutations spectaculaires ? Mais alors, pourquoi uniquement chez les Ophrys ? Pourquoi un tel phénomène n'existe-t-il dans la nature que là et nulle part ailleurs ? Et pourquoi existe-t-il cependant sous plusieurs formes, faisant ressembler les Ophrys, comme leur nom l'indique, aux abeilles, aux mouches, aux moucherons, aux araignées, etc. ? Autant de questions qui, à ce jour, me semble-t-il, n'ont pas trouvé de réponses.

Le phénomène des Ophrys mimétiques nous fait toucher du doigt les limites du darwinisme, enrichi des successives remises à jour théoriques au gré des apports de la génétique et de la biologie moléculaire.

Observateur perspicace, Darwin a poussé à l'extrême le souci du détail. On ne trouve nulle part sous sa plume de grandes envolées lyriques et visionnaires comme chez Buffon ou Humboldt. À l'opposé, il stocke d'énormes quantités de faits et d'observations, puis les met peu à peu au service d'intuitions qu'il se garde de jamais évoquer sans les démontrer. De ce point de vue, il annonce une nouvelle génération de scientifiques, plus spécialisés que ceux des siècles passés. Quand la biologie animale se séparera de la biologie végétale et que la biologie elle-même se séparera de la géologie, le temps des grands naturalistes sera clos, relayé par celui des savoirs étroitement segmentés en disciplines. Chacun désormais s'enferme dans la sienne tant et si bien que l'œuvre de Darwin a fini par rester pratiquement inconnue des botanistes, y compris, paradoxalement, son œuvre botanique si remarquable concernant la pollinisation des Orchidées, mais aussi la biologie des plantes grimpantes et, surtout, des plantes insectivores dont il a si finement décrit les mécanismes de fonctionnement. Comme il le dit lui-même dans son autobiographie, il a « toujours eu plaisir à faire monter les plantes dans l'échelle des êtres organisés ».

La théorie de la sélection naturelle formulée par Darwin est aujourd'hui un dogme, pour ne pas dire le dogme fondateur de la biologie. À propos de quelque phénomène que ce soit, l'expression « *sous la pression de sélection* » tient trop souvent lieu d'explication, un peu comme un tic de langage, quelle que soit la complexité du phénomène en cause. Or, dans le cas des Orchidées mimétiques comme dans celui de la formation de l'œil, souvent avancé par les zoologues, de même que pour tous les organes complexes, dont on voit mal quel jeu subtil et cumulatif de mutations coordonnées aurait pu les engendrer, il est extrêmement hasardeux de vouloir appliquer la sélection darwinienne à leur formation. Dans le monde de l'évolution, comme si le darwinisme, pour reprendre le langage des mathématiques, était une explication nécessaire mais non suffisante, tout donne à penser que, dans le cas de la microévolution qui transforme des espèces très rapprochées en fonction des conditions de vie – ainsi, les pinsons des Galapagos –, la théorie darwinienne fournit une explication satisfaisante de l'émergence de nouvelles espèces. Mais qu'en est-il au juste dans le cas de la macroévolution qui détermine des grands types non directement reliés entre eux par une série d'intermédiaires, et entre lesquels se place cet autre mythe de l'évolution qu'est la notion de « chaînon manquant » ? Entre les fondus enchaînés qui relient entre elles les treize espèces de pinsons des Galapagos, et la loi du tout ou rien qui veut qu'une espèce d'Orchidées va ou non mimer la forme, la couleur et l'odeur d'un insecte, il y a un pas à franchir à propos duquel darwiniens et non darwiniens continuent de s'affronter.

Charles Darwin a l'immense mérite d'avoir écrit à son ami le botaniste J.B. Hoocker, dix ans après la parution de son œuvre majeure, *L'Origine des espèces* : « Vivrais-je vingt années de plus, serais-je en état de travailler, comme je modifierais *L'Origine*, et comme mes vues sur tout point se modifieraient ! » Comment mieux illustrer le concept d'évolution, sinon en écrivant une telle phrase qui en est la patente et pertinente démonstration ? Car la pensée aussi évolue, et pas seulement les espèces ! À preuve : dans son autobiographie publiée en 1876, bien après *L'Origine des espèces*, on peut lire sous la plume de Darwin que « les organes physiques et mentaux de tout être vivant ont été développés par sélection naturelle ou survie du plus apte, en même temps que par l'usage et l'habitude... ». Une retombée aux relents singulièrement lamarckiens, tendance qui, chez lui, s'est renforcée avec l'âge...

Pour ce qui est des mécanismes, gageons que la génétique n'a pas encore dit son dernier mot. Les transpositions « horizontales » de gènes ou de séquences de gènes d'une espèce à l'autre, phénomène constaté mais encore fort mal connu, permettront peut-être d'intégrer dans les mécanismes de l'évolution des modalités non liées à la sexualité, longtemps considérée comme le seul processus de brassage et d'échange de gènes. Là gît peut-être un secret de l'évolution qui permettrait de résoudre les problèmes encore existants. À moins qu'à l'avenir, d'autres idées, d'autres concepts, d'autres champs de recherche se révèlent, totalement imprévisibles aujourd'hui, mais qui permettraient d'approcher plus avant et de mieux cerner ce mystère absolu de la vie qu'est l'évolution.

De retour de son tour du monde, Darwin s'installa à Londres, puis dans une demeure cossue du Kent, Down House, où il demeura quarante ans, jusqu'à sa mort. Le temps des voyages étant terminé, il ne quitta plus l'Angleterre. Sa santé, il est vrai, était altérée, lui imposant de longues périodes d'inaction. On pense aujourd'hui qu'il aurait contracté la maladie de Chagas durant son séjour en Argentine où il avait été maintes fois piqué par un insecte vecteur du trypanosome, agent de la maladie. Cette affection dont les symptômes correspondent à ceux dont il se plaignait – lassitude intense, troubles intestinaux et cardiaques – ne fut identifiée qu'en 1909, de sorte qu'un certain mystère subsiste sur les nombreuses défaillances de santé dont pâtit Darwin. À la fin de sa vie, il se lamente d'avoir perdu tout plaisir à la poésie, fût-ce celle de Shakespeare, qu'il adorait dans sa jeunesse, ainsi qu'à la peinture et à la musique. En fait, chez lui, l'hémisphère gauche, celui du cerveau logique et rationnel, semble avoir pris le dessus, comme il s'en est expliqué lui-même dans son autobiographie d'une manière étrangement prémonitoire, car on ne savait rien à son époque du fonctionnement dissymétrique de l'encéphale humain :

« Cette lamentable déperdition des goûts esthétiques les plus marqués est d'autant plus bizarre que tout ce qui est histoire, biographies, voyages (indépendamment des faits scientifiques qu'ils peuvent contenir) ou essais de toutes sortes, continue à m'intéresser comme par le passé. Mon esprit ressemble désormais à une sorte de machine à moudre les lois générales à partir de grandes séries de faits ; mais pourquoi ceci aurait-il causé l'atrophie de la partie du cerveau qui commande le sens esthétique, je ne puis me l'expliquer. Un homme à l'esprit plus fortement organisé ou mieux constitué que le mien n'en aurait pas souffert, je suppose ; et si je devais refaire ma vie, je me ferais une règle de lire un peu de poésie et d'écouter de la musique au moins une fois par semaine ; peut-être les parties de mon cerveau aujourd'hui atrophiées auraient-elles pu ainsi se maintenir en activité ? Perdre ces goûts, c'est perdre du bonheur ; peut-être est-ce dommageable à l'intellect, ainsi que, plus probablement, au caractère moral, puisque cela affaiblit notre côté émotif. [...] Ma constitution mentale me rend pratiquement incapable de passer d'un sujet ou d'une occupation à un autre. Je peux avec grande satisfaction imaginer de consacrer tout mon temps à la philanthropie, mais pas la moitié ; c'eût été pourtant une bien meilleure ligne de conduite ! »

Il hésitait encore à publier ses prudentes réflexions sur l'évolution quand il reçut en juin 1858 un courrier d'Alfred Russel Wallace qui lui adressait un essai intitulé *Sur les tendances des variétés à s'écarter indéfiniment du type original*. Darwin y retrouvait toutes ses idées, ce qui le plongea dans un profond désarroi. Mais Lyell et Hoocker souhaitèrent qu'il exposât ses thèses en même temps que l'étaient celles de Wallace. Ils les publièrent donc dans un mémoire conjoint à la Société linnéenne de Londres. Du coup, Darwin précipita le mouvement et publia l'année suivante *L'Origine des espèces*, qui fit sensation et bouleversa toutes les idées reçues.

Le clergé s'en émut et déclencha un débat public qui passionna l'Angleterre. Ce débat devait rebondir plus violemment encore après la publication, en 1871, de *L'Ascendance de l'homme.* Effrayée par les perspectives darwiniennes, une lady s'écria : « Descendants du singe ? Mon Dieu, pourvu que Darwin se trompe ! Et s'il devait ne pas se tromper, pourvu que la chose ne s'ébruite pas !... » La chose, en fait, s'ébruita. Elle chagrina beaucoup son épouse, Emma Darwin, qui voyait non sans tristesse Charles s'éloigner de toute foi religieuse. Dans une lettre qu'elle adressa à son mari en 1861, elle écrit :

« ... Quand je vois votre patience, votre profonde compassion pour les autres, votre maîtrise de vous-même et surtout la gratitude que vous témoignez à la moindre tentative pour vous soulager, je ne peux m'empêcher de désirer que ces précieux sentiments soient offerts au Ciel en faveur de votre bonheur quotidien. Mais je trouve cela assez difficile dans mon propre cas. Je pense souvent aux paroles : "Tu le garderas dans une paix parfaite, celui dont l'esprit s'est appuyé sur toi !" C'est le sentiment et non la raison qui conduit à la prière. Je me sens présomptueuse de vous écrire cela. Je sens au plus profond de mon cœur vos qualités et sentiments admirables, et tout ce que je souhaiterais, c'est que vous les dirigiez vers le haut, comme vers Celui qui les met au-dessus de tout le monde... »

Darwin, qui aimait profondément son épouse, regrettait les tourments que lui inspiraient ses théories.

Amour, certes, mais aussi humour, ainsi qu'en témoigne le curieux épisode des haricots formés du mauvais côté de la cosse, qu'il relate en ces termes :

« Je vais citer l'exemple le plus bizarre que j'aie connu. Un gentleman (dont je sus plus tard qu'il était un bon botaniste local) m'écrivit des comtés de l'Est que les graines du haricot, cette année-là, s'étaient formées du mauvais côté de la cosse. Je lui répondis en réclamant une plus ample information, car je ne comprenais pas de quoi il s'agissait ; mais je restai longtemps sans réponse. Je lus alors dans deux journaux, l'un du Kent, l'autre du Yorkshire, des articles qui signalaient ce phénomène étrange : "des haricots formés cette année du mauvais

côté de la cosse". Je pensai alors qu'une assertion aussi générale ne devait pas être sans quelque fondement, et j'écrivis
donc à mon vieux jardinier, dans le Kent, pour lui demander
s'il avait entendu parler de la chose, mais il me répondit : "Oh
non, monsieur, cela doit être une erreur, car les haricots ne se
forment sur le mauvais côté que les années bissextiles, et cette
année n'est pas bissextile." L'interrogeant alors à propos de
leur formation les années ordinaires par rapport aux années
bissextiles, je m'aperçus bientôt qu'il n'en savait absolument
rien dans un cas comme dans l'autre ; cependant, il persista
dans son opinion. Au bout d'un certain temps, mon premier
informateur m'écrivit, avec force excuses, qu'il n'avait pas
voulu répondre sans s'être fait confirmer le phénomène par
plusieurs agriculteurs intelligents ; or, tous s'étaient montrés
incapables de préciser ce qu'ils avaient voulu dire. On voit ici
comment une opinion – si tant est qu'on puisse ainsi nommer
une assertion sans fondement défini – s'était répandue à travers presque toute l'Angleterre, et ce sans l'ombre d'une
preuve. »

À la même époque, un moine tchèque, Gregor Mendel,
croisait des petits pois dans le jardin de son monastère de Brno
et découvrait les lois déterminant la transmission héréditaire
des caractères. La génétique était née, mais Darwin ne le sut
jamais. Si bien qu'il ignora toujours comment les variations
qu'il observait pouvaient bien se transmettre d'une génération
à l'autre. Ainsi va la science, qui veut qu'un grand savant ne
sache pas tout, fût-il Charles Darwin ! Et fût-il, comme lui,
inhumé à la cathédrale de Westminster, comme il sied à un
« grand saint » de cette nouvelle « religion de la science » qu'or-
ganisèrent autour de sa mémoire des générations de biolo-
gistes.

21

Le père David et le panda

En 1540, Ignace de Loyola, ancien militaire basque, fonde à Montmartre la Compagnie de Jésus. Cependant que se développe la Contre-Réforme catholique qui vise à endiguer les progrès du protestantisme, les Jésuites se destinent à des missions d'évangélisation lointaines. Une première tentative est menée en Chine par saint François Xavier, l'un des dix compagnons de la première heure d'Ignace de Loyola. Malheureusement, dans l'île de Sancian, au large de Canton, où il débarque en vue d'atteindre le continent, il est frappé d'une mauvaise fièvre à laquelle il succombe le 3 décembre 1552.

La Compagnie de Jésus décide de poursuivre l'œuvre amorcée par François Xavier et déploie des trésors d'ingéniosité pour christianiser les élites chinoises, persuadée que le peuple suivra. Il lui faut donc frapper à la tête : du moins est-ce l'opinion de l'audacieux jésuite italien Matteo Ricci, qui décide de se faire admettre à la cour. Pour cela, il obtient de ses supérieurs l'autorisation de porter l'habit des mandarins, et non plus la soutane. Après une première tentative en 1595, qui se solde par un échec, il parvient, en mai 1600, à obtenir une audience auprès de l'empereur dont il pique la curiosité en mettant entre ses mains une horloge – pour les Chinois, « une cloche sonnant d'elle-même »... L'empereur Van-Li accepte qu'un tableau du Christ et de la Vierge soit placé dans sa chambre. Ricci a eu l'habileté de présenter le christianisme dans ses analogies avec le confucianisme, et lorsqu'il s'éteint à Pékin, le 11 mai 1610, il a solidement enraciné la religion de Rome en Chine.

Mais dominicains, franciscains et autres ordres envoyés en mission étrangère voient d'un mauvais œil les jésuites s'« enchinoiser ». On leur reproche de trahir, à force d'habiletés et d'accommodements, le contenu du message chrétien. Bientôt, la polémique s'amplifie et le Vatican s'en mêle. Innocent X interdit le culte des ancêtres, que toléraient les jésuites. Puis, c'est au tour des jansénistes de puiser là des arguments dans leur conflit avec les jésuites. En 1642, Benoît XIV condamne définitivement la méthode de ces derniers et suscite contre eux une telle haine que l'ordre finira par être dissous en 1773. Il ne reverra le jour qu'en 1817.

Le père d'Incarville arrive à Pékin en 1740 alors que la polémique en Europe bat encore son plein. C'est à lui que nous devons les premiers documents sur la flore de Chine. Ses importantes découvertes ont été longtemps méconnues, puisqu'elles ne furent étudiées au Muséum qu'en 1881 par le botaniste Franchet ; quant au manuscrit du *Voyage à la Chine du père d'Incarville*, il ne fut publié qu'en 1917.

L'herbier du révérend père comporte trois cents plantes, en particulier des rameaux d'ailante[1], le « vernis du Japon », qui aurait dû s'appeler plutôt « vernis de Chine ». Il est aujourd'hui couramment utilisé comme arbre d'alignement dans les villes, tant son pouvoir de régénération et de colonisation est exceptionnel. C'est probablement l'arbre à feuilles caduques dont la croissance est la plus rapide. Ses feuilles énormes, qui peuvent atteindre 1,30 mètre de longueur (autre record à mettre à son actif), sont composées de folioles sagement alignées par paires de deux, comme chez les rosiers. De par ces feuilles longues et composées, l'arbre est impossible à confondre avec aucun

---

1. *Ailanthus altissima*, Simaroubacées.

268

autre quand il pousse dans les rues, les jardins, les terrains vagues. Un véritable squatter : dans son pays d'origine, on le surnomme l'« Arbre du ciel ». En Asie, il vivait en bonne intelligence avec un papillon qui pondait ses œufs sur ses feuilles et y produisait de la soie afin de protéger ses chenilles. Puis il se retrouva avec ses chenilles dans les rues de Paris. Il se fit très vite à la vie parisienne, bordant les avenues, colonisant les terrains vagues. On envisagea même de cultiver son papillon, le Bombyx de l'ailante, pour faire de la soie, mais ce projet fut abandonné et le papillon continua de vivre avec ses ailantes. Il attira même par la beauté de sa robe la curiosité des entomologistes collectionneurs, et devint un temps la coqueluche de la capitale : il était de bon ton de recueillir sa chenille, accrochée dans son cocon de soie aux feuilles de l'ailante ; puis on la laissait devenir papillon, et on faisait prendre au papillon le chemin du bocal de cyanure où il terminait sa brève carrière. C'est ainsi qu'il disparut et que son arbre l'attend toujours dans certaines rues de Paris.

Outre la rapidité de sa croissance, l'ailante présente aussi une capacité de drageonnement extraordinaire. Il rejette abondamment de souche et colonise avec une exceptionnelle vigueur les milieux les plus divers, où il s'implante avec une surprenante facilité et où il est toujours très difficile de s'en débarrasser.

Le père d'Incarville ramena aussi le Sophora du Japon[1], faussement nommé lui aussi, car originaire, comme le précédent, de Chine. Il est lui aussi couramment planté comme arbre d'alignement en bordure des avenues de nos villes. Impossible de ne pas le reconnaître, car il produit une multitude de petites fleurs blanches qui se répandent sur les trottoirs à la fin du printemps. Ces fleurs ont acquis il y a quelques décennies un grand intérêt pharmaceutique lorsqu'on y découvrit une substance active, le rutoside, médicament couramment utilisé pour renforcer les vaisseaux capillaires et favoriser, du coup, la circulation périphérique. Médicament et

1. *Sophora japonica*, Papillionacées.

ornement, le Sophora a donc été importé en Europe non sans toutefois que le père d'Incarville ait eu le souci d'introduire en Chine, dans les jardins de l'empereur, des plantes ornementales expédiées du Jardin du Roi par Bernard de Jussieu. Parmi celles-ci figurait notamment la capucine, récemment entrée en France, en provenance d'Amérique du Sud.

Après l'interdiction de la Compagnie de Jésus, l'effort missionnaire en Chine allait connaître un temps d'arrêt et ne reprit que dans des circonstances qu'on ose à peine évoquer. Les Anglais avaient en effet trouvé en Chine un important débouché pour les cultures de pavot à opium qu'ils développaient aux Indes. L'opium entrant en Chine en contrebande, le trafic prit une extension extraordinaire. Effrayés par le développement fulgurant des toxicomanies, les autorités chinoises détruisirent en 1838 quelque 20 000 caisses d'opium en dépôt légal dans les magasins anglais de Hongkong, principal centre d'importation. Car, entre-temps, incapable de freiner l'entrée irrégulière de l'opium, l'empereur avait préféré négocier avec Londres un accord commercial aux termes duquel l'opium régulièrement importé serait compensé par des exportations de thé. L'Angleterre répliqua sévèrement à l'initiative des fonctionnaires chinois et déclara la guerre à la Chine alors en pleine déliquescence. Ainsi, pour désigner le général commandant le front de Ning-Po, on institua un concours entre trente lettrés, dont le thème était la rédaction en vers d'un bulletin de victoire... ! Ainsi poétiquement encadrée, l'armée chinoise fut rapidement débordée et la Chine dut signer en 1842 l'humiliant traité de Nankin : elle s'engageait à verser aux Anglais une indemnité de 21 millions de dollars pour les caisses d'opium jetées à la mer, et à ouvrir cinq ports au commerce européen. Désormais, l'Occident allait pouvoir pénétrer dans le Céleste Empire et y développer son négoce.

Mais les hostilités n'étaient pas achevées pour autant. En 1856, le vice-roi de Canton, après avoir arraisonné un navire battant pavillon britannique, rejeta la demande de réparations formulée par la Grande-Bretagne. Une coalition franco-britannique s'organisa et, en 1857, les alliés européens enlevèrent la ville de Canton, puis, l'année suivante celle de Tiensin. Alors qu'ils marchaient sur Pékin, l'empereur fut contraint de céder, et la deuxième guerre de l'opium s'acheva en 1858 par le déshonorant traité de Tianjin : la France et la Grande-Bretagne obtinrent la libre circulation sur le Yang-Tsé et l'ouverture de cinq nouveaux ports chinois au commerce international (entendre par là notamment le commerce de l'opium...). Par ce même traité, on imposait à la Chine d'accueillir avec tolérance les missionnaires chrétiens dans tout le pays. Honteuse alliance du sabre et du goupillon...

Les importations d'opium s'accrurent alors à un rythme vertigineux, en même temps que se développait la culture du pavot en Chine même et que se multipliaient les fumeries. Selon les consuls britanniques dans certaines provinces, tous les hommes et une bonne partie des femmes étaient devenus toxicomanes. Il fallut attendre l'avènement de Mao pour que l'opium et le christianisme fussent conjointement interdits de séjour en Chine.

Mais, entre-temps, une nouvelle vague de missionnaires s'était répandue à travers l'Empire. Le plus célèbre, tout au moins dans le domaine des sciences naturelles, fut le père Armand David.

Étrange destin, en vérité, que celui de ce religieux lazariste, naturaliste, écologiste avant la lettre, qui parcourt la Chine et la Mongolie de 1862 à 1874. Enfant, le jeune Armand a manifesté un vif intérêt pour les sciences naturelles dans son petit village d'Espelette, en Pays basque, tandis que se dessinait une vocation religieuse qu'il a confirmée en entrant chez les lazaristes. Il voit dans la nature l'image de Dieu reflétée dans ses œuvres ; et la science lui apparaît comme une forme de louange au Créateur. Très tôt, comme il dit, on le trouve « raisonnant sur les mille choses de la nature, m'enthousiasmant des merveilles de la Création ». Mais cette approche n'est pas d'abord contemplative, et pas davantage mystique ; elle est avant tout scientifique, car le jeune Armand voue une admiration sans bornes à la science.

Au grand séminaire de Bayonne d'abord, où il termine ses études, puis chez les lazaristes de Paris, il rêve de devenir missionnaire en Chine. Car commence justement la deuxième grande vague de missions après celle des Jésuites. C'est bien le moment d'y aller, d'autant plus que le gouvernement français presse les religieux d'ouvrir des écoles françaises dans le Céleste Empire.

Déjà fort versé dans les sciences naturelles, le jeune lazariste décide de faire profiter de son voyage le Muséum dont il rencontre divers responsables avant son départ. Chacun passe sa commande. Le botaniste Decaisne indique que la Chine est encore un pays neuf pour ce qui concerne les Cucurbitacées dont elle n'a pas, à ce jour, offert le moindre spécimen à la science. Il ignorait naturellement que la mode des Cucurbitacées allait faire rage un siècle plus tard avec la réexhumation, ô combien païenne, du mythe d'Alloin. Ainsi désormais chaque année à la Toussaint, les enfants creusent des citrouilles et y disposent des chandelles. Au point que la citrouille entre en vive compétition avec les chrysanthèmes, plus tradionnels, on en conviendra, à cette date. De son côté, le professeur Duméril, spécialiste des serpents, des batraciens et des poissons, signale que tous les animaux sans queue (tels que grenouilles, reinettes et crapauds) ou avec queue (tels que salamandres d'eau et de terre) seraient du plus grand intérêt pour le Muséum. Et Florent Prévost, aide-naturaliste en zoologie, fournit à notre missionnaire une véritable liste à la Prévert :

« Mammifères en peaux avec tibias et pattes : Singes, Chauves-souris, Hérissons, Musaraignes, Taupes (toutes les espèces) ; Loutres des rivières et marines ; Tigre royal du nord ; Lièvre ; Lapins sauvages ; Sangliers, cochons sauvages ; Antilopes ; Chevrotin pygmé ; Chèvres sauvages ; Dauphins, Marsouins. Oiseaux en peaux : Faucon chasseur ; Aigle ; Pie ; Geai ; Cincle (merle d'eau) ; Hirondelles (nids) ; toutes les espèces de Moineaux ; Étourneaux ; Perroquets ; Paons (deux à trois espèces) ; Faisans (toutes les espèces) ; Perdrix ; Grues (toutes les espèces, y compris celle de Mandchourie). *Nota* : s'il est possible, rapporter ou envoyer vivants tous les Gallinacés, les Grues, Outardes, ainsi que les oiseaux granivores. »

Muni de ces « commandes », notre lazariste s'embarque en 1862 et mettra cinq mois pour parvenir à Pékin. Dès lors, il ne cesse de sillonner le territoire en tous sens, à la recherche des grosses et des petites bêtes, ainsi que des plantes dont il constitue un herbier.

La Chine présente en effet un intérêt particulier en ce que, sur une bonne partie de son territoire, les analogies climatiques rendent facile l'acclimatation en France de ses plantes. On sait aujourd'hui que ses richesses botaniques sont exceptionnelles : 32 200 espèces de plantes vasculaires disséminées sur un territoire grand comme dix-neuf fois le nôtre, mais aux climats et aux reliefs extraordinairement variés, alors que l'Europe entière ne compte que 12 500 espèces, les États-Unis 16 100, et la France 4 630. La Chine, il est vrai, a été épargnée par les glaciations qui furent si meurtrières pour la flore européenne.

Armand David s'empresse de donner satisfaction à Decaisne qui reçoit un premier contingent de graines de Cucurbitacées, aussitôt cultivées au Muséum. De leur côté, les lazaristes français lui demandent de faire un récit circonstancié de ses observations dans les publications missionnaires de l'époque :

« Le récit de vos voyages, le récit d'une de vos étapes dans les montagnes, inséré dans nos annales, amuseraient nos enfants et même nos grands lecteurs. Vous y mettriez quelques mots sur le but de vos courses et de vos travaux, et que vous êtes plein du Seigneur ; vous y ajouteriez çà et là un trait de mœurs idolâtriques, puis un trait de la solidarité chrétienne à l'égard des petits enfants. Vous vous acquitteriez ainsi d'une dette de la mission envers ses petits bienfaiteurs. »

Souvenons-nous qu'il n'y a pas si longtemps encore, dans notre enfance, les fameux « petits bienfaiteurs », dont nous étions, récupéraient le papier argenté des tablettes de chocolat pour venir en aide aux missions chinoises...

Mais voici qu'Armand David réussit son premier gros « coup ». On parlait à Pékin d'un animal étrange conservé dans le parc de chasse impérial au sud de Pékin. Mais il ne s'agissait là que de vagues on-dit. Personne jamais ne l'avait vu ni décrit. Intrigué, le lazariste alla rôder le long des murailles du parc. Puis il réussit à lier connaissance avec les soldats responsables de la garde des gibiers impériaux. À force de palabres, de compliments obligeants, agrémentés de quelques menus cadeaux, le père finit par être autorisé à jeter un coup d'œil par-dessus le mur. Il découvre alors un troupeau de bêtes tel qu'il n'en avait encore jamais vu. Il ne relâche plus sa pression et finit, en janvier 1866, par obtenir des peaux et des os de ces animaux, afin de pouvoir en reconstituer le squelette. Il adresse à Milne-Edwards, professeur de zoologie au Muséum, son échantillon n° 2467 ainsi désigné : « Renne : mâle vieux, mâle jeune, femelle adulte avec tête détachée. » Il note aussi que, par toute une série de caractères, ce renne diffère des rennes ordinaires. Au surplus, il n'a pas besoin de lichens pour vivre. Les Chinois ont donné à cet animal le nom de *Mi-lou*, ou encore un nom composé évoquant les caractéristiques de l'animal qui tient « du cerf pour les bois, de la vache pour les pieds, du chameau pour le cou et du mulet pour la queue » !

Alerté par notre naturaliste, le chargé d'affaires français obtient des ministres impériaux qu'un couple de ces animaux soit offert au Muséum. Les Anglais, qui ne veulent pas être en reste, obtiennent aussi, grâce aux bons offices du missionnaire français, quelques spécimens de ce cerf dont le nom latin d'*Elaphurus Davidianus* s'inspire de celui de son découvreur. Il a disparu des parcs impériaux chinois lorsque, en 1900, les troupes allemandes y cantonnèrent et détruisirent le troupeau pour se procurer de la viande de boucherie. L'espèce ne subsiste aujourd'hui que dans quelques parcs européens, mais un programme international vise à la réintroduire en Chine.

Au gré de ses périples, le père David considère avec étonnement et circonspection cette société chinoise si différente de la nôtre et dont l'objectif suprême serait que toute chose durât éternellement, identique à elle-même, égale et sans changement. Une société stable, figée, éternelle ! Ne disait-on pas qu'un inventeur, pour justifier son invention, se devait de prouver qu'elle avait déjà été mise en œuvre par d'autres avant lui ? Peut-être tient-on là le secret des grandes civilisations historiques qui franchirent allègrement les millénaires, car il en fut de même de l'Égypte ancienne. Charles de Gaulle sut encore tirer profit de ces antiques modèles courants lorsqu'il insistait – à temps et à contretemps – sur l'aspect vital de la stabilité des institutions. Mais, depuis sa mort, les mots « changement », « réformes », « modernisation », « progrès », « déréglementation », « délocalisation », « dérégulation », etc., se sont imposés avec force, imprimant à l'évolution sociale un rythme exténuant et, qui sait, peut-être suicidaire...

Partout Armand David rencontre le pavot à la culture duquel les mandarins ne s'opposent que mollement. Il écrit :

« Cette malheureuse passion de l'opium, à laquelle peu de Chinois ont la force de ne pas succomber, a entre autres inconvénients, d'après des médecins chinois, celui de développer des vers intestinaux au point que, quand les grands fumeurs d'opium viennent à mourir, il leur sort d'ordinaire des vers par la bouche et par le nez. On nous cite aussi à ce propos un fait curieux : un fumeur forcené vint à mourir et, à sa mort, on trouva au-dessus du plancher de sa chambre des rats morts aussi depuis qu'on n'y fumait plus. Il paraît que ces animaux s'étaient tellement habitués à respirer les vapeurs d'opium qu'une subite privation de fumée fut cause de leur mort... »

L'opiomanie est alors la plaie de la Chine. Elle ne cessera de s'étendre jusqu'au début du XXe siècle, où ses ravages devinrent réellement catastrophiques, démentant cruellement les prévisions optimistes de Napoléon III qui avait déclaré après le traité de Tianjin : « À l'extrémité du monde, nous venons d'ouvrir un immense empire au progrès de la civilisation et de la religion ! »

Le 23 mars 1869, le père se rend à la mission de Moupin, dans l'ouest de la Chine, sur les premiers contreforts du Tibet. Les jours se passent à préparer les animaux tués alentour afin de les adresser au Muséum. Il existe bien quelques prohibitions sur la chasse dans la principauté de Moupin, mais elles n'empêchent pas le père, bon chasseur, d'ajuster son fusil pour accroître sa collection de Mammifères et d'Oiseaux. Mais voici que des chasseurs indigènes lui apportent un jeune « ours blanc » capturé vivant, mais tué ensuite pour faciliter son transport :

« Le jeune ours blanc, qu'ils nous vendent fort cher, est tout blanc, à l'exception des quatre membres, des oreilles et du tour des yeux, qui sont d'un noir profond... Il s'agit donc ici d'une nouvelle espèce d'Ursidée qui est très remarquable, non seulement par sa couleur, mais encore par ses pattes velues en dessous, et par d'autres caractères... »

Certes, le père a bien entendu parler, notamment par Mgr Pinchon, évêque du Sichuan septentrional, d'un ours blanc vivant dans les montagnes du Tibet. Mais il a d'abord cru qu'il s'agissait d'un cas d'albinisme observé sur un ou quelques individus de l'espèce courante dans ce pays, l'ours du Tibet. Mais il se ravise. Dans sa description fournie au Muséum, il précise : « Son museau, plus court et plus rond que celui de l'espèce noire, lui donne un air moins méchant ; il vit dans les montagnes les plus inaccessibles, se nourrit de végétaux, surtout de racines de bambous... » On aura reconnu le panda ; il aura fallu attendre 1869 pour que notre lazariste le découvre.

Une traque menée par plusieurs chasseurs s'engage alors, pour permettre finalement la capture d'un vieux mâle, lui aussi adressé, peau et squelette compris, au Muséum. Les expéditions de chasse se succèdent, organisées pour les besoins de la cause, en l'occurrence de la science ; à plusieurs reprises, le père s'en justifiera, non sans exprimer la gêne qu'il ressent d'être obligé d'en passer par là pour enrichir la connaissance scientifique du monde vivant. Il n'empêche que le père David est chasseur dans l'âme et que le Muséum lui a donné les moyens de se payer des rabatteurs chinois pour étendre son rayon d'activité.

Depuis, le panda, animal emblématique, a été pris sous la protection de la communauté scientifique internationale. Cet animal qui ne se nourrit que de bambou s'est fortement raréfié avec la réduction des bambouseraies sauvages en Chine occidentale. Plusieurs réserves ont été constituées en Chine pour tenter de conserver ce fauve... un peu moins fauve, peut-être, que ses cousins les Ours, mais certes moins amène que le nounours en peluche dont il a inspiré l'image rassurante. Panda ? Un ours qui, à la suite d'un long parcours évolutif, n'en est plus tout à fait un, ne serait-ce que par le développement d'un sixième doigt formé par une expansion du poignet et parfaitement adapté à la manipulation et à la consommation du bambou.

Mais le père David est aussi un botaniste avisé. Dans son équipement, à la gibecière et au filet à papillons s'ajoute la boîte métallique dans laquelle il récolte les plantes avant de les mettre chaque soir en herbier, numérotant avec soin chaque échantillon récolté. Ainsi a-t-il rapporté de ses courses en montagne pas moins de seize espèces différentes de rhododendrons, dont treize se sont révélées nouvelles pour la science. Il rapporte aussi naturellement la célèbre rhubarbe de Chine dont les énormes feuilles palmées et découpées sont fort différentes de celles de nos rhubarbes européennes et dont la poudre fut, durant des siècles, un des purgatifs les plus couramment utilisés par la médecine. Ces rhubarbes, qui poussent en altitude sur les hauts massifs de l'Asie centrale, du Tibet et de la Chine, ponctuent le paysage de leur port altier. On les repère au premier coup d'œil à leur gaine, typique de la famille des Polygonacées à laquelle elles appartiennent, qui protège l'insertion des énormes feuilles sur la tige.

Toutefois, le nom du père David, grand missionnaire explorateur devant l'Éternel, reste à jamais attaché, pour les amoureux des plantes, à une espèce on ne peut plus spectaculaire. Il s'agit de l'« Arbre aux mouchoirs », l'espèce typique de la famille à laquelle le missionnaire a donné son nom, les Davidiacées. Les botanistes l'ont créée tout exprès pour classer cette unique espèce qui n'entre dans aucune autre en raison du caractère très original de l'architecture de ses fleurs, enveloppées de surcroît par deux grandes feuilles non dentées, d'un blanc immaculé : on croirait voir sur les branches des milliers

de petits chiffons – d'où son nom d'« Arbre aux mouchoirs »,
ou encore, pour les Américains, d'« Arbre aux colombes ». Ces
belles bractées blanches, qui peuvent atteindre jusqu'à 30 centimètres de longueur, apparaissent près de vingt ans après la
germination de la graine et simulent alors une pseudo-florai-
son époustouflante. Mais ce que le profane prendrait pour une
fleur n'est, en fait, qu'un dispositif foliaire modifié et d'un
blanc lumineux.

Au total, selon les estimations effectuées par l'Association
des Amis d'Armand David[1], sur 3 420 plantes rapportées de
Chine et du Tibet par notre lazariste, 71 portent aujourd'hui
son nom. Une performance dont peu de botanistes peuvent
s'enorgueillir. Mais il n'était pas seulement un collectionneur
de plantes ; c'était aussi un écologiste. À plusieurs reprises, il
déplore les destructions massives de forêts en Chine et au
Tibet, dont il ne reste, dit-il, « plus que des lambeaux qui ne
seront sans doute jamais remplacés » :

« Avec les grands arbres disparaissent une multitude d'arbustes et d'autres plantes qui ne peuvent se propager qu'à leur
ombre, ainsi que tous les animaux, petits et grands, qui
auraient besoin de forêts pour vivre et perpétuer leur espèce.
Malheureusement, ce que les Chinois font chez eux, d'autres
le font ailleurs. C'est réellement dommage que l'éducation
générale du genre humain ne se soit pas développée assez à
temps pour sauver d'une destruction sans remède tant d'êtres
vivants que le Créateur avait placés sur notre Terre pour vivre
à côté de l'homme, non seulement et simplement pour orner
ce monde, mais pour accomplir un rôle utile et relativement
nécessaire en économie générale. Une préoccupation égoïste
et aveugle des intérêts matériels nous porte à réduire en une
prosaïque ferme ce Cosmos si merveilleux pour celui qui sait
le contempler. Bientôt, le cheval et le porc d'un côté, et de
l'autre le blé et la pomme de terre, vont remplacer partout ces
centaines, ces milliers de créatures animales et végétales... »

1. Hôtel de Ville, 64250 Espelette.

Propos prémonitoires qui l'amènent à un certain pessimisme lorsqu'il ajoute, parlant de l'homme, qu'« il paraît bien moins le roi intelligent que le tyran maladroit de la Création terrestre... Celui qui aime la nature, c'est-à-dire Dieu dans ses œuvres, se sent presque devenir misanthrope en voyant ses semblables tant maltraiter ce qu'ils devraient respecter. »

Propos aussi pertinents que prophétiques, écrits en décembre 1872, soit six ans après que le zoologue allemand Heackel ait proposé pour la première fois le terme d'*écologie* pour définir les rapports des êtres vivants avec leur milieu.

Durant tout l'été 1998, la presse relata les effrayantes inondations consécutives aux crues du Yang-tseu-kiang, évoquant des millions de Chinois affairés à renforcer les digues du fleuve Bleu, le troisième du monde par sa longueur, mais aussi le plus redoutable par ses débordements qui, cette fois, recouvrirent une superficie égale à la moitié de la France. Car, au fur et à mesure que la Chine s'est déboisée du fait de l'homme, les risques d'inondation croissaient en proportion : les eaux de pluie, non retenues par le dense manteau végétal que représente la forêt, chargées du limon arraché par l'érosion, se ruent farouchement vers des fleuves dont le gonflement subit et brutal reste l'un des plus grands périls à menacer la plus vaste nation du monde. Les Chinois tentent d'endiguer le fleuve mais le niveau des digues s'élève en même temps que le lit qui remonte au fur et à mesure que le limon s'y dépose. Tant et si bien que les crues par rupture de digues sont de plus en plus dévastatrices.

Depuis 1981, une vaste campagne de replantation a été décidée : chaque Chinois doit planter trois à cinq arbres par an. Mais il les plante au bord des routes, pour ne pas réduire les surfaces cultivables... Si – selon la comptabilité officielle – vingt milliards d'arbres ont été plantés depuis 1982, les versants de l'amont, sur les hauts plateaux de Chine occidentale, peu habités, restent quasi désertiques.

Armand David rentre à Paris en 1874. Sa santé est ébranlée Il sait qu'il ne reverra plus la Chine. Il réside désormais à la maison mère des lazaristes, rue de Sèvres. Darwin vient de publier *L'Ascendance de l'homme* et le débat sur l'évolution agite les milieux naturalistes. Participant en 1888 à un congrès de savants catholiques, David se fait conspuer lorsqu'il déclare : « Ne serait-il pas plus naturel d'admettre que les types principaux des animaux et des plantes étant une fois apparus sur la Terre quand et comme cela a plu au Créateur, ils auront subi, sous l'action de causes secondes, des modifications successives qui les ont divisés en variétés, races, espèces, etc., lesquelles ont continué à se propager près des lieux de leur origine ? » Naturaliste et religieux, évolutionniste et écologue, le père est déjà un moderne.

Il meurt le 10 novembre 1900, à Paris, non sans avoir refusé la Légion d'honneur qui lui avait été plusieurs fois proposée et qu'on a fini par lui adresser d'office en 1896 ! Ne fût-ce que pour son humilité, ce grand savant méritait bien qu'on réhabilite sa mémoire.

L'histoire de la botanique en Extrême-Orient connaît un nouveau rebondissement avec le voyage du père Soulié qui expédia de Chine et du Tibet plus de sept mille plantes au Muséum. En 1890, il sillonne le « Toit du monde », déguisé en marchand tartare. Il y récolte des graines d'une plante portant de longues grappes de fleurs violettes, des « thyrces » ressemblant un peu à celles du lilas, mais en plus allongées. Cette plante fut ensuite dédiée au révérend Buddle, botaniste anglais, sous le nom de *Buddleja*. Comme l'Arbre aux mouchoirs, les Buddlejas furent cultivés au Muséum et à l'Arboretum des Barres. En 1894, le premier fleurit en France. Le père Soulié ne le vit jamais, car il ne revint pas du Tibet où il fut assassiné en 1905 par des lamas chinois.

Le Buddleja fut d'abord cultivé avec grands soins dans quelques jardins comme une essence précieuse et fragile. Puis, en 1934, le botaniste Paul Jovet le découvrit spontanément naturalisé dans une carrière près de Gouvieux, dans l'Oise. Pour des raisons qui restent obscures, la Seconde Guerre mondiale coïncida avec une véritable épidémie de Buddlejas. L'arbre, que l'on croyait pourtant si fragile, se mit à proliférer, s'installant dans n'importe quel espace disponible... Pour tenter de comprendre, on consulta les flores chinoises afin de connaître le type de stations colonisées par la plante à l'état sauvage. Il s'agit en fait de talus pierreux, d'éboulis caillouteux, de friches. Il a la même écologie en France où les belles hampes mauves du Buddleja ont tôt fait de se dresser au-dessus des palissades des chantiers de travaux publics qu'il colonise allègrement. On le voit aussi, à Paris, coloniser le ballast de l'ancien chemin de fer de ceinture, ou encore les chantiers de fouilles archéologiques, jusqu'à ce que le sycomore, aussi conquérant que lui, finisse par le déloger et le supplanter.

Qui ne connaît le Buddleja, popularisé sous le nom d'« Arbre aux papillons » ? On a étudié finement la faune des insectes qui s'empressèrent de s'organiser autour de cet arbuste nouvellement venu en Europe. Ainsi repérait-on, en 1983, en Grande-Bretagne, cinq espèces d'insectes inféodés aux Bouillons blancs, dont ils font leur nourriture, et venus prendre leur repas sur le nouveau venu ; cinq autres inféodés aux Orties, deux au Lierre, deux au Tilleul, un au Stachys, un enfin au Saule marsault, auxquels vinrent s'ajouter quatorze insectes polyphages, peu regardants dans le choix de leur pitance, et qui jetèrent eux aussi leur dévolu sur le Buddleja. Pour ces derniers, aux goûts très éclectiques, on comprend que les Buddlejas leur plussent aussi. Mais pourquoi les Bouillons blancs dépêchèrent-ils un si fort contingent d'insectes sur eux ? Peut-être parce que les uns et les autres possèdent des feuilles poilues sur leur face inférieure. Mais l'argument n'est pas tout à fait convaincant et d'autres auteurs ont fait valoir que la famille du Buddleja et celle du Bouillon blanc pourraient bien avoir quelques affinités, notamment dans leur composition chimique. Elles offriraient alors le même menu à des insectes qui se répartiraient indifféremment sur l'une et sur l'autre, par exemple le fameux *Cucullia verbasci* qui sut si rapidement coloniser et baptiser l'« Arbre aux papillons ».

Une espèce de Buddleja, le *Buddleja davidii*, a été dédiée au père David par le botaniste Franchet. Il en existe de multiples cultivars multicolores. On compte d'ailleurs au total une centaine d'espèces de Buddlejas, fleurs peut-être trop répandues, désormais, pour être vraiment admirées et appréciées.

L'œuvre des religieux en Chine nous amène à souligner la part considérable que prirent les missionnaires dans la connaissance scientifique des faunes et des flores. Du cordelier André Thévet, au XVIᵉ siècle, au chanoine Paul Fournier, presque un contemporain, les gens d'Église sont omniprésents dans les annales de la botanique. Signalons pour mémoire l'abbé Guestier, curé de Thury-en-Valois, qui accumula ses observations de terrain dans pas moins de 118 cahiers manuscrits ; Mgr L'Éveillé, auteur de plusieurs flores ; l'abbé Boulay, professeur à l'Institut catholique de Lille, grand spécialiste des Mousses ; l'abbé Coste, dont la *Flore de France* est unanimement connue et reconnue ; et, bien sûr, le chanoine Paul Fournier lui-même, auteur des très fameuses *Quatre Flores de France* et d'un remarquable ouvrage, récemment réédité, sur *Les Plantes vénéneuses et médicinales de France*. Sans compter ces dizaines, voire ces centaines de curés qui surent si bien marier sur le terrain le service de Dieu et celui de la nature, et qui, dans chaque région de France, nous ont laissé des contributions précieuses sur leur patrimoine naturel. C'était, il est vrai, le temps où prêtres, instituteurs, médecins et pharmaciens occupaient partout le champ des sciences naturelles, avant que la révolution biomoléculaire ne relègue ces disciplines de terrain dans les ténèbres extérieures... Gageons toutefois que nous en reviendrons... et que nous y reviendrons !

22

Jean Henri Fabre
et les trois coups de poignard

La vie de Jean Henri Fabre n'est pas sans évoquer celle de Darwin, même si leur philosophie scientifique diverge sur l'essentiel : itinérante dans sa première partie, elle devient ensuite parfaitement sédentaire. Né le 21 décembre 1823 à Saint-Léons dans l'Aveyron, il quitte bientôt le village avec les siens pour le chef-lieu, Rodez, où ses parents prennent un débit de boissons. Élève au collège royal de la ville, l'enfant découvre très tôt *Les Métamorphoses* d'Ovide et les *Bucoliques* de Virgile, œuvres qui devaient marquer très profondément sa vie.

Mais le café familial ne marche pas. Les parents de Jean Henri font alors une seconde tentative à Aurillac, qui débouche elle aussi sur un échec, puis une troisième à Toulouse. De Toulouse, après un nouvel échec, la famille entreprend d'aller exploiter un quatrième café à Montpellier, lequel marche aussi mal que les précédents. Cet étrange mouvement de migration se poursuit avec une belle obstination par une installation – toujours en tant que cafetiers – à Pierrelatte. Cette situation familiale précaire empêcha le jeune homme d'entreprendre à Montpellier les études de médecine auxquelles il songeait ; il lui fallait vivre de menus emplois. On le vit ainsi à Nîmes, ouvrier sur une ligne de chemin de fer en construction, ou vendeur de citrons à la foire... Bref, c'était la « galère », ou, comme le dit un de ses biographes, la « géhenne » !

Mais Jean Henri est un autodidacte courageux. D'école en école, au gré de ses domiciles successifs, il apprend à travailler par lui-même sans se couler dans « un moule officiel », mais en conservant sa « saine originalité ». Comme Darwin, c'est en autodidacte qu'il obtient en 1844 son baccalauréat en lettres, celui de sciences mathématiques en 1846, puis la licence de mathématiques dès 1847, enfin sa licence de physique en 1848. Exemple saisissant par rapport à notre époque où la filière resserrée des cursus scolaires est considérée comme l'unique chance de réussite. En 1849, il assure enfin son autonomie : il est nommé professeur de physique au lycée d'Ajaccio, puis à celui d'Avignon en 1853.

Entre-temps, Jean Henri Fabre, qui s'appelle aussi Casimir, épouse Marie-Césarine : des prénoms très « dix-neuvième », auxquels s'ajouteront ceux de ses cinq enfants : Antonia-Andréa, Aglaé-Émilie, Claire-Euphrasie, Jules, Émile et enfin Paul (dont on s'étonne qu'il ne se soit point appelé Auguste, Léon ou Eugène !). Fabre perdit très tôt son fils Jules, et mit des années à s'en remettre.

Durant son séjour en Avignon, Fabre entreprit des études sur les colorants, alors très recherchés. Il réussit à mettre au point un procédé d'extraction de l'alizarine, le pigment rouge de la garance, fort cultivée dans la région d'Avignon, qui servait à teindre les pantalons d'uniforme de nos soldats. Malheureusement, son invention perdit tout intérêt lorsque apparut sur le marché l'alizarine de synthèse mise au point par le baron Liebig, qui devait bouleverser l'industrie des colorants et ouvrir la voie à la chimie industrielle de synthèse.

C'est aussi en Avignon que Jean Henri Fabre mit à profit ses dons innés de pédagogue en créant un cours public destiné en particulier aux jeunes filles qui ne bénéficiaient alors que de l'enseignement dispensé par les religieuses et ne fréquentaient point les collèges et lycées. Cette initiative connut un vif succès. Les leçons de botanique se déroulaient dans une atmosphère de fête, autour de tables chargées de monceaux de plantes. Fabre eut l'audace d'expliquer à ses jeunes élèves la fécondation des fleurs, ce qui suscita une vive émotion dans les milieux dévots. Une cabale fut montée contre lui, le désignant comme un dangereux subversif. Fabre et sa famille furent promptement délogés de la maison qu'ils occupaient, rue des Teinturiers. Il dut finalement démissionner de son poste de professeur de physique dans lequel il avait exercé pendant dix-sept ans. En 1870, il quitta Avignon pour Orange. Son destin désormais était scellé : en marge de l'enseignement public, à nouveau totalement autodidacte, toujours comme Darwin, il consacra le reste de son existence, à Orange d'abord, puis dans le célèbre domaine du Harmas, à Sérignan-le-Comtat, à rédiger des ouvrages pédagogiques et à observer la nature, surtout le monde encore si peu connu des insectes.

La production scientifique et littéraire de Jean Henri Fabre est proprement prodigieuse. Elle s'étale sur quarante-cinq ans, de 1870 à sa mort en 1915. Ses ouvrages destinés aux enfants, tels ses *Leçons de choses*, ou encore cette *Science de l'oncle Paul*, réédités à maintes reprises par les Éditions Delagrave, firent autorité (et à certains égards le font toujours). Mais ce sont surtout ses *Souvenirs entomologiques* qui demeurent son œuvre maîtresse et restent çà et là d'une haute actualité : ainsi au Japon où elle est accessible dans les supermarchés et où Fabre, presque oublié en France, est considéré comme un véritable héros de l'humanité.

Parcourant désormais les pentes du Ventoux, souvent accroupi ou à plat ventre, la loupe – son seul instrument de travail – à la main, Fabre observe et décrit la vie des plantes et surtout celle des insectes dans leur milieu, gagnant ainsi son titre d'« Homère des insectes » ou de « Père de l'éthologie ». Pourtant, malgré sa réputation internationale et en raison des jalousies qu'elle ne manqua point de susciter, il n'obtint jamais de prix Nobel en sciences, et pas davantage celui de littérature pour lesquels il fut proposé à maintes reprises, mais qui ne lui furent point décernés. Car des scientifiques « pointus », jaloux de sa réputation, avaient bien entendu tenté de l'écarter de leur cénacle en le faisant passer pour un auteur littéraire...

Pourtant, sur son « coin de terre – oh, pas bien grand ! – enclos et soustrait aux inconvénients de la voie publique ; un coin de terre abandonné, stérile, brûlé par le soleil, favorable aux chardons et aux Hyménoptères » –, Fabre accumula une somme vertigineuse d'observations qui, un siècle plus tard, font toujours autorité. Il n'est ni un collectionneur, ni un homme de laboratoire : c'est ce qui le distingue de la plupart de ses collègues scientifiques. C'est d'abord un observateur solitaire et un homme de terrain. Et il semble bien que ç'ait été là une vocation précoce, puisque, dès l'enfance, « marmouset de six ans... [il] allait à l'insecte comme la piéride va au chou et la vaneuse au chardon » ! Lamarck avait créé le mot « biologie » ; Fabre appliqua le concept de cette discipline, « science de la vie », au terrain qu'aujourd'hui elle fuit obstinément, embastillée dans les laboratoires où s'activent d'innombrables chercheurs, parfois de véritables apprentis-sorciers de la biologie moléculaire.

Fabre l'entomologiste est aussi un écologiste. Un siècle avant nos contemporains, il préconisait déjà d'utiliser les connaissances relatives aux mœurs des insectes pour mieux délimiter les espèces. Bref, il fut aussi un précurseur de ce qu'on appelle aujourd'hui la biotaxonomie, dénonçant « tel entomologiste, si pointilleux en ce qui concerne certains détails minimes se rapportant à l'anatomie d'une espèce, et qui est par ailleurs indifférent à ce qui caractérise les mœurs, souveraine expression de la vie... ».

Fabre observe ce *microcosmos* en silence, au long des jours et des années, doué d'une extraordinaire faculté de concentration que toute irruption sonore anéantissait ; d'où, parfois, de violentes colères lorsque ses enfants se montraient par trop bruyants, ou encore lorsque le chant des cigales, voire celui d'un oiseau détournaient fâcheusement son attention de l'objet sur lequel elle s'était fixée. C'est dans un de ces moments-là qu'il abattit un jour, d'un coup de fusil, un oiseau par trop insolent. Il avait aussi coutume d'immobiliser la course des aiguilles de sa pendulette de bois dont le tic-tac lui était devenu insupportable.

De l'œuvre de Fabre, on retiendra quelques faits saillants concernant naturellement les insectes, mais aussi – cela est moins connu – les plantes. Il observa avec une extrême minutie le comportement de certains Hyménoptères, notamment une guêpe du groupe des Sphex qui fonce par surprise sur sa proie pour lui injecter son venin ; injection qui, exécutée en divers points du corps de la victime, conduit à une totale paralysie. Fabre nota que le Sphex à ailes jaunes assenait « trois coups de poignard » à sa victime, le grillon, pour le paralyser : ces coups de poignard visaient avec une extrême précision les ganglions nerveux du grillon. Pour chaque coup, la guêpe prédatrice adoptait une posture particulière à laquelle correspondait chaque fois une nouvelle piqûre. Ces observations extrêmement précises du comportement de l'agresseur inspirèrent à Jean Henri Fabre un des plus beaux passages de ses souvenirs entomologiques. Elles valurent cependant à leur auteur d'être violemment attaqué, après sa mort, par le naturaliste Étienne Rabaud qui eut l'audace d'écrire : « Celui que ses panégyristes célèbrent comme l'observateur inimitable se borne à quelques observations hâtives... Son affirmation lui paraît suffisante pour donner une réalité à un fait imaginaire. D'autres sont venus depuis, qui ont renversé tout cet échafaudage au moyen de quelques expériences faciles. Des précisions de Fabre, des "faits" nouveaux qu'il prétend apporter sur ces sujets, il ne reste rien qu'une interprétation hâtive de faits isolés. »

Le pamphlet d'Étienne Rabaud éreinte littéralement Fabre et remet en question ses observations les plus fines, en particulier celle des « trois coups de poignard » de la guêpe prédatrice. Il a fallu attendre l'époque contemporaine pour que Fabre soit brillamment réhabilité par l'entomologiste A.L. Steiner, qui a réussi à élucider le processus aboutissant à la paralysie des proies. Steiner reprit de zéro l'observation des guêpes auteurs des fameux « coups de poignard ». Ses premiers résultats ne semblèrent pas confirmer les observations de Fabre sur le grillon : il a bien retrouvé les trois piqûres, mais note que l'une d'elles, la dernière, vise les ganglions sous-œsophagiens dans le cou de la victime, de sorte qu'il ne reste que deux piqûres pour les ganglions thoraciques correspondant aux trois paires de pattes. Il y a donc apparemment un ganglion de trop, ou une piqûre en moins ! Poussant plus avant ses observations grâce aux moyens les plus sophistiqués, Steiner s'aperçut que si, à chaque posture de la guêpe, correspond une piqûre, il advient cependant qu'une certaine posture correspond à deux piqûres immédiatement successives et à peine discernables l'une de l'autre. Une fois décelée, cette quatrième piqûre que Fabre n'avait pas décrite, tout rentrait dans l'ordre : chaque ganglion avait été atteint. Il y avait bien une piqûre par ganglion et par paire de pattes, comme Fabre l'avait affirmé. Il suffisait simplement d'ajouter une quatrième piqûre, associée aux ganglions sous-œsophagiens. Fabre avait certes observé la piqûre dans le cou, mais il la croyait destinée aux pattes antérieures, c'est-à-dire aux ganglions du premier segment thoracique ; cette « erreur » montre qu'en dépit de ce léger hiatus dans ses observations, il avait parfaitement compris la finalité du phénomène, son essence, à savoir, comme l'écrit Steiner, « l'atteinte sélective et précise des centres nerveux vitaux de la locomotion ». En fait, l'atteinte du ganglion sous-œsophagien paralyse les dangereuses mandibules et neutralise les réactions spontanées du grillon. Le « triple coup de poignard » se muait en quadruple coup de poignard...

L'œuvre de Fabre est surtout connue pour ses découvertes concernant les hormones sexuelles des insectes : les phéromones. Observant le comportement d'un papillon vivant sur le chou[1], il note que la femelle est capable d'attirer un mâle distant de plusieurs kilomètres par l'émission d'une odeur spécifique extraordinairement attractive. Il ouvre ainsi une nouvelle page de l'histoire naturelle : celle qui a trait aux systèmes hau-

---

1. *Pieris brassicae,* la piéride du chou.

tement perfectionnés et fort divers de communication dans la nature[1].

Si Jean Henri Fabre nous laisse avec ses *Souvenirs entomologiques* un ouvrage dont la langue limpide n'a d'égales que la finesse et la précision de ses observations – ce qui en fait toujours, cent ans après, un texte d'une valeur inestimable –, on connaît moins les documents botaniques rédigés par l'auteur à des fins strictement pédagogiques. Ainsi, par exemple, observe-t-il sur les collines arides une plante abondante et nauséabonde : la rue, dont les fleurs sont tantôt à quatre, tantôt à cinq pétales jaunes. Or la rue met en scène un processus d'autofécondation très original. Écoutons Fabre nous le décrire :

« Bientôt, d'un mouvement lent, insensible, une étamine se dresse debout, infléchit son filet et vient appliquer son anthère sur le stigmate. Pendant ce contact longtemps prolongé, les loges anthériques s'ouvrent et abandonnent leur pollen. Cela fait, l'étamine lentement se retire et vient se recoucher dans sa position première, la position horizontale ; mais celle qui lui succède dans l'ordre spiral du verticille se redresse en même temps et la remplace sur le stigmate. Une troisième succède à celle-ci, et ainsi de suite, l'une après l'autre, jusqu'à ce que toutes les étamines aient déposé sur le pistil leur tribut de pollen. La fleur alors se fane : le rôle de ses enveloppes florales et de ses étamines est fini. À cause de la lenteur des mouvements, un examen soutenu des jours entiers peut seul constater dans leur ensemble ces faits si curieux... »

Mais, d'autres fois, « l'élan est soudain », comme chez les grandes fleurs jaunes du figuier de Barbarie :

« Les étamines sont au nombre de quelques centaines. En l'état d'épanouissement, elles sont étalées à peu près à angle droit avec l'axe de la fleur. Qu'un insecte, en passant, vienne à les effleurer, qu'un léger choc les ébranle, qu'un nuage intercepte tout à coup la lumière du soleil, et aussitôt elles se relèvent en tumulte, entrechoquant leurs anthères d'où vole le

---

1. Voir mon ouvrage *Les Langages secrets de la nature*, Fayard, 1996.

pollen, elles se recourbent et se rejoignent en une voûte serrée au-dessus du pistil. La tranquillité revenue, elles s'étalent de nouveau pour se rassembler encore au moindre accident. Chaque fois, une pluie de pollen tombe sur le stigmate. »

Dans le cas de la rue, nous voyons les étamines venir offrir individuellement un baiser d'amour aux stigmates. Dans le cas du figuier de Barbarie, au contraire, les étamines s'embrassent les unes les autres pour que les chocs résultant de leurs contacts mettent en émoi un vrai nuage de grains de pollen fécondateurs. Homosexualité végétale ? Certes, mais ô combien féconde !

Puis Fabre poursuit :

« Il faut à chaque espèce le pollen de son espèce ; tout autre pollen reste aussi inactif que la poussière du grand chemin. Les recherches expérimentales les plus concluantes ont mis en pleine lumière l'inflexibilité de cette grande loi qui sauvegarde les espèces contre toute profonde altération [...]. Qu'adviendrait-il donc si le stigmate était indifféremment influencé par la poussière d'une anthère quelconque ? Les graines issues d'un tel mélange ne reproduiraient pas les plantes primitives, mais donneraient de nouvelles formes rappelant par certains caractères la plante origine du pollen et, par certains autres, la plante origine des ovules ; l'espèce ne se maintiendrait pas fixe ; la végétation présente ne serait pas la pareille de la végétation passée ; chaque année verrait apparaître des formes inconnues, étranges, que rien d'analogue ne précéderait, à qui rien de semblable ne succéderait ; enfin, toujours plus mélangé, plus bizarrement défiguré, le monde végétal perdrait l'ordre harmonieux qui préside à sa distribution, et s'éteindrait dans un stérile chaos. Tout se maintient, au contraire, dans une immuable régularité, et le semblable succède toujours au semblable du moment que chaque espèce n'est influencée que par son propre pollen. »

Ce monde toujours plus mélangé, plus bizarrement défiguré, c'est le monde d'aujourd'hui que Jean Henri Fabre n'aura jamais connu : celui des plantes transgéniques qui mêlent si dangereusement au patrimoine héréditaire d'une espèce des gènes étrangers, de provenances diverses, dans le plus parfait mépris de l'ordre fondamental de la nature ; avec des risques qu'il est encore difficile de mesurer, mais que, dans ce texte prémonitoire, Jean Henri Fabre évoque avec pertinence. On imagine volontiers la place qu'occuperait aujourd'hui cet esprit libre, créatif et indépendant, dans le vaste débat ouvert sur les biotechnologies et leurs conséquences. Car il ne craignait pas de dénoncer les abus découlant des progrès de la science et des techniques. Il ressentait parfaitement les risques d'extermination de l'espèce humaine, écrivant par exemple que « la guerre est l'art de tuer en grand et de faire avec gloire, ce qui, fait en petit, conduit à la potence » !

Correspondant de Darwin avec qui il entra en contact à plusieurs reprises, il sembla néanmoins se désintéresser, ou tout au moins se tenir à l'écart du grand débat ouvert sur le transformisme et l'évolution. Esprit foncièrement spiritualiste et déiste, il demeure tout aussi réservé sur le dogme catholique, et se conforme, dans ses écrits et ses comportements, à la liberté d'esprit d'un autodidacte, parfois frondeur, qui le caractérise si parfaitement. Esprit universel, bon en mathématiques et bon en latin, expert en sciences naturelles mais aussi en sciences physiques, il n'en sut pas moins garder ses distances avec les grandes polémiques de son temps.

On conclura avec Pierre Dehaye, qui fut l'un de ses admirateurs : « Homme de culture selon mon cœur, modèle d'une sérénité rayonnante conférée par l'exigence scientifique de la pensée, la finesse de la sensibilité et la chaleur de l'amour, modèle d'harmonie de l'esprit et, partant, vigie privilégiée au créneau de la recherche, vigie passionnée dont toute l'œuvre pouvait se résumer à ces quatre mots où il opère la synthèse de ses pérégrinations pour le vrai, pour le beau et pour le bien : « Je scrute la vie ! » Et, pour mieux s'imprégner de son suc, citons au hasard un extrait des *Souvenirs entomologiques* où il est question des noces des Osmies :

« Une se montre, en effet, toute poudreuse et dans ce désordre de toilette que rend inévitable le dur travail de la délivrance. Un amoureux l'a vue, un second aussi, un troisième également. Tous s'empressent. À leurs avances, la convoitée répond par un cliquetis des mandibules, qui, rapidement, à plusieurs reprises, ouvrent et ferment leurs tenailles. Aussitôt les prétendants reculent ; et, pour se faire valoir sans doute, exécutent eux aussi la féroce grimace mandibulaire. Puis, la belle rentre dans le manoir, et ses poursuivants se remettent sur le seuil du logis. Nouvelle apparition de la femelle qui répète son jeu de mâchoire ; nouveau recul des mâles qui, de leur mieux, manœuvrent aussi de leurs tenailles. Étrange déclaration que celle des Osmies : avec leurs menaçants coups de mandibules dans le vide, les enamourés ont l'air de vouloir s'entredévorer... [Mais] la naïve idylle a bientôt fini. Saluant et saluée tour à tour du cliquetis de mâchoires, la femelle sort de sa galerie et se met, impassible, à se lustrer les ailes. Les rivaux se précipitent, se hissent l'un sur l'autre, et forment une pile dont chacun s'efforce d'occuper la base en culbutant le possesseur favorisé. Celui-ci se garde bien de lâcher prise ; il laisse se calmer les démêlés d'en haut ; et quand les surnuméraires, s'avouant hors d'emploi, ont déserté la partie, le couple s'envole loin des turbulents jaloux. C'est tout ce que j'ai pu recueillir sur les noces de l'Osmie ! »

23

Théodore Monod,
le dernier des explorateurs ?

« Que dire de Théodore Monod que l'on n'ait déjà dit d'une manière ou d'une autre ? Mais Monod est comme ces légendes que l'on ne se lasse pas de resasser et qui, pourtant, à chaque récit, semblent plus captivantes que jamais et résistent ainsi à la puissance érosive de la durée... » Ainsi s'exprima le président du Sénégal, Abdou Diouf, lors de l'hommage solennel rendu par le Muséum national d'histoire naturelle à Théodore Monod pour ses quatre-vingt-quinze ans. Comment mieux exprimer l'exceptionnelle dimension d'un personnage dont la vie couvre l'entièreté du XXe siècle et dont le volume et la qualité des apports scientifiques passent l'entendement ? N'a-t-il pas rédigé plus de 1 300 livres, articles, communications, préfaces et notes diverses, publiés au cours de 75 ans de recherches ininterrompues ? Un record qui mériterait bien de figurer au *Guinness des Records* ! Véritable encyclopédie vivante, scientifique mais aussi humaniste, chercheur mais aussi croyant, Monod figurera sans aucun doute parmi les géants de ce siècle finissant.

Né le 9 avril 1902 à Rouen sous le signe du Bélier, c'est bien à cet animal à l'opiniâtreté légendaire qu'il pourrait s'apparenter ou encore se réincarner, s'il croyait à la réincarnation ; mais Monod, protestant, n'y croit pas. En 1907, sa famille s'installe à Paris, rue du Cardinal-Lemoine, tout près du Jardin des Plantes que le jeune garçon fréquentera assidûment et qui restera sa vie durant sa maison mère. Précoce, il crée en 1917, à l'âge de quinze ans, une société d'histoire naturelle et édite les premiers numéros de sa revue. Très sensible dès son plus jeune âge à la souffrance du monde animal, il plaide contre le port des plumes sur les chapeaux, qui coûte la vie à tant d'oiseaux exotiques.

À seize ans, reçu au baccalauréat, il est sommé de faire son premier choix : devenir pasteur, comme son père, ou naturaliste. C'est dans cette direction que notre parpaillot – et fier de l'être ! – s'engage, suivant en cela l'exemple de ses brillants prédécesseurs, les Tournefort, Jussieu, Linné qui avaient eu à faire le même choix. Il s'inscrit en licence de sciences naturelles à la Sorbonne. En ce temps-là, ce diplôme comportait trois certificats : géologie, zoologie, botanique. L'ensemble offrait une vision très large des sciences naturelles, jusqu'à son démantèlement à la fin des années 50.

En 1922, Monod entre au Muséum comme assistant à la chaire des Pêches et Productions coloniales d'origine animale. Il effectue aussitôt sa première mission d'un an en Mauritanie. Mais bien que s'intéressant aux poissons et aux crustacés marins, il ne supporte pas longtemps d'avoir le Sahara derrière son dos... Aussi décide-t-il de rentrer par le Sénégal, pénétrant pour la première fois, à l'âge de vingt et un ans, dans ce désert qu'il ne quittera jamais plus. Désormais, le Sahara, l'Afrique sont sa vie ! Il les aborde en humaniste et en naturaliste, et pourrait reprendre à son compte une formule qu'employa un jour Moquin-Tandon auprès d'Auguste de Saint-Hilaire : « Que m'importe en définitive qu'on me classe parmi les naturalistes chez les littérateurs, et parmi les littérateurs chez les naturalistes ! » C'est bien là tout le talent de ce maître qui a su s'imposer à soi-même et imposer aux autres une conception qui surmonte les morcellements disciplinaires, barrières plus infranchissables encore que celles qui séparent les espèces, qui enferment chaque discipline ou sous-discipline dans un pré carré dont il convient de ne s'écarter en aucun cas sous peine de risquer de ruiner promptement sa carrière.

Mais Théodore Monod n'est pas seulement un électron libre lancé dans les solitudes vertigineuses des grands déserts. C'est aussi un organisateur, comme il va le montrer en créant l'Institut français d'Afrique noire à Dakar, où il s'établit avec sa famille dès 1938. On le voit alors mettre en place cette filiale du Muséum avec une étonnante énergie, tout en ayant la sagesse de ne consacrer à cette tâche que ses matinées. Il garde jalousement ses après-midi pour la recherche qu'il n'abandonnera jamais, quelles que soient les tâches et activités de tous ordres qui lui incombent. À Dakar, il est à pied d'œuvre, aux portes d'un désert qu'il a déjà, à cette date, sillonné en tous sens à l'occasion de multiples missions. Là encore, les records ne cessent de tomber : d'Ouadan (en Mauritanie) à Arouan (au Mali), ce sont 900 kilomètres parcourus en trois étapes sans aucun point d'eau, avec pour seul appui technique une boussole ! Tout aussi audacieux, son parcours dans le désert libyque, le « désert des déserts » : il lui aura fallu attendre le 3 février 1980 pour concrétiser ce rêve. Ici, l'aridité est extrême : sur le plateau du Gilf Kébir, elle « n'a cessé de s'intensifier et l'on peut parfois parcourir plus de cent kilomètres sans découvrir une seule plante, même desséchée » ! Herboriser revient à récolter, lorsque la chance sourit, un misérable débris botanique, hélas le plus souvent impossible à identifier. Ces débris ne sont d'ailleurs que rarement fixés au sol : le vent les déplace pour les déposer dans des recreux où ils s'accumulent sous forme d'étonnants feutrages, allant jusqu'à mimer un paillasson. Ces misérables « paillassons » conservent un minimum d'humidité favorable au développement d'une faune rudimentaire.

Dans son ouvrage *Méharées*[1], on le suit pas à pas à travers ces solitudes immenses où les éléments conjugués – vent et sable, notamment – constituent un ennemi sans cesse mena-

[1] Théodore Monod, *Méharées*, Actes Sud, 1989.

çant. Il y récolte des échantillons de roche, des pierres taillées, des animaux, des végétaux, des dessins rupestres qu'il reproduit, des traditions locales, traces de l'histoire d'un continent saharien qui, à lui seul, pourrait englober l'Europe. Il recueille des plantes qu'il met en herbier, puis les fait identifier, quand il n'y parvient pas lui-même, par les plus éminents spécialistes.

Il s'émerveille, comme nous l'avons tous fait, devant « de vraies forêts de *Calotropis procera...*, plante admirable de vigueur, d'honnêteté, de franchise. Les grandes feuilles arrondies opposées deux à deux, épaisses, charnues, revêtues d'un enduit pruineux vaguement bleuté, émettent à la moindre blessure un latex blanc, abondant et toxique. Cette plante bien en chair, à la santé robuste, émergeant des sols les plus arides, est une véritable provocation végétale en des lieux où on n'attendrait jamais de telles apparitions. » Ce Calotropis a fait l'objet d'intéressantes études d'écotoxicologie : lorsqu'il est consommé par les chenilles d'un certain papillon[1], ces dernières ingèrent les substances toxiques qu'il contient et engendrent des imagos toxiques pour les oiseaux qui les consomment et qui, dès lors, s'intoxiquent à leur tour. Le cas illustre parfaitement le mode de migration de certaines substances toxiques, ici la calotropine et la calactine, le long des chaînes alimentaires. Un modèle, classique dans la nature, de transfert de toxicité par prédation, qui devrait inciter à la plus grande prudence lorsque des plantes comme le maïs sont rendues, par transgénisme, porteuses d'un insecticide, le « Bt ». Celui-ci intoxiquera en effet non seulement le ravageur dont on veut se débarrasser (la Pyrale), mais aussi d'autres insectes, tel le beau Papillon monarque, emblématique aux États-Unis, dont les populations sont décimées par le pollen de ce maïs transgénique. Des effets « collatéraux » récemment mis au jour et qui attirent l'attention sur les risques engendrés par la diffusion tous azimuts de végétaux transgéniques dans la nature...

1 *Danaus plexippus*

Théodore Monod rencontre aussi les jusquiames, autres herbes toxiques. L'une d'elles, *Hyoscyamus muticus*, variété *Faleslez*, fait partie de l'arsenal secret des Touareg qui l'utilisèrent en 1881 pour empoisonner les membres de la mission du lieutenant-colonel Paul Flatters. Ce dernier avait été chargé de repérer un tracé de chemin de fer transsaharien qui relierait l'Algérie au Soudan. Le 16 février 1881, au cœur du Hoggar, la mission, dont le lieutenant-colonel lui-même, fut anéantie par les Touareg. Seuls quelques survivants réussirent à regagner l'Algérie. La tâche se révélant insurmontable, l'idée de traverser le Sahara en chemin de fer fut abandonnée.

Puis ce sont les « plantes-records ». Tandis que les plantes vivaces déploient des prodiges d'ingéniosité pour adapter leurs tissus à l'aridité, ainsi que nous l'avons vu à propos des plantes sud-africaines, le sort des plantes annuelles est encore plus précaire. Celles-ci doivent en effet savoir profiter de la moindre averse pour effectuer un cycle complet de végétation en un temps record. Théodore Monod signale une expérience effectuée sur des lots d'espèces annuelles du Sahara algérien et des lots d'espèces annuelles de Scandinavie, toutes convenablement traitées et humidifiées. On constate au bout de 24 heures sept germinations dans le lot saharien, et aucune dans le second. Au bout de 48 heures, trente et une des graines d'espèces sahariennes ont germé, et toujours aucune parmi le contingent scandinave. C'est seulement au troisième jour que, timidement, quatre graines d'espèces scandinaves se décident à germer. Pour elles, pas de problème : elles savent bien que l'humidité va durer. Mais, en ce même troisième jour, 90 % des graines sahariennes ont déjà réussi à germer. C'est qu'elles semblent savoir que, pour elles, le sort en est jeté et qu'il ne faut surtout pas rater l'aubaine d'une pluie qui ne se reproduira peut-être pas avant plusieurs années...

Le record absolu tel que le rapporte Théodore Monod concerne une plante du genre *Boerhavia*, ainsi nommée parce que dédiée au célèbre botaniste néerlandais du XVIIe siècle, Herman Boerhaave. Sa renommée était si universelle qu'une lettre venue de Chine et adressée à « Monsieur Boerhaave –

Europe » parvint à son destinataire ! Mais sans doute ne sut-il jamais qu'une plante portant son nom allait détenir le record absolu de « brévivité » végétale ! En huit jours, en effet, une graine de *Boerhavia repens* a réussi à germer, croître, fleurir, mûrir son fruit et répandre ses graines. Record que l'on croyait jusque-là détenu par une petite Crucifère, la rose de Jéricho[1], mais qui semble bien battu par notre *Boerhavia*. Et Monod d'ajouter : « Le plus curieux est que la même espèce qui, bousculée, se hâtera de poser une fleur sur un méchant bout de tige haut de 2 centimètres, s'accordera le plaisir, ailleurs où le sol est moins sec, et par conséquent le temps moins strictement mesuré, de pousser un gros buisson d'un mètre de haut. Comment la graine sait-elle d'avance le nombre de jours dont elle dispose ? qui le lui dit ? »

Bonne question que, jusqu'alors, personne naturellement ne s'était posée !

Mais, au Sahara, il n'y a pas que des plantes. Outre une minuscule fleur de la famille des Gentianacées, *Monodiella flexuosa*, notre explorateur aura fait bénéficier les sciences naturelles de dix nouveaux noms de genre dédiés à son patronyme et désignant des Crustacés, des Champignons, un Poisson et même un Mammifère.

Cette *Monodiella* qu'il avait découverte en 1940, il ne l'a plus jamais retrouvée, bien qu'il n'ait jamais cessé de la rechercher. Elle est ainsi entrée dans la liste de ces objets quasi fantasmatiques qu'un vrai explorateur continue de chercher, s'il le faut, toute sa vie durant. Tel fut aussi le cas de la fameuse météorite de Chinguetti.

Il arriva à l'oreille de Théodore Monod qu'en 1916, une énorme météorite se serait écrasée un peu au sud de ce bourg de Mauritanie. Un officier méhariste aurait secrètement découvert, de nuit, un énorme bloc métallique dont les indigènes seraient convenus entre eux de ne jamais divulguer l'emplacement et même l'existence. Monod enquête auprès des habitants de Chinguetti, mais se heurte à un mur de

1. *Anastatica hierochuntina*, Brassicacées.

silence. Même la proposition d'espèces sonnantes et trébuchantes ne parvient pas à faire se délier les langues. Une prime proposée ne tente personne et ne déclenche aucune confidence. Il lui faut donc entreprendre des recherches sans disposer d'informations préalables, dans un pays fortement ensablé. Cette quête n'a pas abouti, et « le bloc colossal qui serait, à supposer qu'il existe, de beaucoup la plus grosse météorite du monde entier », reste un mystère. Il y eut bien un maigre lot de consolation lorsque Théodore Monod découvrit un caillou complètement noir tel qu'aucun terrain de la région n'aurait pu en fournir : ce caillou, lui, était bien originaire d'une météorite, et le bloc dont il était issu fut découvert autour d'une grande quantité d'éclats, au fond du petit cratère creusé en son point de chute.

Monod trouve aussi les mystérieux crocodiles de Matmata, ultimes occupants de mares permanentes désormais complètement séparées des fleuves africains. Ces malheureux sauriens sont les derniers vestiges vivants d'une époque beaucoup plus humide et d'un Sahara tout différent du nôtre. Ils ont fini par se faire étroitement confiner dans ces mares relictuelles et ont tout lieu de se féliciter que, dans leur cerveau crocodilien, aucune angoisse ne se manifeste à constater la baisse constante des eaux qui finira par les exterminer jusqu'au dernier dans des délais sans doute assez rapprochés. Monod leur dispense ce conseil : « Prenez garde, ô Sauriens malchanceux, vigoureux nageurs, souples cuirasses, donnez-vous du bon temps, profitez de votre sursis ! » Un sursis qui sera court, car les crocodiles du Sahel ont moins de chances de s'en tirer que ceux du Nil qui avaient tant impressionné Pierre Belon au XVIe siècle. Au Sahara, le dernier spécimen vivant aurait été vu en 1924 ; nul n'en a revu depuis lors.

Il convient ici de se souvenir que Théodore Monod est d'abord un zoologue, comme l'atteste le regard perspicace qu'il pose sur les animaux couramment rencontrés au Sahara :

« D'abord les Mammifères : gazelles bien jolies et gracieuses tout de même, malgré l'effroyable consommation qu'en a fait la poésie orientale, et, de plus, très malheureusement comes-

tibles, ce qui leur vaut, de la part de tous les porte-fusils saha-
riens, une guerre d'extermination. . Animaux très rapides : un
zoologiste a chronométré du 72 km à l'heure, tenus
15 minutes... *Antilope addax*, anéantie dans le Sud algérien,
abondante dans les solitudes de l'ouest où ces naïfs troupeaux
défilent stupidement au petit trot devant la menace des cara-
bines ; comme les dernières autruches, elle est encore protégée
contre le fusil des massacreurs par des barrières naturelles
autrement efficaces que des règlements administratifs systématiquement violés... *Antilope oryx*, aux longues cornes
aiguës, à la peau résistante et dans laquelle on faisait au Moyen
Âge les meilleures targettes du monde, que ne peut traverser
aucune lance... Le *mouflon à manchettes*, et surtout à barbe, un
fanatique du rocher et un grimpeur de première force. Vous
escaladez laborieusement un sommet jugé inaccessible, ima-
ginant en être le premier visiteur, et puis, touchant à la cime,
vous y découvrez non le drapeau d'Amundsen, mais ce qui
vous en tiendra lieu : des crottes de mouflon... À peine l'a-t-on
levé qu'il a déjà, de biais, grimpé à toute vitesse le versant
croulant et raide de la dune, et disparu derrière la crête. Personne n'a rien vu qu'une petite forme indistincte, couleur
sable, lancée à fond de train ; mais tout le monde sait qui c'est.
Le fennec ? Bien sûr[1] ! »

Mais si Théodore Monod est d'abord l'homme du Sahara,
plus particulièrement du Sahara mauritanien, il n'en a pas
moins fait quelques infidélités à « son » désert. On le voit, en
1969-1970, effectuer deux missions dans le désert de Lout, en
Iran : il y découvre de vastes zones abiotiques qui lui font son-
ger au désert « extrême » du Tanezrouft et de Libye. Mais les
villes sont aussi des déserts pour les plantes sauvages. Éclec-
tique et curieux de tout, on le voit, avec son collègue Paul
Jovet, inventorier la flore et la faune sauvage... de l'île Saint-
Louis, au cœur de Paris ! On le suit encore au bord de l'océan
Indien, au Yémen en 1977, puis en 1995 (il a alors 93 ans !).
Cette fois, c'est aux arbres à encens qu'il s'intéresse – ce mys-

---

1. Théodore Monod, *op. cit.*

térieux encens dont il est si difficile aujourd'hui de connaître et la nature et la provenance.

Car les encens sont généralement importés de l'Inde. Il en existe plusieurs variétés, dont une seule correspond au véritable encens : l'oliban. Le mot est tiré du latin *incensum*, c'est-à-dire « brûlé ». Il s'agit d'une sécrétion de l'écorce de plusieurs espèces d'arbres du genre *Boswelia*, en particulier du *Boswelia sacra*, présent dans la corne de l'Afrique, en Somalie, et au nord, dans les montagnes du Yémen. Mais l'encens est encore connu sous ce nom d'*oliban*, dérivant de l'arabe *luban*, ou bien de l'hébreu *lebonah*, qui signifie « lait » ou « blanc », et qui a d'ailleurs donné son nom au Liban, petit pays dominé par le mont Hermon, longuement enneigé. L'arbre à encens est devenu aujourd'hui très rare au Yémen.

C'est le mercredi 10 mai 1995 que Théodore Monod, accompagné de son disciple José-Marie Bel, en a redécouvert des spécimens dans un ravin creusé presque au sommet d'une falaise. Ce peuplement compte une cinquantaine d'arbres ; il s'agit du *Boswelia sacra*, donc du véritable encensier. Comme il a dû être émouvant de découvrir cet arbre après une si longue marche, d'évoquer l'histoire de cette gomme-résine connue depuis la nuit des temps, qui fit l'objet d'un commerce intense entre les populations vivant au nord et au sud du golfe d'Aden et le monde des Arabes, des Hébreux, des Grecs et des Romains, avant que l'Église ne prenne le relais et n'offre l'encens dans ses offices solennels, empruntant cette antique tradition à la liturgie du Temple de Jérusalem où l'on brûlait chaque soir de l'encens en sacrifice ! En fait, la situation de ces arbres au tronc vaguement orangé et aux feuilles dentelées est préoccupante. Pas un seul jeune plant de l'année, ni des dix années précédentes, ne pousse à proximité. En revanche, quelques excréments prouvent que des chèvres sont passées par là. Empêchent-elles le renouvellement de l'espèce ? Il semble bien, en tout cas, qu'elle soit plus fréquente et moins menacée à l'autre extrémité du golfe d'Aden, en Somalie, dans la corne de l'Afrique.

C'est au cours de cette mission au Yémen que Théodore Monod aura récolté son vingt millième échantillon d'herbier ! Le tout premier, récolté le 17 octobre 1927, était un câprier sauvage trouvé dans une falaise du Sud algérien. Cette fois, le 20 000ᵉ végétal récolté n'aura été qu'un modeste fragment d'arbuste muni de quelques chatons, la période de floraison arrivant à sa phase terminale. Il a suivi de peu l'échantillon 19 992, un *Commiphora,* arbuste aromatique qui fournit la myrrhe.

Mais Monod ne se contente pas de récolter. Il dessine avec une extrême précision les spécimens et organes intéressants, tout comme il le fit pour les poissons ou les peintures rupestres ; et il le fait aussi bien que le grand Linné le faisait mal ! Un dessin de Linné n'est jamais qu'un méchant gribouillis approximatif ; un dessin de Monod est l'œuvre d'un grand professionnel des sciences naturelles. Puis il identifie les espèces au moyen des échantillons de référence conservés au Muséum, et, en cas de doute, les fait reconnaître par des spécialistes compétents. Car les espèces sont si nombreuses et parfois si difficiles à distinguer les unes des autres que nul ne saurait se prévaloir d'être familier avec toutes.

Mais l'homme du désert passionné par ses recherches, curieux de tout, en vient parfois à frôler l'irréversible... Un jour, assoiffé à l'extrême, il doit son salut au jus de panses d'addax, un brouet d'eau et de végétaux à demi digérés dont il dit non sans humour : « C'est assez épais, il faudrait une passoire pour en tirer quelque chose de plus présentable... » Un exercice aux limites de la survie qui fait heureusement diversion avec les longues heures passées à dos de chameau, ballotté de droite et de gauche, sous un soleil féroce. Celles-ci lui rappellent ces autres heures passées sur le pont d'un navire brimbalé par la tempête au milieu de laquelle il trouve encore assez de force « pour observer réglementairement, à la jumelle, durant dix minutes, les circonvolutions des oiseaux qui accompagnent le vaisseau et qui, nous obligeant aux mêmes circonvolutions pour les observer, aggravent encore le mal de mer... ».

Bilan d'une œuvre aussi considérable, d'une longévité scientifique aussi étirée par les deux bouts, puisqu'elle commence à l'âge de 14 ans et se poursuit toujours, couvrant ainsi la quasi-totalité du siècle ? En ont résulté 9 genres nouveaux et 158 espèces nouvelles pour la science, soit 32 espèces végétales, 20 espèces d'animaux inférieurs, 6 espèces de Mollusques, 48 espèces de Crustacés, 7 espèces d'Araignées, 29 espèces d'Insectes, 10 espèces de Poissons, et une d'Oiseaux. À peu près toutes portent à la suite de leur appellation de genre le nom spécifique de *Monodi*. Cent cinquante-huit espèces : un véritable record, et une brillante réfutation de l'idée trop souvent répandue selon laquelle, désormais, la science connaîtrait l'ensemble du monde vivant. Bien entendu, il n'en est rien, ainsi que l'attestent les centaines d'espèces nouvelles publiées chaque année dans les revues spécialisées, sans compter celles du fond des cavernes ou des mers, qui restent entièrement à découvrir. Au reste, il est pour le moins déconcertant qu'un concept aussi médiatisé que celui de « biodiversité » n'ait généré aucun effort financier significatif visant à encourager la poursuite de l'inventaire des êtres vivants et la connaissance de leurs comportements au sein des écosystèmes. Constatons simplement que, par contraste, les spécialistes de la couche d'ozone et de l'effet de serre ont su – avec, il est vrai, un soutien médiatique exceptionnel – capter au profit de leurs recherches des crédits si considérables qu'on s'impatiente légitimement, aujourd'hui, de voir pointer les premières conclusions incontestables relatives aux effets de certains gaz présents dans l'atmosphère sur l'évolution des climats...

Reste à évoquer la stature morale de Théodore Monod, homme exceptionnel, le dernier grand naturaliste de notre temps, peut-être aussi notre dernier penseur vraiment libre. Se fichant du « politiquement correct » et de la « pensée unique » comme d'une guigne, n'hésitant pas à mettre crûment en cause les effets dévastateurs de l'ultralibéralisme, il redoute les effets plus uniformisants qu'unifiants de la mondialisation, écrivant :

« Le monde marche à pas de géant vers une uniformité menaçante : si l'on y va de ce train, avant peu de siècles, le Patagon portera des bretelles..., le Bushman comme le Papou utilisera la brosse à dents n° 12, modèle standard tropical, et le stylo n° 15 aérodynamique, climatisé, vitaminé et radioactif. Et la morne banalité du stéréotype ne submergera pas que les choses matérielles ; l'on bourrera, comme nos pipes, nos crânes du même foin réglementaire. Comme il fera bon alors retrouver dans les musées l'émouvant témoignage de nos arts, de nos industries, de nos habiletés, de nos coquetteries, de nos âmes diverses et libres d'avant le rouleau compresseur !... »

Lui-même fait d'ailleurs une consommation modérée – c'est un euphémisme ! – de cette vaste et complexe quincaillerie que sont devenus en l'espace de quelques années les innombrables ustensiles technologiques, aujourd'hui révolutionnaires, demain obsolètes, qu'il ne semble nullement idolâtrer, à l'instar de tant de nos contemporains, toujours en quête d'un nouveau départ.

La vraie personnalité de Théodore Monod ne saurait être vraiment comprise si l'on ne va pas la débusquer en amont, jusque dans ses racines. Son père était pasteur et, comme il le dit lui-même, il a été formé dès son plus jeune âge par la lecture quotidienne de la Bible. L'histoire telle que l'officialisent les manuels des classes primaires ne semble jamais avoir tenu une grande place dans ses premières lectures ; c'est dans les Écritures qu'il a fait son apprentissage :

« C'est, pour un enfant protestant, une richesse et un trésor bien connus ailleurs, mais très ignorés en France. Car, à l'heure où ses contribules ne sortent guère des Gaulois, de la barbe fleurie d'un Charlemagne qui était glabre, des exploits politico-militaires de la Pucelle ou des boucheries impériales, il vit, lui, avec les pharaons et leurs pyramides, dans les murs de Babylone la grande, avec les chameliers qui se querellent autour du puits, avec Jacob le tricheur et le *Vanitas vanitatum* désabusé du Qoéleth, dans les palais assyriens [...], dans la Suze de Cyrus, avec les marins phéniciens ou les pourpiers de Tyr, en Asie Mineure, avec la Diane des Éphésiens, à

Corinthe, visitant l'aréopage, faisant naufrage à Malte, pénétrant dans la prison du prétoire : quelles couleurs ! quelles fresques ! Deux mille ans d'histoire entre les pages d'un seul volume ! »

Ainsi s'élabora une conscience morale forte, une éthique rigoureuse, fondée sur un mode de vie sobre et humble, profondément respectueux d'une Création qu'il connaît. On ne le voit jamais s'étendre dans de grandes envolées lyriques sur la beauté et la « bonté » de la nature ; il sait que celle-ci est cruelle, et tout son projet vise à réduire partout la souffrance. Celle du monde animal, en particulier : d'où son hostilité à la chasse, qui laisse tant d'animaux blessés, achevant leur vie dans des souffrances que nul ne viendra soulager. Ce sont des motivations analogues qui le conduisent à condamner sans restriction la guerre, toutes les guerres, et naturellement aussi les complexes militaro-industriels qui fournissent et disséminent les armes à travers le monde. Lui est pacifique et pacifiste. Avec cette candeur qui n'appartient qu'à lui, il relate, comme pour s'en excuser, qu'il lui est arrivé d'achever un Mammifère blessé : « J'ai ainsi tué un rat dans les rues de Casablanca, parce qu'il était trop diminué pour reprendre une vie normale... » Mais cette candeur ne l'empêche pas de reprocher aux théologiens de se fier avec un trop bel optimisme aux spectacles placides et mièvres mettant en scène des animaux. Car, à ses yeux, la contemplation de la nature ne mène pas à Dieu :

« Le scientifique en moi sait trop bien combien est terrible l'affrontement des espèces ; le spectacle de la nature tel qu'il est soulève au contraire des réflexions théologiques considérables, parce que si la Création relève d'un Créateur, et que ce Créateur est un Dieu de miséricorde et de compassion tel qu'on nous le décrit, on ne voit pas très bien comment il peut être à l'origine de tant de souffrances. Comment peut-on imaginer qu'un Créateur bienveillant ait organisé non seulement le carnivorisme, mais aussi le parasitisme... ? Lorsque j'étais enfant, j'avais trouvé à Varengeville-sur-Mer, en Normandie, un malheureux crapaud dont la face était rongée par une mouche qui pondait dans ses fosses nasales. En se développant, les larves de l'insecte détruisaient peu à peu le visage du pauvre batracien. Cette observation avait tellement frappé mon père qu'il l'évoqua dans son ouvrage *Le Problème du bien*. Or, des cas atroces comme ceux-là, il s'en trouve des milliers, à tous les niveaux, dans la nature. Cela pose des problèmes théologiques, car on ne peut attribuer ce genre d'horreurs à une divinité supposée toute-puissante. Peut-être alors ne l'est-elle pas ? C'est sans doute dans cette direction qu'il faut s'orienter. Je n'ignore pas que cette théorie n'est pas très conforme à la doctrine officielle issue du Concile de Nicée, mais rien ne prouve que les décisions de ces vénérables évêques représentent la vérité même... »

Comme on le voit, l'observation, la méditation, la réflexion personnelle conduisent parfois Théodore Monod à s'éloigner des sentiers battus et à préférer les chemins de traverse. Sa foi en la bonté d'un Dieu personnel est intacte. Chaque jour, comme ses amis du tiers-ordre des Veilleurs, auquel il appartient, il lit à l'heure de midi les *Béatitudes* selon saint Matthieu, où se trouve le cœur – « à l'état chimiquement pur », pourrait-on dire – du message chrétien. Aussi, aucune difficulté, chez lui, pour associer science et religion : chacune a son ordre, son domaine, et il se situe à des années-lumière de ce scientisme que son homonyme et lointain parent Jacques Monod devait, en 1970, brusquement « redoper » dans son ouvrage *Le Hasard et la Nécessité*. Jacques y annonçait l'avènement d'une religion de la science, religion austère et qui ne fit pas, c'est le moins qu'on puisse dire, de très nombreux adeptes. À cette forme de foi, Théodore répond par un dialogue permanent de la science et de la religion qui exprime tout son vécu. Il sait que, dans la nature, le Bien et le Mal s'affrontent, tout comme en l'homme.

Toute l'œuvre spirituelle de Monod, adepte de la non-violence, opposant farouche à la torture, ennemi de la chasse, vise à réduire l'arrogance, la violence, la brutalité de cette espèce de Primate que l'homme est encore, qu'il est d'abord. Mais il le fait toujours avec une grande humilité, non sans faire montre çà et là d'une pointe d'humour bien senti. À ses yeux, le seul naufrage, c'est le découragement. Sa vie durant, il a repris à son compte la philosophie de son père pasteur : « Malgré les doutes, malgré les blessures, il faut croire quand même, espérer quand même, aimer quand même ! » Et il n'a pas hésité à s'engager dans tous les grands combats de notre temps. Ainsi, durant la guerre d'Algérie, il signe le Manifeste des 121 pour soutenir les insoumis et s'en explique :

« Bien que fonctionnaire, je persiste, à tort ou à raison, à me considérer comme un homme libre ; d'ailleurs, si j'ai vendu à l'État une certaine part de mon activité cérébrale, je ne lui ai livré ni mon cœur, ni mon âme. Si puissant soit-il, César s'arrête au seuil du sanctuaire où règne un beaucoup plus grand que lui, et auquel l'Écriture nous prescrit d'obéir plutôt qu'aux hommes... J'appartiens d'ailleurs, vous ne l'ignorez pas, à une famille spirituelle où l'on n'a jamais confondu le bien et le mal, le juste, le permis et le défendu : les époques ne manquent pas, en France, où, pour obéir à l'Évangile, il fallait désobéir au roi et risquer la prison, le gibet ou les galères. Et c'est en réalité rendre service à César lui-même que de savoir parfois, le regardant droit dans les yeux, lui dire non. Cela peut l'amener à réfléchir, car César a lui aussi une âme. »

C'est par toute une série d'aspects de sa personnalité que Monod campe, comme une provocation à l'aube du troisième millénaire, un type d'homme qui empiète largement sur le passé, mais aussi sur le futur : un monument d'humanité, en quelque sorte ! Il est le seul de nos « très grands » à aborder la science sans la moindre visée utilitaire : chez lui, pas de brevets, pas de contrats avec des entreprises privées toujours à l'affût des masses d'argent susceptibles d'être tirées d'une découverte. Il illustre l'exercice d'une science libre et ouverte où la conscience morale du chercheur lui tient lieu en permanence de ligne de conduite. De par la sobriété de sa vie, il illustre l'exact opposé du monde actuel dont il condamne vigoureusement la boulimie de consommation qui le distrait de l'essentiel. Au fond, il ne connaît qu'une aventure : l'aventure spirituelle. Et il en vient à se considérer lui-même comme une espèce-relique :

« À l'heure où l'ampleur sans cesse croissante des connaissances, comme la complexité des méthodes en cause exigent du chercheur une spécialisation toujours plus étroite, il m'a paru honnête d'attirer dès l'abord l'attention sur cet aspect, à coup sûr atypique, d'une carrière qui aura indubitablement échappé aux règles usuelles pour se voir arrachée aux sécurités du chemin battu, et lancée bientôt à l'aventure à travers champs, ou, comme nous disons en Afrique, "en pleine brousse"... Peut-être qu'un cas aussi singulier que le mien – et qui me met moi-même si souvent dans l'embarras quand des géologues ou des botanistes me prennent, de bonne foi, pour l'un des leurs – pourrait-il trouver, sinon sa justification, du moins son explication dans la notion d'*espèce relicte* ? Ce qui a été si longtemps la norme devenu l'exception, seuls quelques survivants attardés d'un monde disparu subsistant encore : aurai-je été l'un d'entre eux ? Et, qui sait, peut-être le dernier ? »

Sur les grandes autoroutes de la science, savamment lissées et balisées par ces technocrates inconnus du public qui gèrent la science comme d'autres gèrent une usine, toute tentative d'excursion inspirée par la curiosité est sévèrement réprimée. Il est strictement interdit à un chercheur de s'écarter des voies qui lui ont été assignées. Dans ce contexte, Théodore Monod incarne une formidable échappée. À l'aube du nouveau millénaire, il importe d'entendre son cri : celui du dernier de nos grands explorateurs polyvalents, dont l'immense culture scientifique ferait pâlir d'envie ou de confusion le meilleur de nos jeunes chercheurs « pointus ». Aujourd'hui, la science génère des contrats, des technologies sans cesse nouvelles, elle stimule l'économie, rapporte de l'argent. Cette science qui flirte si insolemment avec l'argent et le pouvoir ne fait plus honneur aux grands noms rencontrés au fil de nos pages, non plus qu'au dernier, sans doute l'un des plus grands d'entre eux : celui de Théodore Monod.

Il est néanmoins permis d'imaginer Théodore Monod heureux. Comme il le dit lui-même, « pouvoir consacrer sa vie à faire ce dont on a envie demeure un singulier privilège ». De fait, il a rarement été détourné de ses projets par quelque accident inattendu du destin. Avec une ténacité et une fidélité sans égales, il a poursuivi les objectifs qu'il s'était assignés au départ. Sa vie est une leçon pour les générations futures qui sauront, espérons-le, ne plus accepter l'importance exorbitante que le monde du siècle finissant a accordé à l'argent et aux biens matériels. Si Monod leur laisse un testament, c'est bien d'un legs spirituel qu'il s'agit.

Sur le plan scientifique, il nous a appris que l'avancée du Sahara a résulté d'une augmentation constante des populations, donc des troupeaux, sur des sols devenus incapables de fournir les ressources végétales suffisantes, donc largement déboisés et surpâturés. En fait, depuis l'Antiquité, le désert n'a pas connu de changement climatique décisif ; toutes les dégradations constatées depuis lors y ont été d'origine humaine. Cette autre leçon nous renvoie à nos propres responsabilités ; elle implique l'urgente nécessité de reboiser et reconquérir – mais à quel prix ! – ces espaces aujourd'hui gravement dénaturés. Voilà en tout cas des perspectives nouvelles et exaltantes qui s'offriraient volontiers aux légions de chercheurs qui acceptent de travailler – et le font du mieux qu'ils peuvent – au perfectionnement d'armes ou d'appareils que l'on sait d'avance destinés à tuer des êtres vivants : « Mettre au service de l'homme, et au service du malheur de l'homme, les connaissances acquises au cours de sa formation scientifique, est une aberration... » Cet appel à la conscience des scientifiques traverse toute l'œuvre de Théodore Monod. C'est par la remise en cause de pratiques déviantes qui sont devenues monnaie courante dans la science et l'inféodent chaque jour davantage aux grands intérêts économiques, que s'accompliront le nécessaire sursaut et une mobilisation nouvelle en vue de cet objectif primordial : donner à chaque enfant qui, en ce monde, est un chef-d'œuvre en péril, l'éducation susceptible d'en faire un citoyen conscient et responsable du monde de demain.

Et demain ?

Demain, c'est le XXIe siècle, le troisième millénaire. En biologie, l'ère du gène. En moins de vingt ans, celui-ci a tout envahi. À quoi bon désormais reconnaître un platane, identifier le cannelier ou le panda, quand on a séquencé leur génome ? D'ailleurs, qu'avons-nous à faire des cannelles et des pandas, si ce n'est à y puiser ou à y transférer quelques gènes destinés à les « améliorer » ? Les voici donc disponibles pour de nouvelles aventures, celles que nous allons leur imposer. Le vieil ordre de la nature se meurt, lui qui attribuait à chaque plante, à chaque animal un nom, une identité, une place dans une classification – d'où l'impression d'harmonie que dégageait le commerce de la nature. Mais qu'importe ! La nature est désormais à nos pieds, dominée, asservie. L'homme a pris son destin en main, et le sien dans la foulée. C'est lui qui décide de son sort, de son avenir. Le gène se plie à nos désirs : soumis, il se laisse faire et le voici donc qui passe du scorpion au tabac ou du poisson à la fraise[1]. Et pourquoi hésiter à instiller un gène humain chez les cochons si cela doit stimuler leur croissance ? Après l'ère du tout-nucléaire, voici que sonne l'heure du tout-gène...

1. Arnaud Apotecker, *Du Poisson à la Fraise*, La Découverte, 1999.

Et avec quel fracas ! L'incantation, la jubilation fébrile, l'exaltation, quand ce n'est pas carrément la divination, l'art de prédire un avenir mirobolant, sont de mise lorsque sont évoquées les glorieuses et imminentes conquêtes du génie génétique ou des biotechnologies qui en découlent. Qu'on en juge par ces bribes enthousiastes et redondantes happées ici et là sous la plume de quelques chercheurs particulièrement enthousiastes : à leurs yeux, la transgenèse constitue un immense progrès ; elle manifeste un « grand pas », quand ce n'est pas un « grand bond en avant ». Ici, cette avancée est « formidable ». Là, elle est « extraordinaire ». Là encore, « sans précédent ». Elle représente un « atout incomparable », etc. Rien n'arrête l'enflure de la pensée ni la boursouflure du langage.

Malheur, donc, à l'imprudent chercheur qui n'inscrirait pas son projet de recherche dans les grandes avenues soigneusement balisées du génie génétique et des biotechnologies ! Car les fonds destinés à la recherche, qu'elle soit publique ou privée, ne vont que par là. Là seulement, et nulle part ailleurs, les vents favorables gonfleront les voiles de ses projets et les feront aboutir. Qu'il cherche au contraire de nouvelles plantes, de nouveaux animaux au sein de quelque écosystème resté à l'écart des prospecteurs et des projecteurs, et ce, hors de tout « intérêt économique », et le voilà aussitôt discrédité. Au mieux on le plaindra ; au pire, on lui refusera sa thèse. Car si la biodiversité est à la mode, elle génère plus de discours que de crédits.

Le temps n'est plus éloigné où le savoir ancestral accumulé par des générations de savants aura déserté facultés et centres de recherches. Qui saura encore – sauf peut-être au Muséum – reconnaître une plante rare, identifier un insecte, nommer un mollusque ? Une vraie gageure !

Qu'un poste de botaniste ou de zoologue se libère, et le voici aussitôt « phagocyté » par la biologie moléculaire, science impériale dont les effectifs se gonflent indéfiniment, laissant au bord de la route ces disciplines traditionnelles qui firent le renom des sciences naturelles et des naturalistes : systématique, embryologie, immunologie, physiologie, éthologie, écologie, etc., toutes condamnées désormais à végéter misérablement sous le regard prédateur de l'Ogre génétique. Car, face aux riches bataillons de ceux qui explorent les génomes, le temps des grands naturalistes explorateurs du monde semble révolu.

Mais voire... Car les temps changent ; les effets de mode, si vigoureux en science, peuvent réserver d'étranges et prompts retournements. Les plantes transgéniques sont restées durant trois ans au pinacle ; aujourd'hui, les voici sur la défensive, empêtrées dans leurs multiples contradictions. Dossiers bâclés, réflexion insuffisante : la « cathédrale transgénique » n'a pas tenu sur les sables mouvants d'une science encore manifestement balbutiante, incapable de lui assurer des bases solides. De toutes parts, mille questions se posent, toujours plus actuelles, plus pressantes, dont la première recouvre à elle seule toutes les autres : vers quelles dérives éthiques et morales nous mènera cette fuite en avant, sans freins ni repères ? L'opinion, alertée et sensibilisée, continuera-t-elle indéfiniment à financer par l'impôt des recherches qu'elle condamne ? Pis encore : acceptera-t-elle longtemps que des fonds publics soient en partie détournés vers le financement de la recherche de quelques grandes multinationales qui s'approprieront les brevets obtenus ? Plus grave : où va donc ce monde sans cesse plus artificialisé, plus virtualisé, plus éloigné de la nature, hybride douteux et inquiétant des œuvres de Prométhée et du docteur Frankenstein ? Et si la génétique et l'informatique de pointe, désormais couplées, emportées toutes deux par la démesure de leurs capacités et de leurs ambitions, en venaient à générer sinon des monstres, du moins un monstre : une société à terme non viable ?

Mais le pire n'est pas nécessairement le plus probable. Tout peut changer, et vite. Il suffit d'un sursaut vigoureux, d'une opinion publique éveillée, exigeante, de l'émergence de « nouvelles » valeurs – en fait, celles de toujours, qui ont pour nom conscience, modération, discernement, précaution.

313

Et si l'heure était venue de nous mettre à l'écoute de nos grands naturalistes, qui surent aborder la nature – dont nous sommes, et par notre corps, et par notre cœur – avec curiosité et modestie ? Non point en vue de la bricoler, mais parce qu'ils l'aimaient ? Une nature à approcher avec humilité et circonspection, car si elle peut être aimable, elle sait aussi être redoutable. Gardons-nous de détraquer ce super organisme dont le fonctionnement, pour l'essentiel, nous échappe encore, comme on le voit par exemple avec l'énigme posée par le changement climatique du globe... Ayons soin de sauvegarder des équilibres que nous serions bien en peine de restaurer, comme on le voit avec ces forêts et ces champs retournés au désert. Maltraiter la nature, la provoquer, c'est courir le risque qu'elle finisse par ne plus pouvoir nous nourrir, nous porter... voire nous supporter !

Il est tard, mais il n'est pas trop tard. Tous ceux avec lesquels nous avons partagé quelques heures, en feuilletant cet ouvrage, nous accompagnent dans cette démarche. Certains, comme Joseph de Jussieu, Alexander von Humboldt ou le père David ont déjà, il y a un ou deux siècles, tiré le signal d'alarme ; ils nous ont alertés sur l'usure rapide des ressources et l'épuisement de la Terre. Que leur message soit entendu ! La leçon qu'ils nous donnent, loin de se perdre dans les brumes du passé, est aujourd'hui plus actuelle que jamais. En fait, ils nous précèdent : ils marchent devant nous, nous invitent à poursuivre dans la voie tracée afin que l'histoire naturelle reste un lieu de connaissance où s'inscrive tout naturellement notre propre histoire. Ce qui requiert de la science qu'elle redécouvre les exigences de la conscience, du respect des leçons tirées des anciens, de l'humilité face à un univers dont nous constatons un peu plus chaque jour à quel point il dépasse notre entendement ; une science qui accepte enfin de reconnaître ses limites, et sache pondérer ses folles espérances par le réapprentissage du principe de réalité qui appelle à la modestie et à la rigueur ; une science indépendante, désintéressée et non plus soumise aux seuls intérêts privés ni à l'écrasante tutelle de l'économie, qui l'étouffent et l'asservissent ;

une science fondée sur la gratuité de la recherche et la libre disposition du savoir. Bref, une science ouverte, ayant renoncé à sa démesure, à ses enflures et à ses frasques médiatiques, humblement au service de l'homme, de la nature et de la vie, dans un monde réconcilié, tout de mesure et d'harmonie.

Bibliographie

Ouvrages généraux

BROSSE Jacques, *Les Tours du monde des Explorateurs. Les grands voyages maritimes, 1764-1843*, Bordas, 1983.

DUVAL Marguerite, *La Planète des fleurs*, Seghers, coll. « Étonnants voyageurs », 1980.

GHEERBRANT Alain, *L'Amazone, un géant blessé*, Gallimard-Jeunesse, Découvertes, coll. « Invention du monde », n° 40, 1988.

GIRRE Loïc, *Traditions et vertus des plantes médicinales : histoire de la pharmacopée*, Privat, coll. « Bibliothèque historique », 1997.

KURY Lorelai, *Les Instructions de voyage dans les Expéditions scientifiques françaises (1750-1830)*, Revue d'Histoire des Sciences, tome 51, janvier-mars 1998, pp. 65-91, PUF.

LACROIX Alfred, *Figures de savants*, tome IV : *L'Académie des Sciences et l'étude de la France d'Outre-mer de la fin du XVIIᵉ siècle au début du XIXᵉ*, Gauthier-Villars, Paris, 1938.

LAROUSSE Pierre, *Grand dictionnaire universel du XIXᵉ siècle*, Slatkine, 1982.

TRYSTRAM Florence, *Terre ! Terre ! De l'Olympe à la Nasa, une Histoire des géographes et de la géographie*, Lattès, 1994.

VERNE Jules, *Histoire des grands voyages et des grands voyageurs. Découverte de la Terre*, Diderot, coll. « Latitudes », 1997 :
T. I : Les premiers explorateurs ;
T. II : Les voyageurs du XIXᵉ siècle ;
T. III : Les grands navigateurs du XVIIIᵉ siècle.

Les Cahiers de *Science & Vie*, « 1 000 ans de Sciences » :

I – *Le Moyen Âge, Comment les sciences s'installent en Europe*, n° 43, fév. 1998 ;

II – *Renaissance, nouveaux mondes, nouvelles sciences*, n° 44, avril 1998 ;

III – *XVIIe siècle, science anglaise, science française.*

Les Grandes Expéditions scientifiques. Du voyage de Darwin à l'exploration de Mars, in *Science & Vie*, HS n° 202, mars 1998.

Les grands explorateurs, Larousse, « Mémoire de l'Humanité », 1996.

Histoire de la Botanique en France, ouvrage collectif, textes réunis par Adrien Davy de Virville, VIIIe Congrès international de Botanique, Paris-Nice, 1954, Société d'édition d'Enseignement supérieur, Paris, 1954.

Les Naturalistes français en Amérique du Sud, XVIe-XIXe siècles, ouvrage collectif, textes réunis et publiés par Yves Laissus, 118e Congrès national des Sociétés historiques et scientifiques, Pau, oct. 1993, éd. du Comité des Travaux historiques et scientifiques, Paris, 1995.

Parcs naturels du monde, Larousse, WWF, 1990.

Monographies et ouvrages spécialisés

ALLAIN Yves-Marie, *Des Botanistes explorateurs en Chine*, in *Hommes & Plantes*, n° 27, Spécial « Chine », 1998. (Père David).

BAILLY André, *Défricheurs d'inconnu*, Édisud, 1992. (Michel Adanson, Joseph Pitton de Tournefort).

BASSY Alain-Marie, *À l'heure des grandes synthèses. L'œuvre de Buffon à l'Imprimerie royale, 1749-1789*, L'Art du Livre à l'Imprimerie nationale, Paris, Imprimerie nationale, 4, pp. 171-189, 1973.

BEAGLEHOLE, *The voyage of* The Endeavour, *1768-1771*, Cambridge, 1968. (Joseph Banks).

BERNARDI Luciano, *De La Billardière à Cowan en passant par Chamisso*, Musées de Genève, Suisse, 95 : 2-6, 1969.

BILLARD Roland et JARRY Isabelle, *Hommage à Théodore Monod, naturaliste d'exception*, Muséum national d'histoire naturelle, coll. « Archives », Paris, 1997.

BLUNT Wilfrid, *Linné, le prince des Botanistes*, Belin, « Un savant, une époque », Paris, 1986.

Les Botanistes français en Amérique du Nord avant 1850, 63ᵉ Colloque international, CNRS, Paris, 11-14 sept. 1956. (Michaux).

BOTTING Douglas, *Humboldt, un savant démocrate*, Belin, « Un savant, une époque », Paris, 1988.

BOUTAN Emmanuel, *Le Nuage et la vitrine. une vie de monsieur David*, Chabaud, Bayonne, 1993. (Père David).

O'BRIAN Patrick, *Joseph Banks, a Life*, Collins Harvill Ed., London, 1987.

Buffon, 1788-1988, Imprimerie nationale, Paris, 1998.

CARR Stella G.M. et CARR Denis J., *La Contribution de la France à la découverte de l'Australie et de sa flore*, Endeavour 35 (124) : 21-26, 1976. (La Billardière).

DREVET Patrick, *Le Corps du monde*, Seuil, coll. « Fiction & Cie », Paris, 1997. (Joseph de Jussieu).

DUVIOLS Jean-Paul et MINGUET Charles, *Humboldt, savant-citoyen du monde*, Gallimard, Découvertes, coll. « Invention du monde », Paris, 1994

Éloge historique de J.-J. de La Billardière, Annales du Muséum national d'histoire naturelle, pp. 207-224, Paris, 1837.

FABRE Jean Henri, *Souvenirs entomologiques*, T. I. *Études sur l'instinct et les mœurs des insectes*, R. Laffont, coll. « Bouquins », 1989.

FABRE Jean Henri, *La Plante. Leçons à mon fils sur la Botanique*, Privat, 1996.

FOUCAULT Philippe, *Le Pêcheur d'orchidées, Aimé Bonpland (1773-1858)*, Seghers, coll. « Étonnants Voyageurs », 1990. (Alexander von Humboldt).

GIRARDON Jacques, *Fleurs de bitume*, in *Sciences & Avenir*, pp. 68-73, nov. 1983. (Père David).

HUMBOLDT Alexander (von), *Voyage dans l'Amérique équinoxiale*, T. I. *Itinéraire* ; T II. *Tableaux de la nature et des hommes*, François Maspero, Paris, 1980.

HUTCHINSON John, *A Botanist in Southern Africa*, P.R. Gawthorn LTD, London, 1946. (Carl-Peter Thunberg).

LABORIE Jean-Claude, *Le Huguenot au Brésil à travers les documents portugais (1560-1584)*, Histoire du Protestantisme français, nov.-déc., 1998. (André Thévet).

LEJEUNE Daniel, *Rendez-vous aux Mascareignes sur les traces de Bougainville*, in *Hommes & Plantes* n° 19, pp. 33-41, 1996. (Philibert Commerson).

Lettres américaines d'Alexandre de Humboldt (1798-1807), éditées par E.T. Hamy, Paris, 1905.

MALLET Corinne, *Hortensias et autres hydrangea*, R. Mallet, Centre d'Art floral, 76119 Varengeville-sur-Mer, vol. I, 1992 et vol. II, 1994. (Carl-Peter Thunberg, Philibert Commerson).

MERRILL Elmer Drew, *The Botany of Cook's Voyages*, Chronica Botanica, vol. 14, n° 5/6, pp. 163-383, USA, 1954. (Joseph Banks).

MINGUET Charles, *Alexandre de Humboldt, historien et géographe de l'Amérique espagnole, 1799-1804*, François Maspero, Paris, 1969.

MONNIER J., LAVONDES A., JOLINON J.-C., ÉLOUARD P., *Philibert Commerson, le découvreur du bougainvillier*, édité par l'Association St-Guignefort, Châtillon-sur-Chalaronne, 1993.

MONOD Théodore, *Méharées*, Actes Sud, coll. « Terres d'aventure », 1989.

MONOD Théodore, BEL José-Marie, *Botanique au pays de l'encens. Périple au Yémen*, Maisonneuve et Larose Solibel, 1996.

MONOD Théodore, *Terre et Ciel. Entretiens avec Sylvain Estibal*, Actes Sud, 1997.

320

Bibliographie

MONOD Théodore, *Le Chercheur d'absolu*, Le Cherche-Midi, 1997. (Théodore Monod).

NORDENSTAM B., *Carl-Peter Thunberg*, Bidr. kungl. Vetenskapsakad, Historia, XXV, Suède, 1993.

PALMBLAD F.W., *Biografisk Lexicon*, 17, pp. 114-124, éd. N.M. Lindus Förlag, Uppsala, Suède, 1849. (Carl-Peter Thunberg).

PLINE L'ANCIEN, *Histoire naturelle*, traduction française par M.E. Littré, Didot-Frères, Paris, 1860.

ROUSSEAU Franck, *The Proteaceae of South Africa*, Purnell and Sons (S.A.), PTY, LTD, Cape Town, 1970. (Carl-Peter Thunberg).

SAINT-HILAIRE Auguste de, *Éloge de monsieur de La Billardière*, Annales des Sciences naturelles et botaniques, vol. I, pp. 39-44, Paris, 1834.

STAFLEU F.A., COWAN R.W. et coll., *Linnaeus Carl*, Taxonomic Literature, ed. 2, vol. 3 : Lh-O, 1981, pp. 71-111.

TAILLEMITE Étienne, *Sur des mers inconnues. Bougainville, Cook, Lapérouse*, Gallimard-Jeunesse, Découvertes, coll. « Aventures » n° 21, 1987. (Philibert Commerson).

WALLIN L., *Carl-Peter Thunberg (1743-1828)*, Scripta Minora, Bibl. Regiae Univ. Upsaliensis, Suède, 6, 1993.

WALT J.J.A. van der, *Pélargoniums du Sud africain*, Fischer, Hillscheid, D., 5411, 1980. (Carl-Peter Thunberg).

Index des noms propres

ADANSON, Michel : 124, **125-137**
ALBUQUERQUE, Alfonso de : 194
ALEMBERT, Jean LE ROND d' : 114-115, 137
ALKINOS : 21
AL-MAMŪN : 28
ANDROMÈDE : 103
ANGUIERE, Pietro Martire d' : 238
AOUTOUROU : 156
APOLLON : 27
ARISTOTE : 18, 23, 29-30, 53, 97
AUBRIET, Claude : 69
AURIBEAU, Hesmivy d' : 188-189
AVICENNE, Ibn SĪNĀ connu sous le nom d' : 17, 30

BÄCK : 110
BACON, Francis : 23, 116
BAILLY, André : 133
BANKS, Joseph : 111, 163, **165-179**, 182-183, 189, 193, 229, 236, 243
BARÉ (voir Jeanne BARET)
BARET, Jeanne : 152, 155-158
BAUDIN, Nicolas : 187, 218
BAUER : 180
BAUHIN, Gaspard : 66, 102
BEAUHARNAIS, Hortense de : 159
BEAUHARNAIS, Joséphine Tascher de La Pagerie de : 242-243
BEAUVAIS, Vincent de : 31-32
BELLAY, René du : 33, 37
BELON, Pierre · 32, **33-42**, 53, 213, 299
BENBO, Cardinal Pietro : 41
BENOÎT II, saint : 27
BETHENCOURT, Jean de : 194
BIGNON, abbé : 215
BLUNT, Wilfrid : 106
BOERHAAVE, Herman : 297
BOISSIER : 36

BOLÌVAR, Simón : 243, 245
BONPLAND, Aimé GOUJAUD dit : 51, **231-248**, 253
BORDANAVE, père Juan de : 90
BOTTING, Douglas : 237
BOUGAINVILLE, Louis-Antoine de : 123, 150, 154-155, 157, 166-167, 175, 232-233, 244
BOUGUER, Pierre : 84, 87
BOULDUC, Gilles-François : 115
BOULAY, abbé : 282
BOURDU, Robert : 214
BOWN, Gladys : 111
BROSSE, Jacques : 162, 173
BROUSSONNET, Auguste : 173, 175
BROWN, Robert : 175, 258
BRUNETIÈRE, Ferdinand : 117
BUFFON, Georges-Louis LECLERC, comte de : 23, 37, 90, 105, 112, **113-124**, 132, 144-145, 150, 162, 165, 251, 260
BURMANS, Nicolas : 196
BUDDLE, révérend : 280
BYRON, John : 152, 166

CALVIN, Jean : 44
CAMÉRARIUS, Rudolph Jacob : 72, 96
CANDOLLE, Augustin Pyrame de : 190
CÃO, Diogo : 194
CARR, Denis : 186
CARR, Stella : 186
CARTEREY : 166
CARTIER, Jacques : 213
CASSINI, père et fils : 83
CATON : 13
CAVANILLES, Antonio José : 147
CELSIUS, Embers : 95
CELSIUS, Olof : 95

CESALPINO, Andréa : 96
CÉSAR, Jules : 93, 307
CHARLEMAGNE : 27, 304
CHARLES III : 140
CHARLES IV : 234
CHARLES XII : 93
CHARLEVOIX, père François Xavier de : 208
CHATEAUBRIAND, François-René de : 228
CHINCHÓN, comtesse de : 87-88
CLAIRVEAUX, saint Bernard de : 31
CLÉMENT VIII, Ippolito Aldobrandini : 96
CLÉMENT XIII, Carlo Rezzonico : 107
CLÉMENT XIV : 107
CLÉOPÂTRE VII : 252
CLOVIS : 27
COLERIDGE, Samuel Taylor : 250
COLLET, Philibert : 151
COLOMB, Christophe : 48-49, 211-212
COMMERSON, Anne François Archambaud : 149
COMMERSON, Philibert : 123, **149-163**, 175, 182, 188, 193, 244
COMMODE : 16
CONDILLAC, Étienne BONNOT de : 114
CONDORCET, Marie Jean Antoine CARITAT, marquis de : 91
CONSTANTIN l'Africain : 27-28
COOK, James : 111, 166-169, 171-176, 179, 181, 231, 236
CORDUS, Valerius : 33
COSTE, abbé : 282
COUPLET : 84
CRESCENT-FAGON, Guy : 65
CRONQUIST : 81
CUVIER, Georges : 23, 38, 77, 177-178

DAHGREN, R. : 81
DALECHAMPS, Jacques : 50
DAMPIER, William : 173

DANIN, Avinoam : 70
DARWIN, Charles : 80, 111, 120, 165, 225, **249-265**, 283-285, 291
DARWIN, Emma : 264
DARWIN, Erasmus : 250-251
DAUBENTON, Louis : 117
DAUDOENS, Rembert : 54
DAVID, Armand, père : **267-282**, 314
DESCAINE : 272-273
DEHAYE, Pierre : 291
DELALANDE : 157
DELOBEL, Mathias : **59-61**, 80, 89
DESCLIEUX D'ERCHIGNY : 76, 85
DESFONTAINES, René LOUICHE : 218
DIAZ, Bartolomeu : 194
DIDEROT, Denis : 114-115, 137
DIOSCORIDE : **11-24**, 25, 29-30, 33, 38, 53, 69, 70
DIOUF, Abdou : 293
DOMBEY, Joseph : 51, **139-147**, 234, 239
DORST, Jean : 119
DOUGLAS, David : 225-226
DUMESLE, Maillard : 161
DUMONT D'URVILLE, Jules : 188
DUPETIT-THOUARS : 15

EMPÉDOCLE : 16
ENTRECASTEAUX, Antoine de BRUNI, chevalier d' : 181-182, 188

FABRE, Jean Henri : 106, **283-292**
FABRE, Philippe, dit FABRE d'ÉGLANTINE : 110
FABRICIUS, Johan Christian : 106
FAGON : 69-70
FERDINAND d'ESPAGNE : 48, 211
FERNANDEZ de OVIEDO Y VALDES, Gonzalo : 48
FITZ-ROY : 249, 252
FLATTERS, Paul : 297

FONTENELLE, Bernard LE BOVIER de : 65
FORSTER, Johann Georg : 176, 231
FORSTER, Johann Rheinold : 176
FOUCAULT, Michel : 65
FOUCAULT, Philippe : 248
FOURNIER, abbé Paul : 91, 282
FRANCHET : 281
FRANCÍA : 245
FRANÇOIS Ier : 33-34
FRANÇOIS II : 50
FRANÇOIS XAVIER, François de JASSU dit saint : 267
FRANKENSTEIN, docteur : 313
FRANKLIN, Benjamin : 177
FRU LINNEA : 110-111
FUCHS, Léonard, dit FUCHSIUS : 54
FULTON : 219

GALIEN, Claude : **11-24**, 25, 27, 29, 30, 33, 53
GALILÉE, Galileo GALILEI dit : 96
GAMA, Vasco de : 194
GAULLE, Charles de : 275
GEORGES III : 166, 175
GESNER, Conrad : 54, 60-61, 63, 94, 102
GODIN, Louis : 83-85, 90, 166
GODIN des ODONNAIS : 84
GOETHE, Johann Wolfgang von : 18, 112, 120, 232
GOUHAN, Antoine : 139, 182
GOULD, Stephen Jay : 254
GRÉGOIRE XIII : 93
GREW, Nehemiah : 71, 96
GROVONIUS : 102
GUA, abbé : 115
GUESTIER, abbé : 282
GUISE, duc de : 51
GUNDELSCHEIMER, André : 69-70
GUSTAVE Ier VASA : 111
GORCE : 246

HAECKEL, Ernst : 233, 279
HALLER : 101

HANNON : 193
HĀRŪN al-RACHĪD : 28
HAWKESWORTH, John : 175
HENRI II : 37, 43
HENRI III : 214
HENRI le Navigateur : 194
HENSLOW, père J.S. : 252
HERNÁNDEZ, Mateo : 49
HÉRODOTE : 193
HILDEGARDE de BINGEN, sainte : 31
HIPPOCRATE : 13, 16, 18, 35, 53, 74
HOMÈRE : 35
HOOKER, William : 225
HUGO, Victor : 84
HUMBOLDT, Alexandre von : 51, 179-180, **231-248**, 251, 253, 260, 314
HUMBOLDT, Guillaume : 242

INCARVILLE, père d' : 269
ISABELLE d'ESPAGNE : 211

JEAN II du Portugal : 194
JEFFERSON, Thomas : 177, 216, 228-229, 241
JÉSUS-CHRIST : 35, 213
JOLINON, Jean-Claude : 159
JOHANICIUS, Hunayn B. ISHAQ dit : 29
JOVET, Paul : 280, 300
JUAN, don Jorge : 84
JUSSIEU, Adrien de : 75, 80
JUSSIEU, Antoine de : 75-76, 83, 85-86, 88, 90
JUSSIEU, Antoine Laurent de : 75, 77-78, 80, 91, 135, 190
JUSSIEU, Bernard de : 75-78, 83, 91, 101, 125, 139, 140, 270
JUSSIEU, Bernard-Pierre : 91
JUSSIEU, Christophe de : 75
JUSSIEU, Joseph de : 51, 75, 81, **82-92**, 113, 139, 140-141, 143, 146,

151, 162, 165-166, 231, 234, 251, 294, 314
JUSSIEU, les frères : 127

KETTLEWELL : 256

LA BILLARDIÈRE, Jacques Julien HOUTTOU de : 179, **181-192**, 193
LA BROSSE, Guy de : 214, 215
LACÉPÈDE, Étienne de LA VILLE, comte de : 145
LA CONDAMINE, Charles de : 84, 86-88, 163, 234
LAFITEAU, père : 215
LA FAYETTE, Gilbert de : 216
LAMARCK, Jean-Baptiste de MONET : 80, 120, 150, 250-251, 286
LA METTRIE, Julien OFFROY de : 101
LA PÉROUSE, Jean-François de GALAUP, comte de : 123, 181-182, 188
LAVOISIER, Antoine Laurent de : 234
LECLERC, Georges-Louis (voir BUFFON)
LÉCLUSE, Charles de, nommé Clusius : **53-58**, 59
LEEUWENKOEK, Antoine van : 71
LEFANTE, Hortense : 159
LEIBNIZ, Gottfried Wilhelm : 116
LÉRY, Jean de : 44-45, 48, 50
LESCHENAULT de LA TOUR : 187
L'ÉVEILLÉ, mgr : 282
LEVI-STRAUSS, Claude : 45
L'HÉRITIER de BRUTELLE, Charles : 144-145, 182, 204
LIEBIG, Justus, baron de : 284
LINDLEY : 246
LINNÉ, Carl von : 38, 50, 64, 66-68, 70, 72-73, 75-78, 88, **93-112**, 113-114, 118-121, 124, 132-134, 150-151, 157, 165, 167, 195-200, 203-204, 214-215, 231, 294

LINNÉ, Charles : 110-111, 171, 208
LIVINGSTON, David : 128-129
LOENWENHOEK : 96
LOUIS IX : 31
LOUIS XIII : 214
LOUIS XIV : 47, 69, 76, 217
LOUIS XV : 83, 115, 150
LOUIS XVI : 136, 139, 179, 181, 216
LOWE : 227
LOYOLA, Saint Ignace de : 267
LUCRÈCE : 121
LUTHER, Martin : 34, 55
LYELL, Charles : 250, 263

MABILLE, Christian : 191
MAGNOL, Pierre : 64, 67, 94
MÂLE, Émile : 32
MALPIGUI, Marcello : 72
MARC AURÈLE : 16
MATTHIEU, saint : 306
MASSON, Francis : 199
MAUREPAS, Jean Frédéric PHÉLY-PEAUX de : 83, 115, 117
MAXIMILIEN II d'Autriche : 55
MÉDICIS, Catherine de : 43, 50
MENDEL, Gregor : 265
MENZIES, Archibald de : 226
MICHAUX : **211-229**
MICHAUX, André : 216
MICHAUX, François-André : 217, **219-223**
MILBERT, Jacques-Gérard : 222-223
MILNE-EDWARDS, Henri : 274
MONARDES : 47
MONOD, Jacques : 306
MONOD, Théodore : **293-309**
MONSON, Anne : 100
MONTESQUIEU, Charles DE SECONDAT, baron DE LA BRÈDE et de : 114, 116
MOQUIN-TANDON : 84, 294
MOSTO, Ca'da : 126
MARLOTH, Rudolph : 206

NAPOLÉON III, Charles Louis NAPO-LÉON BONAPARTE : 159, 275
NASSAU-SIEGEN, Charles de : 156, 159
NEEDHAM, abbé : 125
NÉKAO : 193
NEPOS, Cornélius : 21
NEPTUNE : 105
NÉRON : 13
NEWTON, Isaac : 83, 116, 177
NICOT de VILLEMAIN, Jean : 50

OBEREA : 167
OSBECK, Pehr : 104
OVIDE : 103, 283

PARACELSE : 17
PARMENTIER, Antoine Augustin : 56
PASCAL, Blaise : 74
PASTEUR, Louis : 105
PAULIAN, Renaud : 119
PAVÓN, Joseph : 140, 144-146
PEISSONIER : 155
PELSAERT, capitaine : 173
PHILIPPE VI de VALOIS : 29
PIE IV, Jean Ange de MÉDICIS : 56
PINCHON, mgr : 276
PLATON : 18
PLINE l'Ancien : 20, 25, 65
PLINE le Jeune : 24
PLUCHE, abbé : 133
PLUMIER, père : 47, 61, 64, 74, 85
POIVRE, Pierre : 157, 160, 184, 219
PRÉVERT, Jacques : 272
PRÉVOST, Florent : 272
PRINGLE, John : 178
PROTÉE : 200
PROMÉTHÉE : 313

RABAUD, Étienne : 287
RÉAUMUR, René Antoine FERCHAULT de : 114, 120
RETZIUS, André Jean : 209

RICCI, Matteo : 268
RICHE, Claude : 182
RICHELIEU, Armand de VIGNEROT du PLESSIS, duc de : 49
RIEBEECK, Jan van : 207
ROBIN, Jean : 214
ROBIN, Vespasien : 214
RONDELET, Guillaume : 55, 59, 139
RONSARD, Pierre de : 37
ROSSEL : 185, 188
ROUSSEAU, Jean-Jacques : 61, 111, 114, 126, 139, 154, 166, 246
RUIZ, Hippolito : 140, 144-146

SABRAN, comtesse de : 121
SAGARD, père : 212-213, 215
SAINT-HILAIRE, Auguste de : 191, 294
SARRASIN, Michel : 215-216
SAUNIER, Paul : 217, 219
SÉNÈQUE : 249
SENIERGUES, Jean : 84, 87
SEPTIME SÉVÈRE : 16
SÉVILLE, Isidore de : 30
SIEGESBECK, Johann : 98
SIVRY, Philippe de : 56
SHAKESPEARE, William : 112, 173, 262
SMITH, Edward : 111
SOCRATE : 18, 35
SOLANDER : 167, 169-172, 176
SOLIMAN le Magnifique : 34
SOULIÉ, père : 280
SPARRMAN, Anders : 197-198
SPINOZA, Baruch : 112
STEINER, A.L. : 287-288
STEL, Wilhelm Adriaan van der : 203
SWARTZ, Olof : 190

TACITE : 24
TAKHTAJAN : 81
TASMAN, Abel Janszoon : 168, 171
TÉLÉMAQUE : 35

THÉOPHRASTE : 18-20, 25, 33, 38, 47, 53, 70
THÉVET, père André : 34, **43-52**, 54, 212, 282
THOMAS d'AQUIN, saint : 32
THOUIN, André : 123, 146, 218, 234
THUNBERG, Carl-Peter : 100, 107
TOURNEFORT, Joseph PITTON de : 61, **63-74**, 75, 77-78, 94, 96, 125, 133-134, 151, 231, 294
TRADESCAN, John : 214
TURGOT, Anne Robert Jacques, baron de l'AULNE : 139

ULLOA, don Antonio de : 84
ULYSSE : 21

VAILLANT, Sébastien : 68, 72, 94, 96
VAUGUAN : 221

VERGUIN : 84
VERMEER, Johannes : 197
VERNE, Jules : 104
VERNIUS : 195
VESPASIEN : 20
VESPUCCI, Amerigo : 44
VICTORIA Ire : 246
VILLEGAGNON, Nicolas DURAND de : 43, 44
VILMORIN : 243, 246
VIRGILE : 106, 283
VOLTAIRE, François-Marie AROUET, dit : 114, 116, 150
VIVANTE BEAU, Marie-Antoinette : 149

WALDSEEMÜLLER : 44
WALLACE, Alfred Russel : 263
WALLIS : 152, 166
WATSON, William : 100
WHANGER, Alan : 70
WHANGER, Mary : 70

Index des matières

Abies concolor : 226
Acacia : 130, 171, 214
Acanthe : 53
Aconit : 17-18
Adansonia (baobab) : 127
Agathis australis : 170
Ailante : 269
Aizoacées, famille des : 205-206
Akène : 39
Algue : 21, 98
Alizarine : 284
Aloès : 195
Amande amère : 16, 85
Amentacées, famille des : 240
Anacardiacées, famille des : 154
Ananas : 48-49, 244
Anastacie de Jérusalem (ou *Anastatica hierochuntina*) : 36, 298
Anémone-hépatique : 60
Annedda : 213
Anomale : 68
Anthère : 290
Apocynacées, famille des : 159
Apozème : 11
Arachide (ou *arachidna*) : 47-49
Araliacées, famille des : 215
Araucaria : 143, 146
Araucariacées, famille des : 170
Arboretum : 218
Arbres à chatons (voir Amentacées)
Arbre aux mouchoirs : 277-278, 280
Artichaut : 222
Arum, famille de l' : 152
Aspérule : 240
Astragale : 69, 130
Aubrieta, genre : 69
Aulne : 152
Avocatier : 244

Baies : 21
Bambou, Bambouseraie : 277

Bananier (ou *paquouère*) : 46, 244
Banksia : 171
Baobab : 127, 135
Baretia : 156
Barringtonia : 155
Baume de Copahu : 86
Baume de Tolu : 85
Baume du Pérou : 85
Baume opodeldoch : 11
Bégonia : 146
Belladone : 54
Belle-de-nuit : 109
Benjoin : 85
Bignonia : 146
Blé : 57, 278
Boerhavia : 297-298
Boerhavia repens : 298
Bois de braise (dit encore *brésil*) : 44, 48
Borraginacées, famille des : 74
Boswelia : 301
Boswelia sacra : 301
Bougainvillée, Bougainvillier : 151
Bouillon blanc : 281
Bouleau : 104, 256
Boule-de-neige : 147
Bourdaine : 36
Brassicacées, famille des : 298
Bruyère : 202-203, 236
Buddleja (ou « arbre aux papillons ») : 280-282
Buddleja dividii : 281

Cacahuète (ou cacao de terre ou *thàcaualt*) : 47
Cacao : 147, 155
Cacao de terre (voir cacahuète)
Cactées, famille des : 205
Cactus : 109, 141, 146, 205, 245
Cactus-cierge : 141
Café : 76
Caféier : 76, 85, 244

Caladium bicolor : 152
Calactine : 296
Calotropis procera : 296
Calotropis : 296
Calotropine : 296
Campanula serpilifolia (ou campanule à feuilles de serpolet) : 102
Campanulacées, famille des : 67
Campanule : 102
Campanuliforme : 67
Camphre : 204
Candollea : 190
Canellacées, famille des : 89
Cannelier : 88-89, 141, 311
Cannelier blanc : 88
Cannelier de Ceylan : 141
Cannelle : 85, 88, 140, 157
Cannelle blanche : 89
Cannelle de Ceylan : 89
Caoutchouc : 87
Câprier sauvage : 302
Capucine : 91, 270
Carnongolam : 135
Carotte : 57, 118
Castanea dentata : 222
Casuarina : 172
Cèdre de Guayaquil : 146
Célastracées, famille des : 158
Céphalotacées, famille des : 187
Cephalotus : 186-187
Cephalotus follicularis : 187
Cérat : 11
Cerbera veninifera : 159
Céréale : 59
Chamaecyparis Lawsoniana : 226
Champignon : 57, 98
Chardon : 70, 286
Châtaignier : 222
Chêne : 21, 118, 218, 224
Chêne rouge : 224
Chicorée : 228
Chicorée sauvage : 109
Chinchona, genre : 88
Chou : 222, 288
Chou palmiste : 222
Ciguë : 18, 35
Cinéraire : 241
Citron : 204

Citrouille : 272
Chrysanthème : 272
Chundapana : 135
Coca : 89
Cocaïne : 90
Colchique : 18
Colletia : 151-152
Commelina : 108
Commersonia : 155
Commiphora : 302
Conifère : 169, 172, 225-226
Crucifères, famille des : 36, 67, 69, 298
Cruciforme : 67
Cucurbitacées, famille des : 272
Curare : 238
Cyanure : 269
Cyprès : 221
Cyprès chauve : 221

Dame-d'onze-heures (voir ornithogale)
Datte, Dattier : 19, 21
Davidiacées, famille des : 277
Deutzia : 196
Diandres : 97-99
Digitale : 54, 159, 171
Dioescia : 101
Dombeya, genre : 147
Douglas : 225-226

Electuaire : 11
Encens : 13
Érable : 218, 222
Erica, genre : 202
Ériracées, famille des : 202
Érable à sucre : 215
Eucalyptus : 60, 171, 183, 191
Eucalyptus globulus : 183
Eucalyptus amygdalina : 183
Eucalyptus cornuta : 186
Eucalyptus géant de Tasmanie : 172, 182-183, 186
Euphordiacées, famille des : 80

Fagacées, famille des : 222
Faleslez : 297

Faux-acacia (ou robinier) : 68
Fève : 14
Fève d'Égypte : 16
Feuille de chou : 13
Figue : 71
Figuier : 19, 21, 71
Figuier domestique : 71
Figuier sauvage : 71
Figuier de Barbarie : 289-290
Filao : 172
Fleur de la passion : 240
Fougère : 57, 74, 98
Fraise : 311
Frangipanier : 61
Frêne : 218
Fromager : 129-130
Fuchsia : 241
Fuchsia, genre : 54
Fynbos : 201-202

Galium : 240
Garance : 284
Garrigue : 201
Gayac, teinture de : 130
Genêt : 236
Genévrier : 69, 104
Gentianacées, famille des : 298
Géraniacées, famille des : 203
Géranium : 101, 203-204
Gingembre : 157, 204
Ginkgo : 208
Ginseng : 215
Ginseng du Canada : 215
Girofle : 13
Giroflier : 157, 184
Gland : 21
Glycine : 68
Gomme : 11, 131
Gomme adragante : 130
Gomme arabique : 130
Gommier bleu : 183
Graminées, famille des : 57, 59, 240
Grand cierge péruvien (cactus) : 109
Gui : 36
Gundelia : 70
Gundelia tournefortii : 70

Hakea : 202
Haricot : 57, 264
Hellébore noire des Anciens : 69
Henné : 22, 130
Herbe : 57, 67-68
Herbe angoulmoise : 50
Hêtre : 170
Hêtre argenté : 171
Hêtre de montagne : 171
Hêtre rouge : 171
Hevé : 87
Hibbertia : 190
Hortensia : 147, 159-160, 196
Houx : 244
Hydrangea : 159
Hydrangéacées, famille des : 196
Hyoscyamus muticus : 297

Ilex Humboltiana : 244
Ilex paraguariensis (houx du Paraguay) : 244
Indigo : 131-132
Iris : 27
Iris de Corinthe : 22
Iris de Phasélis : 22

Jacinthe : 59-60, 98
Jujubier : 36
Jusquiame : 18, 297

Kauri : 170

Labiées, famille des : 67, 135
Latex : 34, 276
Landanum : 11
Lauracées, famille des : 89
Laurier : 21, 89
Laurier jaune : 50
Laurier rose : 18
Lawsonia : 130
Lécythidacées, famille des : 155
Légumineuses, famille des : 57, 152, 240
Lichens : 258, 274
Lierre : 60, 214, 281
Lilas : 280
Linnea boralis : 102

Liseron : 67
Liseron des haies : 109
Liseron pourpre : 109
Lobelia, genre : 61
Lotos : 21
Lupin : 68
Lys : 27, 59-60, 98, 171, 195

Magnolia : 218
Magnolia, genre : 64
Magnolia grandiflora : 228
Maïs : 72, 296
Maïs transgénique : 296
Malvacées, famille des : 135, 203
Mandragore : 18
Mangrove : 131
Manioc : 48
Marguerite : 97, 205
Marronnier : 225
Marronnier à fleurs rouges : 225
Marronnier d'Inde : 57, 225
Maté (voir *Yerba*)
Mauves, famille des : 127, 129, 135
Médiacées, famille des : 80
Méliacées, famille des : 157
Menthe : 135, 204
Mercuriale : 72
Mesembryanthemum cristallinum : 206
Métopion : 22
Mimosa : 130, 171
Mimosa pudique : 198
Monodiella flexuosa : 298
Monogyne : 101
Monandre : 97, 101
Monsonia : 100
Morphine : 35, 90
Mouron rouge : 109
Mousse : 98, 282
Mûre : 14
Mûrier : 118
Muscade : 157, 204
Muscadier : 183-184
Myrrhe : 302

Narcisse : 22, 59-60
Nénuphar blanc : 109

Nénuphar géant (ou *Victoria regia*) : 245
Népenthès d'Homère : 35
Népenthès d'Albany : 186
Nerprun : 36
Nicotiana tabacum : 50
Nicotiane : 50
Noix : 79
Noix de cajou : 47
Notofagus (ou *Nothofagus*) : 170-171

Oignon : 98
Oliban : 301
Olivier : 36, 98
Ombellifères, famille des : 57
Ophrys : 258-260
Ophrys, genre : 257
Ophrys mucifera (ou ophrys mouche) : 258
Ophrys apifera (ou ophrys abeille) : 258
Opium : 12, 16-18, 34-35, 270-271, 275
Orange : 85
Orchidée : 18, 146, 257, 260-261
Orchidées, famille des : 240-241, 243, 257, 260, 261
Orme : 118
Ornithogale (ou dame-d'onze-heures) : 109
Ortie : 111, 118
Ortie blanche : 135
Orties, famille des : 281
Ouabaïo : 159
Oxalis : 60

Palétuvier : 131
Paliurus : 36
Paliurus spina christi : 36
Palmier : 19, 20, 53, 222
Palmier à huile : 131
Palmier canarien : 20
Palmier-dattier d'Afrique du Nord : 20
Palmier nain : 20-21
Pamplemousse : 157, 219

Papilionacées, famille des : 68, 85, 132, 269
Papyrus : 35
Paquouère (voir Bananier)
Panax quinquefolius : 215
Patate douce : 48
Pavia rubra : 225
Pavot : 18, 34, 97, 270
Peissoneria : 155
Pelargonium : 204
Persil : 57
Petit pois : 57
Pétunia : 160, 205
Peuplier : 224
Phenix, genre (ou *Phœnix*) : 20
Pimprenelle : 118
Pin : 236
Pin à longue vie : 10, 227
Pin sylvestre : 225
Plante-pichet : 212
Plantain lancéolé : 99
Platane : 35, 37-41, 225
Platane hybride (ou *Platanus hybrida*) : 39
Platane d'Occident (ou *Platanus occidentalis*) : 39-40
Platane d'Orient (ou *Platanus orientalis*) : 38, 41-42
Plumeria, genre : 61
Poireau : 21
Poivre : 16, 157
Pollen : 70-73, 128, 289-290
Polycardia : 158
Polygonacées, famille des : 277
Polypétales : 67
Pomme-cythère : 154
Pomme de terre (ou *Papas peruanorum* ou *Papas des Péruviens*) : 56, 278
Populus deltoïdes : 224
Populus nigra : 224
Protea mellifera : 201
Protéacées, famille des : 171, 200-201, 203
Proteas : 200-201
Pseudotsuga taxifolia : 226
Pulcheria commersomia : 158

Quercus rubra : 224
Quinquina : 13, 86, 88, 91, 140-142

Renonculacées, famille des : 78
Renoncules, famille des : 78, 171
Résine élémi : 11
Rhamnacées, famille des : 36, 151
Rhamnus : 36
Rhododendron : 202, 218
Rhubarbe : 277
Rhubarbe de Chine : 277
Ricin : 72
Robinia : 214
Robinier (ou Faux-acacia) : 68, 213-214
Romarin : 98
Ronce : 14
Rose : 53
Rose blanche : 160
Rose de Jéricho (voir Anastacie de Jérusalem)
Rose de Noël (ou hellébore noire des Anciens) : 69
Roseau : 59, 240
Rubiacées, famille des : 240
Rue : 289-290
Rutacées, famille des : 80

Sabal palmeto : 222
Safran de Soles : 22
Salsifis des prés : 109
Sapin : 21, 39, 172, 225
Sarracenia : 212-213, 215
Sassafras : 218
Sauge : 146
Saule marsault : 281
Semoule : 21
Séquoia : 10, 226-227
Séquoia californien : 183
Sequoiadendron giganteum (ou arbre mammouth des Américains) : 227
Sequoia sempervirens : 226-227
Silène nocturne : 109
Sophora du Japon (ou *Sophora japonica*) : 269
Souci des champs : 109

Sparmannia africana : 198
Spondias cytherea : 154
Stachys : 281
Sterculiacées, famille des : 147
Stylidium (ou « plante à gâchette ») :
   190-191
Stylidiacées, famille des : 191
Suc : 11
Sumac : 215

Tabac : 43, 48, 50, 311
Tanguin : 158
Tétrandre : 99
Térébenthine : 85-86
Tilleul : 17, 93, 97, 218, 281
Thevetia, genre : 50-51
Thevetia ahouai : 50
Thevetia neriifolia : 50
Thunbergia, genre : 209
Thym : 21
Thuya : 213
Thuya occidentalis : 213
Tlacàcaualt (voir cacao de terre)

Tournefortia : 74
Tournesol : 213
Trèfle : 59-60
Tulipier : 228
Turraea : 157

Vanille, Vanilline : 85
Verveine : 98-99, 146
Victoria regia (ou nénuphar géant)
   245
Vigne : 21-22
Vigne-vierge : 215
Viola cheiranthifolia : 236
Violacées, famille des : 236
Violette : 236

Yerba : 244-245
Yucca : 218

Zinnia : 241
Zizyphus : 36
Zizyphus spina christi : 36
Zygophyllum dumosum : 70

Table

Des hommes hors du commun 9

CHAPITRE   1 – *Les sept punaises de Dioscoride
                  et la thériaque de Galien* 11

CHAPITRE   2 – *Le Moyen Âge, de Bagdad à Montpellier* 25

CHAPITRE   3 – *Pierre Belon, les crocodiles et les platanes* 33

CHAPITRE   4 – *André Thévet,
                  les monstres difformes et le tabac* 43

CHAPITRE   5 – *Charles de Lécluse, prince des descripteurs* 53

CHAPITRE   6 – *Mathias Delobel : une erreur d'aiguillage* 59

CHAPITRE   7 – *Joseph Pitton de Tournefort,
                  ou le refus du sexe* 63

CHAPITRE   8 – *Une tribu de botanistes : les Jussieu* 75

CHAPITRE   9 – *Joseph de Jussieu, les baumes et la cannelle* 83

CHAPITRE 10 – *Charles Linné au royaume de Flore* 93

CHAPITRE 11 – *Monsieur de Buffon au Cabinet du Roi* 113

CHAPITRE 12 – *Michel Adanson,
                  le baobab et les coquillages* 125

CHAPITRE 13 – *Joseph Dombey : une vie pleine de cactus* 139

CHAPITRE 14 – *Philibert Commerson,
                  sa travestie et ses bougainvilliers* 149

CHAPITRE 15 – *Joseph Banks : kangourous et eucalyptus* 165

CHAPITRE 16 – *La Billardière,*
un botaniste révolutionnaire 181

CHAPITRE 17 – *Avec Thunberg, cap sur Le Cap !* 193

CHAPITRE 18 – *Avec les Michaux dans les forêts*
d'Amérique du Nord 211

CHAPITRE 19 – *Alexander von Humboldt et*
Aimé Bonpland en Amérique équinoxiale 231

CHAPITRE 20 – *Charles Darwin,*
les orchidées et les pinsons 249

CHAPITRE 21 – *Le père David et le panda* 267

CHAPITRE 22 – *Jean Henri Fabre*
et les trois coups de poignard 283

CHAPITRE 23 – *Théodore Monod, le dernier*
des explorateurs ? 293

Épilogue – *Et demain ?* 311

Bibliographie 317

Index des noms propres 323

Index des matières 329

Achevé d'imprimer en décembre 1999
sur presse Cameron
par **Bussière Camedan Imprimeries**
à Saint-Amand-Montrond (Cher)
pour le compte de la librairie Arthème Fayard
75, rue des Saints-Pères – 75006 Paris

35-57-0666-04/4

Dépôt légal : décembre 1999.
N° d'Édition : 00100. – N° d'Impression : 995489/4.

Imprimé en France

ISBN 2-213-60466-5